LES DIEUX ET LES BÊTES

DU MÊME AUTEUR
DANS LA MÊME COLLECTION

Sanctum, 2006.
Le Champ du sang, 2007.
La Mauvaise Heure, 2009.
Le Dernier Soufle, 2010.
Le Silence de minuit, 2011.
La Fin de la saison des guêpes, 2013.

www.lemasque.com

Denise Mina

LES DIEUX ET LES BÊTES

Traduit de l'anglais (Écosse)
par Nathalie Bru

ÉDITIONS DU MASQUE
17, rue Jacob 75006 Paris

Titre original
Gods and Beasts
publié par Orion Books Ltd (Royaume-Uni)

Couverture :
Maquette : We-We
Photographie : © General Photographic Agency / Getty Images

ISBN : 978-2-7024-3927-2

À Ben, Bella et Freddy :
Deux yeux et puis voilà !

Presque tous les hommes peuvent faire face à l'adversité ; mais si vous voulez tester la capacité de quelqu'un, donnez-lui le pouvoir.

Abraham Lincoln

1

Martin Pavel entendait tout comme à travers un oreiller : la plainte faible des ambulances, le bourdonnement de l'hélicoptère au-dessus d'eux, les cris étouffés des hommes engoncés dans leurs uniformes, secouristes et flics qui se hurlaient des ordres urgents : BALISEZ LE PÉRIMÈTRE ! FAITES-LES RECULER ! Des vociférations inutiles, le chaos était passé depuis longtemps. Le chaos avait quitté le bureau de poste d'un pas nonchalant et s'en était allé. Maintenant, le chaos était en ville, quelque part, il faisait du lèche-vitrines, il mangeait, peut-être, regardait la télé, peut-être. Calme, certainement. Où qu'il se trouve, le chaos était calme. Martin aurait voulu être avec lui.

Il se tenait assis sur le bord du trottoir, jambes étendues sur le bitume de Great Western Road. Il voyait les badauds massés sur la colline et le long des réverbères, le cou tendu, conscients, étant donné le grand nombre de voitures de police et l'hélicoptère, qu'il s'était passé quelque chose de grave.

Les feux changèrent au carrefour, la lueur rouge filtrait sur le côté. Dans un sursaut, Martin se rendit compte qu'il faisait presque nuit. Le monde s'assombrissait pour de vrai, ça n'était pas qu'une impression. En se cambrant pour remplir d'air ses poumons, il faillit déloger le garçonnet agrippé à lui comme un koala. Le visage obstinément tapi contre sa poitrine, celui-ci se cramponnait et tressaillait dès que quelqu'un approchait.

Reprenant peu à peu ses esprits, Martin se rappela le crépitement de l'arme automatique, les explosions rouges dans le dos du vieil homme, le basculement du torse, la glissade poisseuse. Pris au dépourvu par l'image, terrifié par ce qu'elle suscitait en lui, il posa la main sur la tête du garçon pour le coller contre lui et l'envelopper de sa veste.

Alors que le garçon se serrait contre sa poitrine, le champ de vision de Martin s'emplit de vert. Un uniforme de secouriste. L'homme s'agenouilla à sa hauteur et tenta de croiser son regard :

— Monsieur, monsieur, vous m'entendez ?

Martin parvint à acquiescer d'un geste.

— Vous êtes blessé ?

Il fit signe que non.

— Et le petit bonhomme ? Votre fils, il est blessé ?

Martin cilla lentement.

— Ce n'est pas…

Alors qu'il ouvrait la bouche pour parler, le garçon eut un gémissement craintif, mais il fallait que Martin le dise :

— Ce n'est pas mon fils.

— Il est à qui ?

Martin hésita à répondre. Le garçon était à lui maintenant, on ne pouvait rien y changer, mais ça n'était pas ce que l'homme demandait. Il se retourna et désigna du pouce la vitrine fracassée du bureau de poste. Dedans, tout était éclaboussé de rouge et de noir.

— À lui.

Le garçon se tortilla pour se blottir plus profondément encore, l'empêchant presque de respirer.

Martin redressa les genoux et le serra farouchement, pour essayer de l'arracher à un monde dans lequel un grand-père pouvait faire une chose pareille.

Poussé dans un fauteuil roulant en toile à travers la salle d'attente des urgences ; pas très propre, pas très reluisante. Pas Caracas, mais pas le Cedars-Sinai non plus. Une loge en verre pare-balles pour le personnel des admissions, un alignement de chaises. Le garçon immobile sur ses genoux, les bras noués autour de son cou, les yeux hermétiquement clos.

Une porte. Une femme, grande, qui l'attendait de l'autre côté. Elle était blonde, tailleur gris. Inspectrice Alex Morrow. Je viendrai vous voir bientôt, il faut qu'on parle. Martin fit oui de la tête. Ils poursuivirent leur route.

Dans un couloir bordé de box entourés de rideaux. La personne qui poussait le fauteuil les gara dans un coin calme, elle tira un rideau autour d'eux, enclencha le frein et disparut.

Le temps passa. Les horloges tournaient et les chariots roulaient. Les chaussures des infirmières couinaient de l'autre côté du rideau.

Et puis soudain des pas pressés, et une voix de femme, aiguë : « Joseph ? » Les bras et les jambes du garçon se relâchèrent, il s'écarta de Martin, tendit de nouveau l'oreille. « Joe ! »

Il se laissa glisser à terre et resta debout face au rideau comme s'il craignait de l'ouvrir. Il paraissait minuscule, sans défense, petite chose au bord des larmes, et Martin tendit la main vers lui, il avait besoin qu'il revienne. Songeant soudain à ce qu'on risquait de lire dans le geste d'un homme réclamant le contact d'un garçon, il se ravisa ; il faisait partie d'une génération d'individus élevés dans l'idée qu'ils devaient se méfier d'eux-mêmes.

Devant le rideau, la tête rentrée dans les épaules, le garçon fut parcouru d'un frisson. En safari, Martin avait vu des lions, des hippopotames, même des léopards tuer des proies, les pourchasser. Il avait vu un hippopotame arracher la patte d'un lion d'un coup de dents. Cela avait quelque chose d'exaltant, de surprenant, qui poussait même à l'humilité, mais ce n'était rien comparé à ce dont il avait été témoin aujourd'hui, parce qu'aujourd'hui rien, absolument rien n'avait de justification.

Le rideau s'ouvrit brusquement. Une doudoune rouge, longue, comme un sac de couchage ensanglanté. Le garçonnet ne leva pas la tête ; figé, il fixait les jambes de la femme.

— Pardon, maman.

Elle tomba à genoux, l'enveloppa de ses bras. Elle était robuste, les hanches larges – même si l'épais manteau en duvet n'arrangeait pas les choses –, avec un beau visage sombre. Ils demeurèrent ainsi longtemps, jusqu'à ce que l'infirmière tousse d'impatience.

La mère leva le regard vers Martin, et, dans ses yeux rougis, le chagrin se mua en horreur. Elle repoussa un peu le garçon pour l'examiner, cracha rageusement dans sa main et lui frotta le visage avec sa

13

salive. Martin regarda son bras : l'arrière était couvert d'éclaboussures de sang séché.

Étalant le sang dans les cheveux du garçon, elle cracha de nouveau, sanglota et cracha encore. L'infirmière lui tendit une lingette humide. Faisant basculer la tête du petit, qui savourait ce moment avec de grands yeux ravis, elle frictionna, frictionna encore.

Elle se leva. Son visage déformé par le chagrin lui rappelait quelqu'un, et Martin comprit alors que le grand-père mort était son père, un père qu'elle avait beaucoup aimé.

Quand le rideau se referma sur eux, Martin se retrouva seul, frissonnant de froid, engourdi.

Des gens qu'il ne voyait pas discutaient. Des téléphones sonnaient. Le temps s'égrenait autour de lui.

Une jeune interne vint l'examiner. Elle braqua une lampe stylo sur ses pupilles, puis lui examina les oreilles, s'enquit de savoir s'il avait reçu un coup sur la tête. Il répondit que non. Il était en état de choc, lui dit-elle. Elle repartit.

Une infirmière lui apporta un comprimé qu'il avala. Ça lui rappelait un peu le Xanax de sa belle-mère, mais en plus rapide. Bientôt, tout lui sembla plus moelleux. Une sensation agréable.

Une autre infirmière fit son apparition, elle posa la main sous son coude pour l'aider à se lever. Tendrement, les yeux rivés sur les pieds de Martin, avec des encouragements inarticulés, elle le guida le long du couloir, puis ils tournèrent en direction d'une petite salle aux murs blancs baignée de lumière, un ordinateur éteint était posé sur un bureau.

La policière blonde se trouvait là avec un homme. Ils se levèrent pour se présenter : inspectrice Morrow et agent Harris. Ils lui serrèrent la main.

Tout le monde s'assit.

Le policier sortit une planchette à pince sur laquelle étaient attachées des photocopies d'un questionnaire. Mais comme il tenait toujours son sac, la planchette lui échappa quand il s'assit. S'affolant plus que de raison, il tenta de la rattraper du bout des doigts et ne saisit que la premièrette feuille vierge, qui s'arracha.

Tous regardèrent l'objet toucher le sol et rebondir sur l'un de ses coins avant de finir sa chute face vers le haut, exposant un formulaire déjà rempli : Joseph Lyons, 9 Lallans – la main du policier se posa sur l'adresse. Il ramassa la planchette, dégagea de la pince le haut de la feuille vierge déchirée. Les lèvres blêmes d'embarras. Martin ne voyait pas en quoi c'était si important.

La femme prit les choses en main. Elle demanda à Martin de lui raconter ce qui s'était passé au bureau de poste de Great Western Road. Que faisait-il là-bas ?

Il envoyait des cadeaux chez lui pour les fêtes.

Martin aurait déjà dû rejoindre les siens mais il ne s'en sentait pas le courage. Alors il s'était inventé une excuse, des examens fictifs et une petite amie fictive dans la région. Il était invité pour le repas de Noël chez ses parents. Ils rompraient en janvier. Et jamais on ne découvrirait la supercherie.

Aux flics, il ne mentionna rien de tout ça, juste qu'il s'appelait Martin Pavel, qu'il avait vingt et un ans et qu'il étudiait la géologie à l'université de Glasgow. Il se trouvait à la poste avec deux colis qu'il envoyait chez lui pour Noël.

— Chez vous ? C'est-à-dire ?

San Francisco.

Elle sembla dubitative.

— En *Amérique* ?

En Californie.

— Vous avez grandi ici, en Écosse ?

Martin secoua la tête.

— Mais vous avez l'accent écossais.

Il confirma, tel un Écossais : *Aye*.

Elle ne trouvait pas ça drôle du tout.

— D'où êtes-vous à la fin ?

— D'ici. Autant que d'ailleurs.

— Sauf que vous n'avez pas grandi ici et que votre famille ne vit pas dans le coin…

Les questions étaient trop compliquées, les réponses trop longues, et la seule pensée qui lui venait, c'était qu'il aurait voulu que le tireur débarque avec son flingue pour les abattre tous. Accablé, il secoua la tête, et la femme se pencha vers lui, pour le réconforter d'une voix douce, alors que Martin savait qu'il ne le méritait pas.

— Écoutez, peu importe. Oublions ça pour l'instant. À la poste, avant, qui d'autre se trouvait là ?

Le grand-père, juste devant lui dans la file d'attente, tenait son petit-fils par la main.

Il avait les cheveux blancs, le même visage carré que la mère venue récupérer le garçon. Il portait un blouson Berghaus rouge aux épaules noires et une écharpe rouge. Il avait la peau hâlée comme un paysan sicilien, des vêtements aussi impeccablement repassés que ceux d'un Parisien, mais l'accent de Glasgow.

Martin s'était placé en bout de file. Il avait éteint sa musique. «Des friands à la saucisse ?» avait dit le garçon à son grand-père, et le grand-père avait acquiescé du menton, l'air grave, avant de répondre : « *Bien sûr*, des friands à la saucisse. »

Martin restait bloqué sur ce souvenir. Bien sûr. *Bien sûr*, des friands à la saucisse. Les biens du corps, qui imposaient de prendre le sujet des friands à la saucisse très au sérieux.

— Le vieil homme vous a-t-il semblé nerveux ?

Non, la nervosité aurait supposé l'hésitation. Or, il n'en avait pas eu. Il avait confié le garçon à Martin sans hésiter, s'était mis au service du chaos, du barbare armé, avec détermination et dignité. Martin, tout en sachant qu'il avait tort, regrettait de ne pas avoir été à sa place. Il se mit à pleurer.

— Prenez votre temps, lui dit la femme, cherchant à le faire avancer.

Il était calme, le grand-père. Très calme. *Bien sûr*, des friands à la saucisse. Le garçon avait souri, avant de regarder ailleurs, vers une guirlande «Joyeux Noël» dont une extrémité s'était décrochée, et qui battait langoureusement dans la brise d'un chauffage soufflant.

Devant eux, une longue file serpentait entre les barrières à sangles rétractables qui menaient aux guichets. Cinq, peut-être six personnes : un grand type en tenue de vélo coûteuse, athlétique, sac de cycliste orange et casque noir. Nerveux, impatient, les yeux sur la pendule. Un autre homme devant lui, peut-être, et une femme vers l'avant de la file. Martin n'avait fait que vaguement attention, car il s'était mis à pianoter sur son téléphone. Lisant ses e-mails, jetant les spams dans la corbeille. Une femme était entrée et s'était placée derrière lui. Sans l'avoir regardée, il savait qu'elle était blonde. Il avait vu ses cheveux virer au rose dans la brume sanglante.

Trois des quatre comptoirs du bureau de poste étaient ouverts. Martin s'y arrêtait souvent, car c'était sur le chemin de la bibliothèque, si bien qu'il avait eu le loisir d'observer la famille qui tenait les lieux. L'homme qui pour lui était le père était toujours de service : un Asiatique dans la cinquantaine, les tempes poivre et sel, poli et travailleur ; la poste était ouverte aussi le dimanche. Le visage de la fille représentait une version féminine de celui du père, menton plus fin, longs cheveux noirs et barrettes à paillettes. Trop âgée pour porter des barrettes.

Un homme plus jeune, un cousin peut-être ; il ne ressemblait pas au père et à la fille, mais ils se comportaient comme une famille, se tenaient près les uns des autres et, lors de leurs apartés, se montraient économes en mots.

— À quel moment vous êtes-vous rendu compte de la présence du tireur ?

Martin se redressa sur son siège en se souvenant d'avoir vu dans son champ de vision une silhouette franchir la porte du bureau de poste. Vêtements noirs, un lourd sac en toile. Elle avait obliqué d'un pas ou deux, derrière les présentoirs à papeterie tout proches de la porte ; elle s'était glissée derrière les cartes d'anniversaire, les aimants de frigo, les peluches à écharpe écossaise et autres gadgets à la con.

Martin s'était de nouveau concentré sur son téléphone.

Puis la silhouette était réapparue. Et le sac n'était plus lourd. L'homme s'était avancé vers les guichets, à grandes enjambées, sans faire cas de la file d'attente. Le fait de doubler ainsi avait attiré tous les regards sur lui, même avant que quiconque remarque son masque gris pâle, bien avant qu'ils remarquent la courbe du chargeur de l'AK-47 derrière sa cuisse.

— Dans sa main gauche ou dans sa main droite ?

Il le tenait dans la main droite, le long de sa jambe droite, du côté opposé de la file d'attente. C'était un pistolet.

— Vous avez mentionné un AK-47…

Oui, mais un pistolet AK-47.

— Comment les distinguer, quand on n'y connaît pas grand-chose en armes à feu?

Pistolet : canon plus court, évidemment.

Il portait une cagoule de chasse moulante qui lui couvrait la bouche, le cou et la tête mais pas les yeux.

— Avec deux trous pour les yeux?

Non. Un seul, long. Et ovale. Une cagoule de chasse. Les flics ne pigeaient pas, alors Martin dut expliquer : une cagoule en feutre élastique, pas en laine tricotée, conçue pour épouser les contours du menton et de la bouche, afin que la proie ne repère pas l'haleine du chasseur. Martin avait vu les mêmes lors de parties de chasse au Canada.

Le tireur avait gagné la tête de la file d'attente. Il avait l'air à l'aise dans ce passe-montagne. Et le regard était à l'aise lui aussi. C'est ça qui a vraiment frappé Martin : cet homme avait la mainmise sur l'ensemble de son monde, mais il n'était ni tendu, ni indécis, ni à la recherche de quelqu'un pour lui montrer la voie. Il ne voyait pas de psychiatre et ne pleurait pas comme une fille. Il était à l'aise.

— À l'aise? Qu'est-ce que vous voulez dire?

Martin se souvenait de ces yeux. L'homme n'était pas tendu. Pas pour un sou. Quand il avait levé son arme à hauteur de visage, ses yeux brillaient. Des yeux très bleus encadrés de cils blancs.

Le cycliste avait crié. Sans que personne se tourne vers lui. Ils étaient hypnotisés par l'homme. Levant le menton pour mettre ses lèvres à hauteur du trou dans sa cagoule, il avait hurlé : «TOUT LE MONDE À PLAT VENTRE ! PAR TERRE !»

— Sa voix, elle était comment?

Un accent de Greenock ou d'Ayr, populaire. Avec un bref passage par Birmingham, en Angleterre, peut-être.

— Ayr?

Les voyelles ouvertes en grand de la côte ouest et le côté mélodieux de l'accent de Birmingham. Sa voix était aussi un peu rauque, comme si la veille il avait forcé sur les cigarettes, comme s'il se l'était cassée en chantant à tue-tête dans une boîte de nuit.

— Et il s'est passé quoi ensuite?

Tout le monde s'était jeté à plat ventre. Ils s'étaient rués par terre comme s'il s'agissait d'une course. Ils s'enfonçaient dans le sol autant qu'ils pouvaient, le nez contre les dalles sales et mouillées, tous. Sauf le grand-père. Lui, il était resté debout.

— Comment vous le savez?

Martin avait le nez au sol quand il avait aperçu le garçon à côté de lui, recroquevillé comme une noix, les genoux dans la poitrine, les poings sur la bouche. Le grand-père s'était éloigné de deux pas, pour donner l'impression que son petit-fils accompagnait Martin.

Il avait entendu le grand-père marmonner : «Vous?», comme une question.

Et dans un souffle le tireur avait ordonné : « *Toi.* »

Un blanc. Le grand-père avait attendu qu'il se retourne pour murmurer à Martin : «Il est à toi.»

Martin, en y repensant, ne savait pas si le grand-père s'adressait à lui ou au garçon, mais il faisait soudain partie de leur histoire.

— Qui faisait partie de quelle histoire?

Martin, il faisait partie de leur histoire.

— Vous voulez dire que jusque-là vous ne vous sentiez pas concerné?

Non, mais il avait une responsabilité envers eux parce que maintenant il faisait partie de leur histoire. La policière le dévisageait d'un œil vide. Une histoire, expliqua-t-il, on est dans une histoire maintenant. Elle paraissait sceptique.

— Non. C'est la réalité.

Il ouvrit la bouche mais la referma aussitôt. Un Écossais venu de Californie, les barbares, et faire partie d'une histoire, tout ça nécessitait trop d'explications. Elle fronça les sourcils, agacée.

— Il a dit : «il est à toi», et après?

Le vieil homme se tenait debout, face au tireur, les poings serrés contre ses cuisses. Martin ne voyait pas plus haut que sa poitrine.

— Le grand-père, vous le connaissiez?

Il répondit que non.

— Vous êtes sûr?

Il réfléchit à la question, à son existence avant cet instant. Des bribes de vie grises, des avocats, des promenades, la chaleur et les collines, des palmiers, des rats, des oranges et des disputes. Puis il se souvint du grand-père, du moment où il avait accroché son regard dans la file, de leurs yeux se rencontrant, clic, un clignement de paupière, clic, nouveau regard. Rien. Rien qui laissât envisager qu'ils se connaissaient.

Martin était catégorique : il ne le connaissait pas. Il se serait souvenu de cet homme. Il était très bronzé et soigné mais très Écossais, et Martin lui aurait demandé pourquoi.

— Il a dit : «il est à toi» et ensuite?

Et ensuite le silence, un profond, un horrible silence, jusqu'à ce le tireur parle de nouveau : «Alors, amène-toi par là, putain.»

— Il a dit ça au grand-père?

Ouais.

— Qu'est-ce qu'il voulait dire?

Il voulait dire : approche. Il voulait dire : rejoins-moi, viens sentir ma chaleur splendide. Il voulait dire : viens ici, viens m'aider et puis je te tuerai.

— Et qu'a fait le grand-père?

Martin leur raconta ce qu'il avait vu : *amène-toi par là, putain*. En réponse, les talons du vieil homme avaient décollé du sol, comme s'il saluait : un soldat choisi pour une mission glorieuse. Les talons de ses mocassins en cuir, équipés de fers de protection, avaient bruyamment claqué contre les dalles.

Il avait vu un mocassin enjamber le cycliste qui sanglotait face contre terre, enjamber les gens et les sacs étalés. Martin avait suivi les pieds du regard jusqu'à ce qu'ils s'arrêtent à une trentaine de centimètres des chaussures de sport noires devant le comptoir. Le tireur avait tendu le sac en toile au grand-père que le vieil homme lui avait tenu ouvert.

— Il a aidé le type de son plein gré?

Martin ne répondit pas. Bien sûr qu'il l'avait aidé. Elle n'était pas là. Sans l'avoir vu de ses propres yeux, Martin n'y aurait pas cru non plus.

— Et vous, où étiez-vous à ce moment-là?

La question le renvoya aussitôt aux halètements du garçon, le nez dans les traces mouillées apportées de la rue. Sans s'expliquer pourquoi, Martin avait alors passé le bras dans le dos du petit pour l'attirer tout contre lui, front contre front. Le petit l'avait dévisagé de ses yeux marron et impassibles. Martin lui avait rendu son regard, et tous deux avaient cligné des paupières, soudés, percevant les sons du monde extérieur mais sans rien en voir. Martin était fils unique, et il avait été un enfant solitaire. Allongé sur le sol sale, ses yeux dans ceux du garçon, il ne s'était jamais senti aussi proche de quiconque. Ils le devaient au tireur.

Derrière eux, dans un endroit lointain, le tireur donnait ses ordres au personnel du guichet, amenez-vous par là, non, pas toi, toi, tu restes. Des gens avaient bougé. Des portes s'étaient ouvertes. Des portes s'étaient fermées. Le monde se réorganisait sous ses injonctions.

Une voix derrière le comptoir, étouffée par l'épaisseur du verre de sécurité.

— On se bouge! avait ordonné le tireur.

Ensuite, sans doute avait-il cogné contre la vitre parce qu'il y avait eu un grand fracas, qui avait arraché un sursaut de frayeur à tout le monde par terre.

— T'emmerde pas, c'est *toujours* désactivé.

Il l'avait dit exactement comme ça, Martin en était sûr. La policière lui demanda de répéter et c'est ce qu'il fit – *c'est toujours désactivé.* L'homme s'était énervé. «Ouais, toujours, essaie pas de m'avoir, putain!» Sa colère enflait, et il avait fini par crier : «Toi, va là-bas et gifle-la!»

Une pause.

Puis le bruit des talons du vieil homme qui cliquetaient à travers la boutique. Les pieds avaient pivoté, crissement des semelles contre le sol sale, puis le son mat d'une gifle, suivi du glapissement choqué d'une femme. Il les forçait à s'attaquer et ça lui plaisait, Martin le sentait.

Les yeux du garçon s'étaient fermés, une seule fois, un lent clignement de paupières, il vivait le geste de son grand-père comme si c'était sa main.

«APPORTE-LE ICI.» Des portes qui s'ouvrent, des pieds en mouvement. Le sac qu'on traîne sur le sol.

Puis les deux paires de pieds, les mocassins qui cliquetaient et les chaussures de sport du braqueur qui couinaient, s'étaient dirigées vers la sortie. En y repensant et en songeant à la suite des événements, Martin avait le souffle court.

Avec un clic, la porte s'était ouverte, grinçant sur un gond, et le courant d'air froid venu de la rue avait déferlé sur le sol, soulevant la poussière pour l'emporter vers ses cheveux. Il avait serré fort les paupières pour ne plus avoir à regarder le garçon dans les yeux, et tourné la tête vers la porte afin de voir s'ils étaient partis.

Mais ils étaient toujours à l'intérieur, assez loin à présent pour que Martin puisse les distinguer tout entiers. Entre eux et lui, la blonde était allongée sur le ventre, le visage tourné vers Martin, des larmes perlant de ses paupières closes.

Les deux hommes se faisaient face devant la porte ouverte.

— Le tireur était de quelle taille par rapport au grand-père?

Il était grand, 1,85 mètre ou 1,88 mètre peut-être. Il portait un sweat-shirt noir sans logo, un jean sombre et des chaussures de sport noires. Des vêtements pas chers et abîmés, mais il avait de l'allure, comme un cow-boy insolent. La policière lui demanda d'expliquer, et Martin se leva pour lui faire la démonstration : le tireur se tenait bassin en avant, la crosse de son arme dans une seule main qui reposait contre l'os de sa hanche droite, canon pointé vers le ciel. Debout, Martin leva les yeux vers le mur de la pièce sans âme, il prenait plaisir à l'imiter, sentait la courbure de sa colonne et comprit à quel point il lui aurait fallu être détendu et sûr de lui pour se tenir comme ça. Il regarda dans la direction où le vieil homme se serait trouvé et, l'ombre d'un instant pas plus, il eut l'impression de le voir là-bas. Puis elle parla et gâcha tout :

— Pourquoi est-ce qu'il se tenait comme ça?

Martin se rassit. Il se ressaisit, effaça le sourire béat. Le poids, expliqua-t-il. Dans ces armes-là, tout le poids est à l'avant, alors il faut les incliner pour les tenir d'une seule main. Martin s'interrompit. Il s'était laissé emporter et son accent glissait de l'autre côté de l'Atlantique, surfant sur des vagues gigantesques, rasant les vallées bleu sombre, rentrant vers nulle part. Il s'interrompit et perdit le fil.

La femme lui souffla la suite.

— Qui avait le sac? À ce moment-là, qui avait le sac?

Le tireur, dans son autre main, il avait le fourre-tout avec ce qu'ils avaient emporté. Ça n'avait pas l'air lourd ni particulièrement plein. Des clopinettes, vraiment. Pour Martin, l'argent n'était pas le mobile.

Le grand-père tenait la porte ouverte.

Martin sentit la fatigue s'abattre sur lui en se rappelant la posture du vieil homme : droit comme un I, les épaules en arrière, aussi digne qu'un portier de l'Upper East Side fort de cinquante ans de service. Mais, la tête basse, il hoquetait, à cause de ses sanglots. Martin avait eu la sensation qu'il était conscient de ce qui allait se produire et qu'il restait juste là, en larmes.

Le canon du pistolet s'était baissé vers son torse.

Le son du premier coup de feu avait heurté l'oreille de Martin, juste avant que la balle file dans le canon. Martin fut choqué par la puissance du bruit. Il n'avait jamais entendu tirer sans casque de protection. C'était trop fort pour l'entendre vraiment, pas un bang, mais un *pffut* assourdissant, qui lui avait giflé le tympan.

Le feu dans la chambre, et *pffut, pffut, pffutpffutpffut, pffutpffutpffutpffut*, dix coups, des douilles qui volaient dans toutes les directions, du cuivre étincelant qui cabriolait joyeusement dans les airs.

Martin avait vu les blessures de sortie exploser les unes après les autres dans le dos du vieil homme, une brume rouge qui fusait de son corps pour se répandre sur les cartes de vœux et teindre en un joli rose princesse les cheveux blonds de la femme secouée de sanglots.

Se fracassant soudain, le mur de verre qui donnait sur la rue avait pris un ton blanc laiteux.

Puis le silence.

La mâchoire du vieil homme était tombée. Son corps avait penché de côté, les épaules s'étaient tordues vers la porte, comme pour exhiber aux gens dans la salle la chair de son dos criblée de cratères. Puis il avait semblé glisser, ce torse, comme si en partant vers la porte il se désolidarisait des jambes, tandis que les jambes et le bassin basculaient vers l'avant.

Le souvenir lui coupa le souffle ; mais une main minuscule, comme une araignée charnue, s'était aplatie sur sa joue : le garçon avait passé le bras dans le creux de son cou. Il avait forcé Martin à se tourner vers lui, lui ordonnant de regarder. *Je suis encore là. Maintenant, on partage une même histoire.*

Reconnaissant, il avait croisé les yeux marron du garçon, et ils étaient restés ainsi.

La main secourable était demeurée longtemps sur sa joue, jusqu'à ce que la police arrive et leur crie de se relever.

2

Il faisait déjà sombre. Les agents Tamsin Leonard et Wilder étaient en route vers le centre-ville quand ils reçurent l'appel : une Audi G7, véhicule de prédilection des dealers la saison précédente, avait été aperçue pour la dernière fois sur la caméra 217, à hauteur de la sortie 2 de l'autoroute M77. On la recherchait dans le cadre d'une enquête en cours. Leonard et Wilder avaient pour mission de l'intercepter afin de relever dans le téléphone portable du conducteur le numéro correspondant à un appel reçu à 16 h 53.

Une petite mission sans envergure, qui leur était échue alors que tous les autres venaient de filer sur les lieux du braquage d'un bureau de poste. Les petites missions sans envergure, c'était un peu leur lot commun.

Wilder raccrocha et jeta un regard furibond vers sa coéquipière en désignant avec indignation les embouteillages devant eux, comme si l'heure de pointe était sa faute à elle. Ils allaient devoir se faufiler entre les voitures qui peinaient vers le nord pare-chocs contre pare-chocs, avant de pouvoir repartir en sens inverse, mais ce n'était pas pour ça que Wilder était de mauvais poil. Wilder était simplement toujours de mauvais poil.

Wilder et Leonard faisaient souvent équipe. Ils fréquentaient peu les autres agents qui travaillaient aux mêmes horaires, on les laissait sur la touche ; Wilder parce qu'il était dénué de charme, Leonard parce qu'elle était femme, anglaise, plus âgée et qu'elle préférait regarder le cricket que le football à la télé. Leonard s'en fichait, sur la

25

touche elle se sentait bien, même si maintenant cela risquait d'avoir des conséquences : avec les suppressions de postes annoncées, cela les rendait d'autant plus vulnérables. Ils supportaient mal de faire équipe désormais, c'était comme si l'impopularité de l'un amplifiait les échecs de l'autre. Ils se sentaient tous les deux dans le collimateur.

Quand Leonard se retrouva bloquée sur la bretelle de sortie de Kinning Park, Wilder émit un grognement désapprobateur.

Elle ne releva pas.

— Tu crois que je devrais mettre le gyrophare ?

Ce n'était pas juste pour lui faire plaisir, elle tenait vraiment à avoir son avis.

— Et toi, tu en dis quoi ?

Plutôt que de lui offrir la querelle qu'il cherchait, Leonard lança le gyrophare et la sirène. Une erreur. Tirées en sursaut de leur transe, les voitures des banlieusards ralentirent devant eux, essayant tant bien que mal de s'écarter. Wilder fulminait. Il leva la main vers le bouchon. Sans un mot, Leonard se fraya prudemment un passage dans la pagaille qui régnait sur la rampe et fit le tour du rond-point pour repartir vers le sud.

Elle aurait aimé être loin de Wilder aujourd'hui. Elle avait déjà assez de soucis comme ça. La deuxième tentative d'insémination artificielle de sa femme avait eu lieu une semaine plus tôt, et toutes les deux attendaient désormais de savoir si l'embryon s'était implanté. Tout ça coûtait les yeux de la tête, et elles avaient déjà enduré une fausse couche. Même si c'était contraire au règlement, Tamsin conservait son téléphone personnel dans sa poche, réglé sur vibreur. Quoi qu'elle soit en train de faire au cours de la journée, son esprit restait en partie concentré sur sa hanche droite, appréhendant le chatouillement annonciateur d'une mauvaise nouvelle. Au boulot, elle n'en parlait pas. Personne ne parlait procréation ou sexualité, alors pourquoi le ferait-elle ?

Quand elle se retrouva coincée derrière un camion qui essayait maladroitement de quitter la voie rapide, Wilder poussa un soupir d'exaspération. Elle n'aurait pas dû enclencher la sirène.

Très progressivement, la circulation devint plus fluide et ils purent accélérer. Alors qu'ils approchaient de la position estimée du véhicule, Leonard coupa la sirène, pour ne pas offrir au conducteur une occasion de quitter la route avant qu'ils le repèrent.

Arrivés au bas d'un long tronçon de bitume qui grimpait en ligne droite, une vue d'ensemble de la ville dans leur rétroviseur, ils repérèrent l'Audi devant eux.

Sur la voie rapide, à mi-chemin entre leur voiture de patrouille et le haut de la colline, la grosse berline aux lignes carrées filait à vitesse régulière, sans chercher à doubler. La discrétion de la conduite était neutralisée par le modèle et la taille du véhicule, qui sortait du lot telle une botte dans une rangée de tongs. Ces voitures étaient si prisées des dealers que certains agents arrêtaient de manière systématique toutes les Audi G7 qu'ils voyaient. Peinture customisée, vitres fumées révélatrices et finitions chromées en option : celle-ci était le haut de gamme.

Quand les voitures qui les séparaient de l'Audi se glissèrent dans la voie pour véhicules lents, Leonard accéléra pour se caler derrière elle et actionna son gyrophare.

Le conducteur sut qu'ils étaient là pour lui. Paniqué, il enchaîna les petites embardées vers la gauche, les brusques sursauts vers l'avant, cherchant une solution, une sortie, mais il n'y en avait pas.

Leonard enclencha son clignotant, lui intimant de se garer. Dans la voie de droite, les voitures s'écartèrent pour les laisser se rabattre. Se servant de nouveau de son clignotant, elle lui ordonna de s'arrêter sur la bande d'arrêt d'urgence sans remarquer qu'ils étaient arrivés à hauteur d'une rampe de sortie, dans laquelle il s'engagea.

Voyant l'Audi s'éloigner, Wilder s'affola.

— Il se tire...

Mais l'Audi avait ralenti, ça n'avait pas échappé à Leonard. Le conducteur voulait obtempérer mais ne savait pas où se garer.

— Non, il a juste mal compris, je crois...

Au sortir de la rampe, l'Audi s'engagea à seize kilomètres à l'heure dans la voie de dégagement. Le conducteur, qui s'était sans doute aperçu que son comportement les avait mis en alerte, cherchait à présent à rattraper le coup. À moins qu'il ne fasse mine d'obéir afin qu'ils baissent la garde, le temps d'attraper un couteau ou un flingue quelque part à ses pieds, voire d'appeler à la rescousse.

Ils ne pouvaient rien voir dans l'habitacle, même pas la banquette arrière : l'Audi était haute et les feux arrière LCD trop aveuglants pour parvenir à distinguer d'éventuelles silhouettes autres que le chauffeur.

Quand l'Audi s'arrêta à hauteur d'un cédez-le-passage, la vitre s'abaissa côté conducteur, et l'homme derrière le volant se pencha juste assez pour permettre à Leonard d'entrevoir son reflet dans le rétroviseur extérieur.

Il était étonnamment jeune, il portait un grand bonnet bleu pâle et de grosses lunettes. Ne sachant comment réagir, il leva la main. Il n'avait pas l'air grand, mais la taille de la voiture faussait peut-être les proportions.

— Merde, pesta Wilder. Merde, merde, merde, Barrowfield, ils ont dit que l'appel venait de quelqu'un de Barrowfield…

Leonard se mit à transpirer. L'enquête sur la mafia de Barrowfield avait commencé par une affaire mineure : des dealers à la petite semaine qui ciblaient des gosses trop jeunes. Puis on avait un jour retrouvé leur indic assise à un arrêt de bus, la nuque brisée. Elle n'avait que seize ans. La rumeur locale les avait conduits chez un bodybuilder grassouillet du nom de Benny Mullen. Une surveillance rapide avait montré que Mullen était à la tête d'un gang de sales types qui fourguaient coke, héroïne et flingues dans de vieux sacs en plastique au nez et à la barbe de tous. En creusant encore, ils avaient appris que Mullen avait les polices du monde au train depuis six ans. Personne dans le coin ne voulait parler, partout les agents trouvaient porte close. Un contact au bureau du logement leur avait appris que soixante pour cent des résidents étaient candidats au déménagement. Et c'était quelqu'un de cette bande qui avait appelé le chauffeur de l'Audi sur son portable.

— Il pourrait y en avoir une pleine voiture…

La panique de Wilder rendait Leonard artificiellement calme.

— Eh bien, on va voir ça…, fit-elle.

Baissant sa vitre à son tour, elle leva le bras au-dessus du toit de la voiture et fit signe au conducteur de l'Audi de se ranger et de couper son moteur.

L'Audi obtempéra.

Ils se trouvaient au sommet d'une route qui menait à une zone de bureaux en friche. Par-delà l'alignement de bornes en béton, tous les réverbères étaient neufs et les routes immaculées, mais là où auraient dû se dresser des immeubles, s'étendaient des champs de hautes herbes sèches oscillant doucement dans la brise du soir. Hiroshima un an après.

L'Audi coupa son moteur, la lueur des feux de freinage et de détresse tranchait l'obscurité tel un rasoir.

Leonard alluma à son tour ses feux de détresse, leur *tic-tic-tic* semblable à du verre de mauvaise qualité qui se brise. Wilder ouvrit sa portière, plongeant l'habitacle dans la lueur jaune de l'éclairage intérieur.

— C'est moi qui parle, annonça-t-il avant de sortir.

Ils se croisèrent devant leur capot, afin de laisser à Wilder le soin de rejoindre le côté conducteur. Leonard suivait du regard l'ombre de son coéquipier qui vérifiait qu'il n'y avait pas toute une bande d'hommes armés sur la banquette arrière.

Elle dévisagea le conducteur.

Il était seul. Il portait un jean et un haut de survêtement bleu pâle fermé jusqu'au menton, la languette du zip pareille à un pendentif. Il se tourna vers elle et lui sourit. Des dents abîmées, un visage mince, le bonnet enfoncé si bas sur les sourcils que ses cils en frôlaient le bord quand il levait les yeux. Pas séduisant, ni même en bonne santé. Il avait sur le nez des lunettes épaisses, démodées, et souffrait d'un léger strabisme à l'œil droit. Tamsin eut envie de le lui rendre son sourire.

Quand elle lui fit signe de baisser la vitre de son côté, il obéit tout en l'observant, conscient de la présence de Wilder dans son dos, à qui il jetait de brefs regards.

— Pouvez-vous ouvrir la portière arrière, monsieur, s'il vous plaît ? demanda-t-elle.

Lui retournant son sourire presque avec gratitude, il se pencha vers le bouton. En ouvrant, Leonard fut assaillie par la délicieuse odeur du cuir neuf. La banquette était vide, mais elle ne résista pas à l'envie de se pencher pour effleurer l'assise veloutée.

Sollicitant l'attention du jeune homme, Wilder lui demanda son nom et ses coordonnées, qu'il nota dans son carnet : Hugh Boyle, 9 Abernathy Street, The Milton.

À l'énoncé de son adresse, Hugh laissa échapper un gloussement. Il leva les yeux vers Wilder pour l'inviter à se joindre à la plaisanterie, sans succès.

— Pas glorieux, marmonna-t-il.

Il faisait sans doute référence au Milton, tout en donnant l'impression qu'il reprochait à Wilder de ne pas avoir ri avec lui.

Wilder laissa le silence retomber, le temps de noter les éléments, puis il leva de nouveau les yeux vers Hugh.

— C'est votre voiture, monsieur ?

— *Aye.*

Quand Hugh caressa le cuir du volant avec fierté, Leonard perçut le frottement silencieux de la peau contre la peau. Elle remarqua que Boyle avait les doigts secs. Il ne transpirait pas.

La voiture était chère, même pour un dealer, mais Boyle n'avait pas l'attitude du caïd digne de figurer si haut dans la chaîne alimentaire. Il regardait ses interlocuteurs dans les yeux quand ils lui parlaient, faisait de l'humour comme s'il était légèrement embarrassé d'avoir été arrêté. Un vrai caïd s'en serait moqué. Un vrai caïd aurait contacté son avocat à l'aide de son kit main libres avant même de quitter l'autoroute.

Wilder tapotait sur son carnet du bout de son crayon.

— Vous vous serviez de votre téléphone, là-bas, monsieur ?

— Pendant que je conduisais ? s'étonna Hugh. Non…

Sincèrement déconcerté par l'accusation, il ne comprit pas qu'il s'agissait d'un stratagème ordinaire visant à fouiller dans son téléphone sans mandat. Wilder se tut un instant, pour lui permettre de protester, mais il ne le fit pas.

— Puis-je voir votre téléphone, monsieur ?

À contrecœur, Hugh glissa la main dans la poche de son survêtement pour en extraire un Blackberry. Il le tendit à Wilder. Wilder le prit et recula d'un pas pour sortir du champ de vision de Boyle le temps de jeter un coup d'œil au contenu de l'appareil, laissant Boyle seul avec Leonard.

— Vous allez bien ? demanda Boyle à Leonard, avec un sourire.

Le visage de marbre cette fois, elle fit signe que oui, pour lui rendre son respect.

Wilder notait quelque chose dans son carnet : ils avaient le numéro.

— Dure nuit ?

— Ça va, répondit Leonard.

Il essayait de nouveau de lier conversation.

— Vous bossez jusqu'au matin ?

— Non, dit-elle, sans épiloguer davantage.

Boyle ne connaissait pas les horaires de changement des équipes, le b.a.-ba du bandit. Même les vandales de dix ans qui traînaient dans Glasgow étaient au jus.

Wilder revint à la portière et rendit le téléphone à Boyle en le remerciant sèchement.

— Vous pouvez sortir du véhicule, s'il vous plaît, monsieur ?

Se raidissant soudain, Boyle agrippa le volant des deux mains et fixa le regard droit devant lui. Leonard surprit l'esquisse d'un sourire sur sa lèvre inférieure. Wilder, visiblement, ne remarquait rien, mais Leonard eut la certitude que si Boyle sortait de la voiture, quelque chose de grave allait advenir. Quelque chose de très grave.

— On sort du véhicule, monsieur.

Tirant sur la portière, Wilder s'écarta pour lui céder le passage.

D'abord, Boyle ne bougea pas. Puis, il pivota sur son siège avec un soupir résigné et posa les pieds sur le bitume. Il était plus grand que Wilder, 1,85 mètre ou 1,88 mètre, mais efflanqué. Leonard détailla ses poches et sa ceinture, à la recherche de signes qui indiqueraient la présence d'un revolver ou d'un couteau. Rien.

Wilder lui demanda d'avancer jusqu'à la voiture de patrouille. Sans enthousiasme, Boyle se mit en route.

Leonard fit le tour de l'Audi pour les rejoindre en vitesse et trouva Wilder qui tenait la portière à Boyle, le temps que ce dernier s'installe sur la banquette arrière, avant de la claquer derrière lui. Les deux agents reprirent leurs places à l'avant.

Leonard espérait que Wilder avait un plan, au-delà des habituelles vexations utilisées par les flics, car Hugh Boyle manigançait quelque chose, même si elle ne savait pas quoi.

Assis derrière le volant, Wilder questionna Hugh sur la voiture sans se retourner : où se l'était-il procurée ? Quand ? Qu'est-ce qui l'avait convaincu de choisir ce garage? La recommandation d'un copain, répondit Hugh. Quel copain? Hugh avait oublié.

Wilder progressait dans les méandres de son interrogatoire : Où Boyle était-il allé dans l'après-midi?

— Chais pas. Un peu à droite, à gauche, quoi.

— À droite, à gauche, où?

Il haussa les épaules.

— Voir des copains, des trucs comme ça. En ville.

— Où ça en ville?

Leonard, qui l'observait dans le rétroviseur, le vit se souvenir exactement d'où il était allé puis se raviser.

— J'ai juste fait un tour en voiture. Traîné dans les magasins, des trucs de ce genre.

— Quels magasins?

Sur ce point-là, il n'hésita pas :

— Cruise, Boss, Baker, Lacoste… – la récitation semblait l'apaiser –, Armani, JD Sports…

Leonard intervint :

— Par où êtes-vous passé?

— J'ai roulé.

— Non, fit-elle en se tournant vers lui. Quand vous faisiez les boutiques, par laquelle avez-vous commencé et où êtes-vous allé ensuite?

— J'ai commencé… euh… chez Cruise?

Son embarras céda le pas à un sourire communicatif.

Leonard essaya de ne pas sourire en retour.

— Et vous avez regardé quoi?

— Des chaussures? risqua-t-il.

Il rentra les épaules. Rentra les épaules et sourit en même temps. Et ils sourirent à la piètre qualité de ses mensonges.

— Et vous en avez acheté une paire? dit-elle, narquoise.

Boyle rougit. Hésita. Regarda ses pieds.

— Faut croire que non.

Elle retint un nouveau sourire : ce n'était pas professionnel.

— Et vous êtes allé où, ensuite?

— Ah! euh…

32

Il scruta son visage, comme s'il avait oublié son texte et cherchait un prompteur.

— Hugo Boss, peut-être?

— Comment ça, peut-être?

Il haussa les sourcils de désarroi.

— C'est ça?

— Comment je le saurais, moi, Hugh?

— Je sais pas, répondit-il en riant bêtement. Pourquoi vous me posez ces questions?

Wilder nota quelque chose dans son carnet.

— À quels autres endroits êtes-vous allé, monsieur? demanda-t-il.

— Je sais pas trop, murmura-t-il. J'ai juste traîné…

Hugh tourna la tête vers la portière. Il promena son regard sur l'obscurité le long du remblai herbu en bordure d'autoroute, sur lequel venait glisser un collier de phares coniques.

— Vous êtes allés dans tous ces magasins, dit Wilder, mais vous n'avez rien acheté?

— Ouais.

Pris d'une soudaine inquiétude, Hugh se pencha vers l'avant.

— Pourquoi vous me posez toutes ces questions?

Lentement, Wilder tourna la tête, son nez à quelques centimètres à peine de celui de Hugh.

— Redressez-vous.

Boyle obéit, avec une lenteur, un calme et une maîtrise de ses mouvements qui ne purent échapper à Leonard.

Wilder prenait des notes sans un mot, laissant le cliquètement des feux de détresse emplir l'habitacle.

Leonard se retourna pour l'observer de nouveau. Elle venait de songer à une explication tout à fait innocente : Hugh était juste un enfant de bonne famille parti vivre au Milton avec la grosse voiture offerte par papa-maman. Mais il était clair à le voir que c'était impossible. Ses ongles étaient rongés jusqu'au sang, et ses mains sèches couvertes de cicatrices.

— Avez-vous déjà eu des ennuis avec la police, Hugh?

Il secoua la tête.

— Vous avez un boulot?

— Menuisier.

Vu ses mains, c'était tout à fait possible.

— C'est une grosse voiture pour un menuisier, remarqua Wilder, lui offrant la possibilité de se trouver une excuse : mon père est chef d'entreprise, mon oncle me l'a offerte – les sources habituelles, invérifiables.

Boyle se pencha vers l'avant, les yeux sur le coffre de sa voiture.

— Laissez-moi partir. Si je merde, ils me feront plus jamais confiance.

Wilder ferma son carnet d'un geste sec et ouvrit sa portière.

— Pouvez-vous me déverrouiller le coffre, monsieur, s'il vous plaît ?

Sans se rendre compte que Leonard l'observait dans le rétroviseur latéral, Boyle laissa échapper un sourire en coin.

Wilder descendit de voiture et ouvrit la portière arrière.

— Sortez, monsieur.

Boyle sortit. Leonard fit de même, et tous trois se retrouvèrent devant le coffre de l'Audi. Le quelque-chose-de-très-grave était sur le point d'advenir, elle en avait la certitude. Elle tenta de croiser le regard de Wilder. Quand elle comprit qu'il ne tiendrait compte d'aucune mise en garde venant de sa part, elle sentit la panique la gagner.

D'un doigt, Wilder désigna le coffre.

— Ouvrez, s'il vous plaît.

Boyle se pencha pour manipuler le mécanisme. Le hayon se souleva lentement.

Il était vide. Il n'y avait rien.

Quand elle leva les yeux vers Boyle, Leonard surprit son air implorant et suivit son regard jusqu'à une poignée en chrome sur le plancher du coffre. Wilder l'avait vue aussi.

— Soulevez ça, s'il vous plaît, monsieur.

Boyle tendit la main avant de se raviser brusquement et de laisser retomber son bras le long de son corps. Il n'avait pas à obtempérer. Sans mandat, ils n'avaient aucun droit d'aller fourrer leur nez là-dedans s'il refusait.

Les phares des voitures longeaient le haut de la colline, le vent sifflait dans les hautes herbes, et, pendant un instant, personne ne dit mot.

34

Se tournant vers Wilder, Leonard désigna leur voiture de patrouille d'un hochement de tête. Ils avaient le numéro de téléphone à Barrowfield. Ils avaient presque terminé leur service. Elle savait que Wilder l'avait vue, mais il ne bougea pas.

Avançant soudain d'un pas, Boyle glissa un doigt sous la poignée et souleva le double fond. Un grand sac Ikea apparut, aplati comme un fossile, plein de billets de vingt livres. Crasseux, froissés, rassemblés en liasses par des élastiques rouges, un tas de cash poisseux.

Boyle s'exprimait d'une voix si faible qu'on avait du mal à l'entendre.

— Rendez-moi service. J'ai une trouille bleue de ces types. Je veux me sortir de là. Ma mère est malade, elle n'a personne d'autre que moi. Ce que je veux dire, c'est que en ce qui me concerne, ce coffre est vide…

L'air piteux, il s'éloigna vers leur voiture de patrouille, retourna s'asseoir sur la banquette et claqua la portière derrière lui, les laissant seuls.

Wilder et Leonard demeurèrent là, côte à côte, dans l'obscurité de plus en plus dense. Wilder passa sa lèvre au coin de sa bouche, les yeux rivés sur l'intérieur du coffre.

— Il y a à peu près deux cent mille.

— N'importe quoi, murmura Leonard presque sans s'en rendre compte. N'importe quoi.

— Ouais, fit Wilder, qui n'avait toujours pas levé les yeux, la voix un peu haletante. Ouais, c'est plus que ça…

— Non, Boyle nous raconte des craques, c'est ça que je veux dire. Il nous mène en bateau. Quelque chose ne tourne pas rond, je le sens.

Wilder la regarda.

— On n'en fiche. À qui pourrait-il en parler ? Et même s'il le fait, c'est sa parole contre la nôtre.

— Je ne sais pas. Il a un petit sourire satisfait.

— Il est nerveux.

— Tu crois ?

Wilder contemplait l'argent.

— Il veut se sortir de là.

— Regarde la taille de la voiture, Wilder. Il prétend qu'elle est à lui.

— Ce sont les Audi A3 maintenant. Les G7, c'étaient les voitures de l'an dernier. On a pu la lui donner. Ils les vendent pour trois fois rien histoire d'éviter les poursuites.

Une brise se leva, rafraîchissant la sueur au-dessus de sa lèvre. Elle suivit le regard de Wilder jusqu'à l'argent. Sur l'autoroute au-dessus d'eux, les voitures ramenaient leurs propriétaires chez eux à vive allure.

— Il a besoin de notre aide. Ces gens sont prisonniers des gangs, tu le sais bien.

Leonard regarda les billets. Peut-être avait-elle mal interprété ses propos.

— Ils vont me virer, Leonard. J'ai des gosses, un crédit. Il n'y a rien d'autre par ici…

3

Il était 10 h 15 quand Kenny Gallagher posa son regard sur la salle depuis le pupitre de conférence. Des épouses vulgaires en robes de soirée à paillettes, le dessous des bras rougi, réunies pour un morne simulacre de dîner de Noël servi dans la salle des banquets d'un hôtel sans classe. Derrière elles, la cloison amovible en accordéon avait été fermée ; l'événement ne s'était pas si bien vendu. Fut un temps, pas si lointain, où Kenny Gallagher aurait pu remplir deux fois cette salle. Fut un temps, pas plus tard qu'hier semblait-il, où tout lui était possible. Mais ils n'appréciaient plus Kenny, désormais. L'admettre lui faisait très mal. Il le ressentait comme une douleur derrière l'œil, comme des pointes d'aiguille dans les tripes, comme s'il était pris dans le brouillard épais d'un spleen d'adolescent.

Kenny Gallagher s'était exprimé dans des conventions internationales, devant des milliers de gens, syndicalistes ou personnalités du monde des affaires, et il avait su les captiver. Les épouses demandaient des nouvelles de sa famille, tenaient à se faire prendre en photo avec lui, les maris lui serraient la main. Et maintenant, c'était à peine si ceux-là, ses propres troupes, osaient le regarder, à cause d'un ridicule petit ragot malintentionné.

Il y avait eu des jours glorieux. Seize ans plus tôt, par un matin froid et ensoleillé, Kenny Gallagher avait pris la tête d'un cortège de trois mille personnes. Il en avait gardé dans son souvenir des images : une banderole colorée, peinte à la main. Lui : jeune, sincère, encore inconnu. Un photographe qui marchait devant eux –

avancez vers moi, les garçons, en rang serré, donnez l'impression qu'il y a foule. Ce jour-là, ils s'étaient tous massés en haut de la colline, unis. Kenneth n'était même pas assez important pour porter la banderole. Un garçon éduqué dans le privé, fraîchement sorti de l'université, qui cherchait sa place ; un futur cadre qui embrassait la cause des travailleurs.

Ils avaient marché jusqu'à Bath Street, et là-bas l'affrontement avait commencé. Entre les élégantes demeures bâties au XVIIᵉ siècle par les riches marchands de sucre et de tabac, les manifestants en tête de cortège grimaçaient face au soleil rasant, tels des héros de guerre soviétiques, défiant le barrage policier. Ils n'avaient pas d'autorisation de défiler parce qu'ils appartenaient à un syndicat tout neuf, non déclaré, et parce que leur cause était impopulaire – de meilleurs salaires pour des travailleurs déjà bien payés –, mais, jeunes et idéalistes, ils y voyaient tout autre chose : pour eux, c'étaient les laissés-pour-compte qui revendiquaient leurs droits haut et fort. Liguée contre eux, la presse les tournait en dérision, et leur ancien syndicat les avait désavoués. Mais ils étaient assez jeunes pour croire en l'absolu et maintenir intacte l'illusion du consensus.

Un agent de police, dont une enquête ultérieure conclurait qu'il avait agi de son propre chef, avait brandi sa matraque au-dessus de la tête d'un jeune homme, et Gallagher, en s'interposant, avait reçu le coup en plein dans la pommette. Sonné, il n'avait pas senti la peau se fendre, ni la tiédeur du sang, mais il avait levé la main vers le policier. On l'avait cité affirmant « nous voulons simplement être entendus », même s'il ne s'en souvenait pas, même si une telle phrase ne lui ressemblait pas. Voyant la main venir vers lui, l'agent avait mal interprété le geste et frappé de nouveau. Il en était resté une photo : Kenny ensanglanté, digne, les mains tendues en signe de supplication. Et cela avait changé sa vie.

À présent, du haut de son estrade, il contemplait les convives trop gras en train d'enfourner les dernières bouchées de pudding de Noël. Dans le temps, ces mêmes gens le dévisageaient dans la rue. Dans le temps, ils le gratifiaient de petits sourires admiratifs. Les femmes rougissaient en le voyant, lui posaient des questions sur son frère décédé, sa mère, sa femme. Pour les hommes, c'étaient la musique, le golf et les voitures. Tous le voulaient pour eux. Plus maintenant. La douleur lui était familière, comme l'écho d'autre chose.

On avait organisé le dîner pour mobiliser les consciences et lever des fonds. Gallagher ne connaissait personne qui souffrait de cette maladie, mais elle était génétique et touchait un grand nombre de ses administrés. Chaque fois qu'on en prononçait le nom dans les discours précédant le dîner, les gens prenaient l'air préoccupé. Gallagher aussi. Et tout le monde hochait la tête.

Cinquante livres la place, dont vingt-cinq pour couvrir les frais. Si les convives s'étaient sentis vraiment concernés, ils auraient simplement fait don de cinquante livres ; mais ils étaient là pour soigner leur réseau et être vus à la vente aux enchères. Quand on énuméra les objectifs de l'association, tout le monde se composa un air concentré. Ils jouaient la comédie. En particulier ceux qui acquiesçaient résolument du menton tout en cherchant l'approbation dans les yeux de leurs voisins. D'expérience, Gallagher savait lire dans la fermeté et l'indignation les indices d'une mascarade. Mais une mascarade nécessaire. Peut-être auraient-ils versé cinquante livres une fois, mais un dîner les faisait revenir tous les ans. Tout n'était que compromis.

« Il n'est pas fils de médecin. » Voilà tout ce que son beau-père avait dit la première fois qu'il avait vu son visage s'étaler en une des journaux. Avec le recul, Kenny se demandait si Malcolm ne l'avait pas vu arriver comme une menace. Depuis les trois ans de Kenny, Malcolm était son père, et lui-même avait perdu une élection en tant que candidat sans étiquette. Kenny, en revanche, n'avait jamais connu la défaite parce qu'il était doté de ce qui ferait toujours défaut à Malcolm : l'affabilité, la fiabilité et la capacité à appréhender les situations dans leur complexité. Il savait transiger.

Ce moment, celui où il s'était vu pour la première fois dans le journal, représentait un souvenir plus vif encore que le coup sur sa joue, ou que la manifestation, ou même que sa première victoire à une élection. C'était un souvenir plus viscéral que la naissance de ses enfants. Il y repensait souvent, pour tenir bon jour après jour, pour ennoblir la banalité.

C'était le lendemain matin de l'Affrontement de Bath Street. Gallagher se trouvait dans un café en compagnie de plusieurs membres du comité de grève – thé corsé et friands au bacon accompagnés de ketchup vinaigré – quand une femme était entrée avec les journaux du matin.

« On a gagné ! » D'un air triomphant, elle avait lâché la liasse au-dessus de la table. Une opératrice sur machine, âgée, les chevilles gonflées.

C'était la même photo qui s'étalait partout : Gallagher en diagonale sur l'image, pris sur le vif, et du sang giclant de la blessure. Rouge, du sang rouge comme s'ils l'avaient colorisé, qui dégoulinait sur le devant de son sweat-shirt blanc. L'article parlait de lui, pas du mouvement : « LE FILS DE MÉDECIN CHERCHE L'APAISE-MENT – "NOUS VOULONS SIMPLEMENT ÊTRE ENTEN-DUS", DIT-IL À LA POLICE. »

Elle avait raison, l'opératrice, l'image leur avait permis de l'emporter.

Gallagher se souvenait encore du moment où il avait vu cette photo pour la première fois, du goût acide du vinaigre et de l'humidité poisseuse qui s'échappait de son blouson trempé de pluie, de la dureté du banc sous ses fesses. Il l'avait vue et avait senti le vent tourner. Il avait fait quelque chose de bien. Dans ce café, enveloppé par l'odeur de vinaigre et d'humidité, il avait senti la honte s'envoler. Il ne serait plus l'enfant décevant, plus un fardeau pour sa mère endeuillée, plus inférieur à Malcolm.

Il effleura la cicatrice sur sa pommette. Elle était vieille à présent, disparaissait peu à peu chaque année, et la conviction née ce jour-là semblait ce soir bien lointaine.

Il baissa les yeux sur le smoking qu'il avait soigneusement choisi avec sa femme, Annie. Pas vraiment un smoking, en fait, juste un costume sombre, avec des détails évocateurs du smoking sans que ce soit pour autant, à proprement parler, un smoking. Pas de smoking, lui avait dit Annie, ça donnerait l'impression qu'il n'était plus en phase avec sa base. Maintenant, ils se détournaient de lui. Annie avait eu tort, il aurait dû se payer ce smoking.

Elle était assise au milieu de la salle, avec les compagnes et compagnons de ceux qui dînaient sur l'estrade ; il apercevait sa nuque. Elle écoutait l'homme à côté d'elle, un jeune homme. Même Annie lui filait entre les doigts. Jamais il n'aurait cru que cela arriverait un jour.

Kenny avait voulu Annie avant même de faire sa connaissance. Il se trouvait au balcon, en compagnie de Lizzy, sa petite amie à l'époque, lors d'une réception donnée en l'honneur de Donald Dewar. Ensemble, ils avaient regardé la salle s'animer au passage d'une femme qui s'avéra être Annie. Elle marchait, entraînant à sa suite les regards discrets des hommes, tandis que les femmes se retournaient de jalousie sur son passage. « Bordel de Dieu, avait commenté Lizzy, qui l'a laissée entrer ? » Le temps qu'Annie émerge de la foule, Lizzy n'était plus sa petite amie. Sans la photo de l'Affrontement de Bath Street, Annie ne lui aurait pas accordé un regard, il le savait. Ses parents s'étaient connus à la section de Maryhill du parti communiste, et c'était dans cette ambiance qu'elle avait grandi. Elle était pétrie de préjugés de classe. La fille d'éboueur avait laissé son beau-père sans voix. Il n'avait pas prononcé un mot lors de leur première entrevue, incapable de surmonter sa condescendance. Condescendance qu'Annie n'aurait jamais tolérée.

Elle était fière et forte, et maîtrisait les arcanes de la politique. À un moment donné, elle aussi avait voulu y faire carrière. Mais désormais, son ventre portait les stigmates de trois grossesses et ses traits s'étaient durcis. Dans les moments d'amertume, il voyait qu'elle avait perdu son authenticité d'autrefois. Elle était devenue une femme au foyer bourgeoise, fière de sa nouvelle cuisine, une consommatrice qui ne possédait jamais assez.

Dans la salle de banquet, l'attention de Kenny fut attirée par une silhouette robuste qui se faufilait entre les tables, naviguait entre les chaises pour rejoindre Annie. L'homme portait un smoking coûteux, mais la façon dont il se tenait, le torse bombé, lui donnait l'air hargneux, comme s'il cherchait la bagarre. Il avait le crâne rasé, ce qui n'aidait en rien. Il interrompit la conversation d'Annie en posant une main sur son épaule nue, et, sans même encore savoir de qui il s'agissait, elle sourit et leva le visage vers lui comme pour l'embrasser.

Ses lèvres articulèrent son nom, « Danny », et elle se leva pour déposer un baiser sur sa joue.

Effleurant le haut du bras d'Annie, Danny McGrath prit son coude dans sa main charnue comme il aurait pris un sein, avant de se raviser aussitôt, comme s'il se savait observé. Il se tourna vers l'estrade et aperçut Kenny, qu'il salua d'un geste.

Kenny lui répondit et Danny vint le rejoindre. Les doigts sur le bord de l'estrade, il leva les yeux vers lui comme un serf implorant son seigneur.

— Salut, Kenny, comment tu vas?

— Bien, Danny, et toi?

— Pas mal, mon gars, pas mal du tout.

— Tu passes une bonne soirée?

— Géniale. Une soirée géniale. Non?

Kenny opina.

— Absolument géniale. C'est pas sympa de voir autant de gens venus soutenir l'événement?

— C'est génial. Absolument génial. J'espère que t'as pensé à prendre un petit paquet de biffetons pour l'enchère…

— Ma femme veut pas.

Kenny esquissa le petit sourire impuissant qu'il affectionnait tant et se mordit la lèvre.

Danny lui adressa le sourire qu'on lui adressait toujours en retour.

— Eh ben, moi, j'en lâche une liasse ce soir!

Danny était un gangster du coin qui avait fait son trou, un gangster fortuné. Il était venu se présenter dès la première levée de fonds de Kenny, l'avait félicité de défendre la cause des ouvriers, même si lui n'en était pas un. «J'aime votre style», lui avait-il dit, la lèvre retroussée, avec un regard de côté. Ils avaient le même âge. Ce fut une rencontre utile : plus tard, Brendan Lyons avait envoyé Kenny parler à Danny d'un garçon qui s'était attiré des ennuis. Danny avait libéré le jeune d'une dette, une faveur personnelle accordée à Kenny. Il avait gardé le contact sans jamais tenter d'impliquer Kenny dans quoi que ce soit. En off, même s'il ne l'admettait devant personne d'autre que lui-même, Kenny appréciait Danny.

— Nouveau costard? remarqua Kenny.

— *Aye.*

Danny se frotta la poitrine des deux mains, comme s'il venait de découvrir qu'il portait le costume.

— Je suis pas habitué à ce genre de fringues.

Il posa les doigts sur son nœud papillon en soie.

— Je crois que j'en ai un peu trop fait.

— Je suis assez étonné de te trouver ici, sourit Kenny. Je te croyais plus concerné par les causes liées au football.

— *Aye*, d'habitude, fit Danny, visiblement mal à l'aise. La petite mare m'ennuie, tu sais ? Elle grouille de menu fretin.

Kenny lui fut reconnaissant de l'avoir dit : c'était précisément son problème.

— Je sais, Danny, je vois exactement ce que tu veux dire.

— Toujours collés à tes basques.

— Tout à fait. Je vois tout à fait.

Hochant la tête, ils détournèrent le regard l'un de l'autre un instant, puis Danny mit un terme à la conversation :

— À plus tard, dit-il en s'éloignant vers sa table.

— À plus tard, répondit Kenny alors qu'il lui avait déjà tourné le dos.

Arriva le café, dans des tasses peu profondes, un liquide de la couleur du café mais insipide, servi d'abord à la table sur l'estrade, comme l'avaient été tous les plats. Les intervenants portèrent les tasses à leurs lèvres, reprenant du poil de la bête ; les conversations s'animaient sous l'effet du rush d'adrénaline, ils n'allaient pas tarder à prendre la parole. Le maître de cérémonie, un homme à l'allure autoritaire, directeur d'une agence de pompes funèbres, habitué à gérer des gens bouleversés, les informa de l'ordre dans lequel ils s'exprimeraient.

Il plaça Gallagher en avant-dernière place.

La dernière serait une femme fardée comme un pot de peinture, dont la sœur avait été emportée par la maladie. Peter avait briefé Kenny à son sujet : elle avait fait une apparition dans une émission télévisée locale diffusée à l'heure du thé, pour raconter ses derniers jours. Ça avait fait pleurer dans les chaumières. Elle allait remettre ça, en y ajoutant une touche de Noël-sans-elle, histoire de leur arracher quelques larmes.

— Ah ! ben, merci, dit Gallagher. Génial !

Il posa les yeux sur son café en souriant. Le dernier, ça aurait dû être lui. Il était le seul intervenant professionnel sur l'estrade. On était tout le temps dans la presse, à la télévision. On l'avait élu Écossais de l'année deux fois d'affilée. Les sœurs meurent, une tragédie, mais ça arrivait à des tas de gens. Son propre frère avait péri dans un accident de voiture, et il s'en était remis. Peut-être pourrait-il l'évoquer.

Il parcourut la salle du regard, cherchant Annie, espérant attirer son attention, mais elle était toujours absorbée par ce que lui racontait le jeune homme. Gallagher se demanda si c'était de lui qu'ils parlaient.

Il avala d'un trait le reste de son café, le visage masqué par la tasse. La femme qui avait perdu sa sœur était assise à côté de lui. Elle avait tenté d'engager la conversation. Il l'avait d'abord découragée en lui répondant par monosyllabes, mais on approchait de la fin à présent, et c'était à elle que revenait l'honneur de s'exprimer la dernière, alors il ne rechignait plus à lui parler.

— Vous avez été fantastique, à ce qu'il paraît, à la télé, fit-il.

Elle se tourna vers lui, ravie.

— Oh ! c'est très gentil de me dire ça !

Elle se passa la main dans les cheveux.

— J'avais tellement le trac, et ce Stephen Jardin – quel homme adorable –, il m'a mise tellement à l'aise, comme si j'étais chez moi. Tout m'est venu sans que j'aie besoin de réfléchir. Il m'a ensuite fallu regarder la vidéo pour savoir ce que j'avais dit, je ne m'en souvenais même plus !

Elle marqua une pause, le temps de s'imaginer telle qu'on l'avait vue ce soir-là ; puis, battant des paupières, elle fit glisser sa langue sur ses dents, de gauche à droite, langoureusement.

Il se la figura regardant la télé assise dans un salon exigu débordant de bibelots et de magazines people. Avait-elle eu l'impression de sortir de son corps ? Lui était-il arrivé après coup de penser à elle à la troisième personne ? Il se pencha vers elle :

— Je déteste me voir à l'écran.

Elle gloussa.

— Je sais ! Ce n'est pas du tout comme ça qu'on s'imagine être, hein ? C'est comme d'entendre un enregistrement de sa voix, on se dit, oh ! mon Dieu, mais qui est-ce ?

Elle gloussa de nouveau, la main sur sa poitrine. Elle flirtait.

— Et puis ça vous ajoute des kilos ! Seigneur, j'avais l'air si grosse !

Gallagher la rassura d'un ton mielleux :

— Ne vous en faites pas pour ça, vous êtes superbe.

Elle partit d'un rire trop fort, et ses joues s'empourprèrent légèrement. Elle avait mal interprété, elle croyait qu'il lui faisait du gringue. S'il y avait une chose dont il pouvait se passer, c'était bien de voir courir de nouvelles rumeurs à son sujet. Il tempéra aussitôt ses ardeurs :

— Je suis certain que votre sœur serait très fière de tout le travail que vous accomplissez. Mon frère est mort jeune, lui aussi, vous savez.

Elle cessa soudain de rire, et ses traits prirent une expression grave, affligée, dure.

— Comme c'est triste.

Elle prononça ces mots comme si son expression nécessitait une note de bas de page. Elle s'égaya néanmoins aussitôt.

— Enfin, bref, c'est un plaisir de faire votre connaissance. Ma mère vous adore. Notre Sandra, celle qui est morte, elle disait souvent qu'elle adorait vous voir coiffé comme ça…

Elle posa la main à plat sur un côté de sa tête, comprenne qui pourra.

— Ah ! oui, fit-il.

Elle se pencha vers lui.

— Ma copine en pince pour vous, fit-elle en reniflant. Elle serait morte de honte si elle m'entendait dire ça !

— Ah ! oui, fit-il de nouveau.

Le maître de cérémonie s'approcha du pupitre et les discours commencèrent.

Ils se déroulèrent aussi bien qu'on pouvait l'escompter, un fiasco. L'auditoire était indiscipliné, un brin éméché, et personne ne savait trop ce qu'ils attendaient. Croyant sentir planer l'hostilité et perdant courage, tous les intervenants s'en tinrent strictement à leurs notes. Ils lisaient mot pour mot, se traînant péniblement vers la conclusion devant une salle où enflaient les chuchotis. Quand on remercia les membres du comité, personne n'applaudit ; les bons mots se heurtaient à l'apathie générale. Puis l'intervenant suivant gagnait le pupitre en traînant les pieds le long de l'estrade étroite et débitait son texte.

Vint enfin le tour de Gallagher. Les gens dans la salle ne savaient peut-être pas ce qu'ils voulaient, mais lui le savait pour eux : ils voulaient un pilote, un chef. Il se leva et se débarrassa de sa veste, desserra sa cravate et se dirigea vers le micro. Une main de chaque côté du pupitre, il prit le temps de scruter son auditoire, pour croiser leurs regards. Se penchant vers l'avant, il leur dit alors qu'il savait ce que c'était que de perdre un proche : la douleur de la disparition, le vide affreux que laisse une vie jamais vécue. Il leur dit que rien d'autre ne comptait que la famille et la communauté, car c'était là que tout s'accomplissait. Il fit appel à tous ses stratagèmes d'orateur : pauses, insistances, phrases choc qui engageaient l'auditoire dans un grand objectif commun. Mais leurs réactions étaient pavloviennes, ils applaudissaient quand il les poussait à le faire, ils souriaient, parce qu'ils ne l'aimaient plus. Lui, en revanche, il les aimait toujours.

Les yeux baissés sur ces visages levés vers lui, qui attendaient un signe de lui, Gallagher se sentit gagné par une fureur incontrôlable.

— Et vous… (il marqua une pause, promena son regard autour de la salle, réfrénant son aversion soudaine), vous êtes ceux qui peuvent faire une différence. Par votre simple présence ici, vous faites déjà une différence. (Il essaya d'insister autant la deuxième fois que la première, mais sans succès.) Merci beaucoup.

S'éloignant à reculons du pupitre sous une honnête volée d'applaudissements, il tendit le relais à la dernière intervenante avec un sourire. Alors que les applaudissements se tarissaient, un homme au fond de la salle se leva et s'écria :

« THOMAS McFALL ! »

Toutes les têtes se tournèrent dans sa direction. Quelques gloussements. Un murmure d'indignation.

Ils voulaient une réponse. Ils ne le porteraient pas de nouveau dans leur cœur tant qu'ils n'en auraient pas obtenu. Ce n'était même pas à Kenny qu'ils s'en prenaient, mais à son beau-père, Malcolm. Thomas McFall était le dernier rival en date de Malcolm. Les deux loups vieillissants se livraient un combat ridicule au sujet de l'adhésion de McFall à un club de golf, que Malcolm aurait plusieurs fois bloquée. Ça aurait dû se terminer en dispute, ou en bagarre de vieillards dans un bar. Au lieu de quoi McFall avait fait monter la sauce de manière inimaginable en prenant Kenny à partie dans la presse. Mais peu importait la raison qui poussait McFall à s'emparer du sujet maintenant, peu importait de savoir si c'était McFall qui avait contacté le *Globe* ou le *Globe* qui avait contacté McFall. Le public voulait une réponse, c'était ça l'important. Désormais, la vie publique se résumait à ça : un jeu sans fin où on s'amusait à aller sonner chez le voisin par pur plaisir de lui chercher des noises, sans lui laisser de possibilité de riposter.

Furieux, Gallagher s'interrompit, cherchant d'où venait la voix. Il était là, au fond de la salle, les traits vitrifiés par l'alcool, la lumière des spots se reflétant dans ses lunettes, attendant une réponse. Quand tous les regards se tournèrent vers eux, deux femmes à la table du chahuteur tentèrent de prendre leurs distances en affichant une mine scandalisée.

Gallagher sentit la fureur le prendre à la gorge. Il revint au pupitre, effleura le micro de ses lèvres, emplissant la salle d'un grésillement électrique.

— Thomas McFall, siffla-t-il d'une voix pleine de venin, est un traître à sa classe.

Le public adora. Ils acclamèrent et applaudirent. Ils l'aimaient. Ils se mirent debout, brandirent les mains au-dessus de leurs têtes pour lui témoigner leur solidarité. Levant vers lui leurs visages amicaux, euphoriques et rendus moites par l'alcool, ils saluèrent la fermeté de Kenny Gallagher.

Tous, excepté Annie.

Au fond du cœur noir de son public, les yeux de sa femme lui jetaient des éclairs, brûlants comme une mauvaise conscience.

4

Remontant le couloir d'un pas décidé, Alex Morrow et l'agent Harris pénétrèrent dans la salle d'attente des urgences. Morrow avait besoin d'en savoir plus sur le grand-père, Brendan Lyons. Après s'être entretenue avec sa fille, avec les témoins, avec les premiers policiers sur les lieux, elle avait acquis l'impression qu'elle avait affaire à Monsieur Tout-le-monde : il était gentil, aimable, il achetait des timbres. Morrow voulait voir ce qu'il avait dans les poches, les minuscules petites choses qui font une vie, et tout ceci se trouvait à la morgue. Ils traversèrent la salle d'attente. La température y était agréable, la faim et la fatigue leur firent ralentir le pas.

Morrow regarda l'attaché-case de Harris.

— Vous faites du marketing, à vos heures perdues ?

Harris écarquilla les yeux et rougit.

— Oh ! madame, je suis désolé.

Elle l'avait tellement bousculé qu'il avait à peine eu le temps de remplir le formulaire d'informations sur Joseph Lyons avant de laisser entrer Pavel. Sans doute avait-il cru pouvoir s'en passer, mais ça avait viré au désastre quand il avait fait tomber la planchette à pince. L'adresse d'un témoin y figurait, que Pavel avait tout aussi bien pu voir. Une bourde digne d'un amateur, ils ne savaient pas si Pavel était réglo.

— Ne me refaites plus jamais ça.

— Je vous le promets.

Harris fronça les sourcils, comme si lui non plus n'en revenait pas d'avoir commis pareille bévue. Il avisa un distributeur de friandises et son visage s'illumina.

— Je crois bien que je pourrais manger un bout maintenant, tiens.

— Ouais? fit Morrow, en se disant la même chose. Moi aussi, je crois que je m'en suis remise.

Elle aurait dû se taire, elle leur rappelait à tous les deux pourquoi ils n'avaient rien pu avaler jusqu'ici.

Une brume collante, sanglante s'était déposée sur toutes les surfaces du bureau de poste. On s'y sentait partout contaminé par la puanteur métallique du sang. Brendan Lyons était partout. En levant la tête pour reposer ses yeux fatigués, Morrow avait aperçu des perforations dans les dalles en polystyrène du faux plafond et s'était rendu compte qu'il s'agissait d'éclats d'os.

Contenant sa respiration, elle n'avait pas bougé, les larmes aux yeux. Plus étrangement, le bout de ses seins en se contractant avait trempé de lait les coussinets dans son soutien-gorge. Elle avait filé aux toilettes pour se reprendre et, cédant au besoin de mener plusieurs tâches de front, elle en avait profité pour appeler chez elle.

À présent, elle regardait Harris insérer des pièces dans la machine. Histoire d'oublier, ils contemplaient côte à côte d'un air solennel la spirale de métal en train de reculer pour libérer le dernier sachet de la rangée. Un gros paquet de chips aromatisées au vinaigre dégringola dans la gouttière.

— Bon, fit Harris en haussant les sourcils dans sa direction, voilà qui est bien.

Ils sourirent en s'imaginant leurs mines sérieuses.

Harris sortit ses chips de la machine.

— Vous aussi, il vous faut quelque chose, dit-il en remettant des pièces dans la fente.

— Oh!

Le souvenir du plafond lui arracha un frisson.

— Je ne sais pas encore si…

— Si, dit-il fermement, mangez quelque chose. Vous en avez besoin.

Elle n'avait pas faim mais, en effet, elle ferait bien de manger. Elle allaitait des jumeaux et n'avait pas le droit de mettre son corps à rude épreuve. Venant de n'importe qui d'autre, elle aurait trouvé la remarque impertinente, mais Harris avait des enfants lui aussi, il connaissait la musique.

— De toute façon, ça y est, les pièces sont dans la machine, dit-il. Laissez la chance décider : appuyez sur les boutons au hasard.

D'une main, Morrow se couvrit les yeux et, regardant discrètement entre ses doigts, elle tapa A6. Quand la spirale des chips à l'oignon et au fromage se mit en branle, Harris laissa échapper un petit grognement étonné : il savait que c'était l'en-cas préféré de Morrow. Elle se tourna vers lui et lui décocha un regard entre ses doigts. La blague idiote le fit sourire.

Ils ouvrirent leurs paquets et mangèrent, le regard perdu sur la salle d'attente. Morrow calcula que trois ou quatre minutes leur suffiraient pour tout avaler. Puis il faudrait encore quatre minutes pour trouver la morgue, entrer, rencontrer les gens. Huit minutes pour fouiller les effets personnels de Lyons, en retenir l'essentiel, trouver ce qu'il fallait savoir de lui. Ensuite retour à la voiture, au poste, et enfin chez elle. À moins qu'elle ne rentre directement ? Harris pourrait peut-être la déposer. Entre 2 heures et 6 heures cette nuit, c'était à elle de s'occuper des enfants, peut-être sans dormir en cas de nuit agitée, et ensuite le boulot, de nouveau. L'enquête sur Barrowfield devenait calamiteuse. S'ils arrêtaient Benny Mullen, c'était la gloire assurée. S'ils arrêtaient des sous-fifres, les dépenses seraient justifiées. S'ils n'obtenaient rien, en revanche, ses supérieurs l'auraient dans le collimateur. Cette dernière hypothèse semblait la plus probable.

Dans la baie vitrée, elle se vit en train de manger, fourrant les chips dans sa bouche de plus en plus avidement, les joues ridiculement pleines, jusqu'à ce que le sachet soit vide. Le reflet de Harris était tourné vers la salle d'attente. Il mâchait calmement, savourait et prenait même le temps d'avaler avant de se resservir.

Elle suivit son regard. Les pubs ne fermaient que dans deux heures mais les Urgences ne chômaient pas : des parents qui attendaient en lisant le journal, un groupe de trois jeunes hommes en tenue de football, l'un d'eux en larmes, le tibia ensanglanté, ses compagnons dissimulant leur embarras sous une fausse gaieté.

Il n'y avait de décorations de Noël que derrière le verre pare-balles du bureau des infirmières : fines guirlandes bleues, bonshommes de neige en papier collés à l'intérieur des vitres, le front percé d'une balle en Patafix.

Se tournant vers elle, Harris fronça les sourcils.

— Les tatouages de Pavel, dit-il en désignant son cou, ce n'était pas exactement des dauphins, si ?

Se remémorant leur dernier interrogatoire, Morrow confirma d'un signe de tête. De nos jours, tout le monde était tatoué, Pavel aurait tout aussi bien pu être cadre dans une banque, mais ses tatouages à lui étaient gros, il en avait sur la main, le cou, et pas franchement élégants non plus : des points qui s'enroulaient le long de son bras, des séries de chiffres, d'étranges mots sortis de tout contexte. « Beast », Bête, avait-elle lu dans son cou. Tous dans une nuance différente de noir. On aurait dit qu'il cherchait délibérément à s'abîmer.

— Comme des tatouages de prison, mais réalisés par un professionnel. Vous croyez que c'est un dingue ?

Harris opina.

— Et puis il y a ce satané accent, fit-il.

L'accent de Pavel, qui glissait d'un endroit à l'autre, l'avait troublée elle aussi. Il l'avait tellement indignée qu'elle se posait des questions. Morrow savait qu'elle était sur les nerfs, mais la maîtrise des accents dont Pavel avait fait preuve en s'exprimant l'avait plus que ridiculisée : c'était comme s'il cherchait à louvoyer, à se montrer presque retors.

— Peut-être que Pavel n'a rien à nous apprendre, sinon que même les tordus vont à la poste à Noël.

— Vous croyez ?

Pliant son sachet de chips vide, elle marmonna :

— Il a des dents d'Américain.

Harris acquiesça la bouche pleine.

— Pas faux. Les tatouages et les dents ne sont pas assortis.

Pavel avait des dents ridiculement droites et blanches. Jusqu'à ce qu'elle voie ses gencives, Morrow s'était d'ailleurs demandé s'il ne s'agissait pas d'un dentier.

Aussi étrange et antipathique soit-il, Pavel leur avait livré des informations cruciales. Le braquage avait tout du crime gratuit, très difficile à résoudre, mais, aux dires de Pavel, le braqueur savait que le système d'alarme était déconnecté : *T'emmerde pas, c'est toujours désactivé.*

Le système d'alarme était tombé en panne le matin même. Un court jus dans le circuit imprimé, le gérant l'avait compris à cause de l'odeur de soufre qui stagnait dans le couloir quand il était arrivé pour ouvrir. Ce n'était pas la première fois. Selon les termes de leur contrat d'assurance, ils auraient dû fermer la boutique, mais c'était bientôt Noël, la semaine la plus chargée de l'année. Le gérant n'en avait pas parlé aux employés. Pas parce qu'il ne leur faisait pas confiance – il s'agissait de sa fille et du cousin de sa femme –, mais parce qu'il ne tenait pas à les alarmer ; et il était de toute façon prévu que tout rentre dans l'ordre en début d'après-midi : les fabricants avaient été avertis. En milieu de matinée, ils devaient livrer un nouveau circuit imprimé à un dépanneur qui viendrait aussitôt l'installer. Le tireur tenait donc ses informations de trois sources possibles : le fabricant, le dépanneur ou le gérant du bureau de poste.

Mâchouillant ses chips, la bouche pleine, désolée de n'avoir rien à boire ou davantage de salive, Morrow envisagea les trois options. En laissant fuiter ce genre d'information, les fabricants avaient tout à perdre. Comme l'assurance du bureau de poste ne couvrirait pas le dommage financier, le gérant n'avait rien à y gagner. Ne restait donc que le dépanneur : s'il était en contact avec le braqueur, on pourrait peut-être en trouver trace.

Elle plongea le regard dans la nuit sombre de l'autre côté des portes vitrées. Le vent soufflait et une pluie argentée perçait le halo de lumière venant de la salle d'attente. Poussée par une rafale, une page de journal traversa l'obscurité sur l'aire de stationnement des ambulances, avant d'atterrir à plat à la surface d'une grosse flaque.

— Allez, Harris, on y va.

Sans attendre qu'Harris ait remonté le zip de son manteau, elle sortit la première, protégeant son visage de la pluie et du froid.

Le Southern General Hospital était une véritable ville en construction. Des grues ployaient au-dessus d'un parking à étages à demi-terminé. Au loin, après l'héliport des urgences, une énorme colonne d'ascenseur en béton se dressait, solitaire, derrière une palissade tapissée d'affiches promettant un nouvel hôpital pour enfants.

Le modeste bâtiment de l'époque victorienne occupé par l'ancien hôpital était toujours là, mais la fermeture des chantiers navals voisins l'avait laissé seul dans un désert de six kilomètres carrés de terrain sans valeur et battu par les vents. On déménageait ici des installations venues d'hôpitaux mieux lotis. Les lourds équipements de chantier avaient abîmé le sol, créant de larges flaques de profondeur inconnue. Morrow et Harris décrivaient des méandres, posant précautionneusement leurs pieds sur le bitume ou le béton, à travers des chemins boueux creusés dans des carrés d'herbes folles.

Les panneaux indiquant la morgue ne menaient nulle part, mais Morrow, qui avait passé deux mois à la maternité quatre bâtiments plus loin, connaissait les lieux dans leurs moindres recoins. Elle avait déjà deviné que la morgue se trouvait dans le bâtiment anonyme au toit en terrasse.

Elle le contourna jusqu'à une porte jouxtant une baie de déchargement et appuya sur un bouton. Reculant d'un pas, elle planta le regard dans le petit objectif d'une caméra et vit l'image déformée de son sourire. Elle se promit de sourire moins, de se montrer moins enjouée au travail. Cela sapait son autorité.

Une voix lui demanda son identité. Elle la leur donna, sortit son portefeuille et produisit son insigne.

La porte s'ouvrit.

Ce couloir était plus accueillant que celui des urgences, malgré la vive odeur de désinfectant. Un jeune vigile asiatique en pull-over noir approcha en les dévisageant.

— Ce n'est pas l'entrée, les informa-t-il aimablement.

— Navrée, répondit Morrow, en se souvenant de ne pas sourire, il n'y avait plus de panneaux.

— C'est mieux de ne pas l'afficher en grand, vous savez? Parce qu'on est juste à côté du service de chirurgie.

Il eut un sourire contrit.

— Je peux revoir vos insignes, s'il vous plaît?

Morrow et Harris les lui montrèrent. Les yeux du vigile passèrent rapidement des photos aux visages, vérifiant les points de convergence. Une minutie inhabituelle. Il se pencha en arrière et cria quelque chose par-dessus son épaule.

— Hé, Johno! La police est ici.

Un homme d'âge moyen à la lourde démarche d'adolescent émergea d'un bureau et vint leur serrer la main. John, le responsable de la morgue. Qui leur apprit ce qu'ils savaient déjà : le grand-père avait reçu un si grand nombre de balles qu'il avait le corps en charpie. La main sur son ventre, il leur montra la direction d'un hochement de tête.

— Vous voulez le voir?

— Mon Dieu, non! s'exclama Morrow, plus spontanément qu'elle n'aurait dû. Non, on aura les photos dans la matinée.

— Désolé, fit John, rougissant à l'idée d'avoir suggéré que la chose aurait pu les tenter.

— Nous ne voulions voir que ses effets personnels, précisa Morrow.

— Bien sûr.

Il se dirigea vers une grande porte métallique.

— Tout est là-dedans.

Se servant d'une clé magnétique suspendue à son cou, il entra et alluma, plongeant la pièce dans une lumière crue. Une longue table métallique devant une série de classeurs en acier. Une grande pièce où les surfaces grises créaient une atmosphère agréablement fraîche.

Ouvrant un tiroir, John le superviseur en sortit avec précaution un sachet en plastique transparent maculé de sang. Le tenant à plat dans le creux de sa main, il le déposa sur la table.

— Désolé, dit-il en rougissant de nouveau, c'est dégoûtant, je sais, mais ils ne nous laissent pas…

— Non, je suis au courant, l'interrompit Morrow.

— À cause des preuves et tout ça.

— *Aye*, bien sûr. Pas de souci.

Étalant sur la table une nappe en plastique, John ouvrit en grand le sac à dos rouge. Il se recula.

Morrow attrapa des gants en latex dans une boîte et les enfila.

Malgré la fraîcheur de la pièce, l'odeur du sang était prégnante. Ça la ramena au bureau de poste et aux coups de couteau dans des soirées, aux agressions anonymes à l'arme blanche et aux couples assassins, des images d'autres moments, une veine où s'écoulait le flux ardent de la cruauté humaine qui faisait son quotidien depuis dix ans. Quelque part au tréfonds d'elle-même, elle entraperçut de nouveau cette terrible réserve sans fond de désespoir. Elle fut choquée de le savoir toujours là, inchangé.

Elle plongea la main dans le sachet abritant les preuves. Une carte de bus ensanglantée dans une pochette en plastique bleu. Le visage du vieillard était légèrement flou sur la photo, mais agréable malgré tout. Il la regardait droit dans les yeux, le regard pétillant, les lèvres entrouvertes comme s'il allait sourire. Morrow posa la carte avec précaution sur la nappe en plastique.

Une carte de syndicat, indiquant « chauffeur » comme profession.

— Chauffeur, marmonna-t-elle.

Harris l'observait en train de replonger la main dans le sac comme s'il assistait à une opération.

— Ça confirme ce que disait sa fille : il conduisait un bus pour une association de handicapés. Il a pris sa retraite.

— Il y a combien de temps ?

— Un an. Il faisait des remplacements de temps en temps, mais rien de régulier.

Quelques pièces : une de cinquante cents et deux plus petites.

Un robot en plastique, petit et de mauvaise qualité, amputé d'un bras. Le genre de jouet qu'on trouvait dans les crackers de Noël.

Des mouchoirs en papier, la partie haute imbibée de sang, gonflés comme si une rose cherchait à éclore hors du paquet.

John eut l'air embarrassé.

— Désolé. Ils ont dit de tout y mettre. J'y ai ajouté un sachet de gel de silice mais ça n'a pas encore vraiment fait effet…

Il désigna un coussinet niché dans le coin du sachet ensanglanté. Gorgé de produits chimiques et rendu croûteux par le sang d'un vieil homme : « Ne pas avaler. »

— Vous avez eu raison, John, ne vous en faites pas.

Dernier objet : un portefeuille. Mince, en cuir marron souple, légèrement voilé à l'endroit où il épousait la forme de la fesse du vieillard. On distinguait les contours des cartes bancaires à travers le cuir, marqué de rides plus sombres. En essuyant le sang, elle lut le mot *Mallorca*. Le dessin sombre représentait une carte de l'île.

Elle l'ouvrit d'une chiquenaude. La carte de retrait d'un compte joint qu'il partageait avec sa femme. Un billet de dix livres spongieux, un billet de train à prix réduit acheté à la gare de Kelvindale, quelques tickets de caisse d'une pharmacie et une ordonnance pliée en quatre. Elle la déplia. Brendan Lyons prenait des statines et un laxatif léger.

Morrow replaça tous les objets dans le sachet. John le superviseur posa le pied sur la pédale d'une poubelle jaune, pour en faire basculer le couvercle tandis qu'elle retirait ses gants tachés de sang.

— Sa femme est là, pour l'identification, lui dit-il à voix basse.

Ils ne se regardèrent pas, ni l'un ni l'autre ne voulait songer à la femme ou à la famille confrontée à pareille situation une semaine avant Noël.

Elle laissa tomber les gants dans la pénombre de la poubelle.

— O.K., dit-elle, trop fatiguée pour éprouver de la compassion mais accomplissant mécaniquement son travail. Je veux qu'elle sache que nous sommes là. Nous attendrons qu'elle sorte pour nous présenter.

— Bien sûr.

John referma la glissière du sachet de preuves et le replaça dans le tiroir.

— Je vais aller voir si Mme Lyons a terminé, dit-il.

Il les accompagna vers la sortie, puis le long d'un couloir qui menait à une petite pièce et les laissa seuls.

La salle de la morgue où l'on annonçait les mauvaises nouvelles regorgeait de détails éloquents : une boîte de mouchoirs, dont l'un dépassait pour un prochain usage. Une fontaine, ainsi qu'un fauteuil et un petit canapé impeccables. Sur le mur, l'image lénifiante d'un champ en plein été, des stores aux fenêtres, la lumière tamisée. Morrow imaginait toutes ces vies hantées par le léger murmure d'un détail déroutant : on n'a pas retrouvé la voiture ; l'hémorragie a causé la mort ; les voisins ont appelé en l'entendant crier.

Harris et Morrow patientèrent quelques minutes, contemplant le canapé sans s'y asseoir, et sans ôter leurs manteaux non plus.

— Alors, vous avez quelque chose pour Bryan ? s'enquit Harris.

Morrow secoua la tête.

— Non, on ne s'offre rien cette année. Tout l'argent va aux enfants et pour le baptême.

Ils n'étaient pas pratiquants, mais appréciaient tous les deux une vie rythmée par les cérémonies.

— Ma femme et moi, on fait l'inverse, marmonna Harris à mi-voix.

Croisant son regard, Morrow enregistra la lueur impertinente.

— Ne faites…

— Les enfants peuvent toujours courir, l'interrompit-il. Ma femme me paie un bateau et moi, je lui offre un lifting…

Elle lâcha un gémissement de désespoir.

— Oh! espèce d'idiot.

La blague de comptoir devenait d'autant plus ridicule et drôle qu'ils se trouvaient dans une morgue, que Noël approchait, qu'il était tard et que la veuve éplorée de Lyons était à deux pas. Il était hors de question qu'on les surprenne en train de rire. Ils luttèrent en reniflant.

Morrow se remémora les images de la scène du crime et reprit contenance juste au moment où John le superviseur revenait, une femme sur ses talons. Harris ne s'était pas tourné vers eux.

Rita Lyons était bronzée, les cheveux teints en brun-roux et coiffés en crinière. Elle était chic dans son chemisier en lin bleu pâle et son pantalon en toile, la coupe large la mettait à son avantage. Une unique chaîne en or ornait son décolleté ridé par le soleil. Elle s'arrêta sur le seuil en prenant de grandes inspirations et promena son regard sur la pièce, défiant ces objets si éloquents comme si elle voulait les voir s'écrouler.

— Madame Lyons, je suis l'inspectrice Morrow. Toutes mes condoléances. C'est moi qui suis chargée de l'enquête. Je tenais simplement à me présenter. Pouvons-nous vous reconduire chez vous ?

— Non. (Rita inspira de nouveau profondément.) J'ai un taxi…

— D'accord.

Morrow tentait de lire entre les lignes. Était-elle hostile ou accablée de chagrin ? Difficile à dire.

— Bon, comme vous voulez. Nous pouvons attendre avec vous.

La femme inspira, se figea un instant, puis regarda Morrow.

— Avez-vous besoin de me parler maintenant ?

Il n'y avait pas d'hostilité dans sa voix, mais guère d'amour non plus.

— Vous en avez certainement assez enduré pour aujourd'hui, lui répondit Morrow. Nous viendrons vous trouver demain.

Rita croisa les bras et la dévisagea, l'air dur.

— Vous allez attraper l'homme qui a fait ça ? Vous allez l'attraper, n'est-ce pas ?

Morrow détestait cette question, et tous la posaient.

— Nous ferons de notre mieux.

Irritée par la dérobade, Rita jeta un regard noir vers Harris, espérant son soutien. Il fit un pas vers Morrow, pour montrer à quel camp il appartenait.

— Je vais appeler…

Rita possédait un vieux modèle de téléphone portable, elle sélectionna «derniers appels» et choisit le premier numéro. La réponse fut immédiate.

— C'est moi, Donald, dit-elle. À l'endroit où tu m'as déposée.

Elle raccrocha et remis le téléphone dans son sac, se mordit la lèvre inférieure un instant, puis dit :

— J'ai rencontré Brendan quand nous avions tous les deux trente-cinq ans. Je n'avais jamais rencontré quelqu'un comme lui. C'était un homme profondément, profondément moral.

Morrow acquiesça d'un signe de tête. Étranges propos.

— C'était quelqu'un de bien ?

— Un homme vraiment bon. (Les yeux de Rita se vidèrent soudain, son regard devint distant.) Mais pragmatique, pas sentimental, et il s'impliquait pour que les choses changent.

Sa tête flancha vers l'avant et des larmes parfaites, en forme de poire, tombèrent au sol.

— Vous savez, dit Morrow, qu'il a salué le tireur, puis porté le sac contenant l'argent ?

Rita la dévisagea, fronçant les sourcils.

— Vous êtes en train de me dire qu'il a aidé cet homme ?

— Peut-être. Voyez-vous comment il aurait pu le connaître ?

Elle secoua la tête.

— Est-ce que l'homme l'a menacé ? Je ne sais pas.

Morrow haussa les épaules.

— Aurait-il pu le connaître de quelque part ? Que faisait Brendan dans la vie exactement ?

— Il était retraité. Il conduisait des bus. Le fait qu'il l'ait aidé ne veut pas forcément dire qu'il l'a reconnu, si ?

— Eh bien, ils se seraient apparemment salués, comme s'ils se connaissaient…

Le léger murmure d'un détail déroutant.

Rita regarda le sol, ouvrant grand les yeux, retraçant le chemin de ces instants déjà tracé par Morrow : Brendan connaissait son assassin, l'avait aidé, peut-être savait-il même que l'homme allait le tuer.

— Brendan était-il religieux ? demanda Morrow, songeant qu'il aurait pu rencontrer le malfaiteur dans le cadre d'activités paroissiales.

Rita bredouilla d'indignation :

— Certainement pas ! Brendan a toujours été communiste.

— Oh, quand vous disiez que c'était un homme bon…

— Je parlais d'un autre genre d' « homme bon ».

— D'accord, je vois. Peut-être a-t-il rencontré l'homme lors d'un meeting du parti communiste.

— Non.

Comme Morrow avait l'air sceptique, Rita expliqua :

— Parce qu'il ne fréquentait plus les meetings. Il ne militait plus activement depuis longtemps.

— A-t-il jamais eu affaire à la police ?

— Jamais. Même quand nous étions jeunes, alors qu'il était politiquement actif, qu'il participait à beaucoup de manifestations dans les années 1980 et qu'il soutenait les mineurs, il n'a jamais eu de problème, même si la police embarquait à la pelle.

Elle regarda Morrow.

— Désolée, ce n'était pas pour vous vexer.

— Pas de problème.

Morrow, pourtant, lui en voulut.

— Connaissait-il des criminels ?

— Aucun.

Rita était catégorique.

— Aucun voisin, aucun proche… ?

— Certainement pas. (Les coins de sa bouche se tordirent sous l'effet d'un léger dégoût.) Jamais on ne fréquenterait des gens comme ça.

Le demi-frère de Morrow, Danny McGrath, était un gangster. À Glasgow, la plupart des gens connaissaient quelqu'un, habitaient près de chez quelqu'un, avaient dans leur famille une nièce ou une fille au petit ami mal choisi. Mais Rita Lyons se montrait sans équivoque. Si bien que Morrow fut convaincue qu'elle mentait.

Les deux femmes se dévisagèrent, pas vraiment aimablement.

Rita mit un terme à la conversation.

— Mon taxi doit être arrivé.

Morrow regretta le regard froid qu'elle lui avait lancé. Elle savait qu'elle avait besoin de faire de Rita son alliée.

— Nous allons sortir en même temps que vous.

Rita sentit monter des larmes de colère.

— Non…

Morrow fit un geste vers son avant-bras.

— C'est mon boulot de poser des questions gênantes, dit-elle.

Mais Rita esquiva son contact, gratifiant sa main tendue d'un regard dédaigneux.

— Madame, murmura-t-elle sans lever les yeux, mon mari vient de mourir. Je ne vais pas me plier en quatre pour vous.

Sur ce, elle fit volte-face et se dirigea vers la sortie. Morrow et Harris lui emboîtèrent le pas.

Sur le bas-côté de la route, dans le vent et l'humidité, en aval d'une flaque, Rita sortit un paquet de cigarettes acheté dans un duty free et un fume-cigarette en plastique. Morrow la regarda y fixer sa cigarette de ses doigts tremblants puis l'allumer. La prestance de cette femme l'intriguait. Rita Lyons était issue de la classe ouvrière, elle ne semblait pas avoir grandi dans l'argent ni en posséder, et pourtant elle était plus que fière : elle avait une classe naturelle.

— Je reviendrai vous voir demain, dit-elle. Il faut que nous parvenions à savoir si Brendan connaissait le tireur et d'où.

Calme et posée, Rita daigna acquiescer du menton, mais lorsqu'elle porta la cigarette à sa bouche, la lueur orange à son extrémité tremblota dans l'obscurité. Une Ford rouge avançait dans leur direction, et ils se tournèrent pour la regarder tanguer prudemment autour des nids-de-poule.

Elle s'arrêta devant eux. D'un signe de tête, Morrow demanda à Harris de noter la plaque d'immatriculation.

En sortit un homme chauve et râblé qui alla ouvrir la portière arrière avec empressement. Il regarda Rita monter sans quitter son visage des yeux, espérant croiser son regard. Que Rita lui refusa. Quand il contourna la voiture pour retourner à sa portière, Morrow remarqua qu'il avait les yeux gonflés par le chagrin.

— Excusez-moi ? lança-t-elle.

Le chauffeur se retourna, ses traits se durcirent.

— *Aye ?*

— Quel est votre nom ?

— Donald McGlyn. Vous êtes de la police ?

— *Aye.*

Morrow remarqua un point rougeoyant à l'arrière du taxi. La cigarette de Rita. Elle savait à quel point les chauffeurs étaient regardants quand il s'agissait de leur véhicule : Donald devait l'estimer énormément pour l'autoriser à fumer.

— Donald, pouvons-nous venir vous parler si besoin est ?

— Tout ce que vous voudrez, je ferai tout ce que vous voudrez pour Bren, dit-il, en déglutissant. Abbi Cabs, à Anniesland. J'y suis après le déjeuner.

Ses larmes eurent raison de lui. Il les salua d'un signe et retourna dans son taxi.

— Vous avez noté le numéro ? demanda Morrow.

Harris fit signe que oui et referma son carnet.

Ils regardèrent la voiture s'éloigner à travers cette cité en devenir, progressant avec précaution parmi les nids-de-poule, projetant des gerbes d'eau pareilles à de lents tsunamis qui arrosaient les trottoirs sur son passage.

— Dès demain à la première heure, vous me faites une recherche sur lui.

Elle regarda sa montre : onze heures quarante.

— Seigneur, on remet ça dans sept heures.

— Six, corrigea Harris, si on compte le temps de transport.

Morrow regarda les feux arrière rouges disparaître dans un voile de pluie gris. Un vent âpre remontait du fleuve, la pluie lui cinglait les joues, mais elle se réchauffa en prononçant la phrase sacrée : «Je rentre chez moi.»

5

Penchée à la porte de la chambre, Morrow murmura :

— Brian ?

Plongé dans un sommeil de velours, Brian était étendu en travers du lit comme s'il était tombé du haut d'un building : un bras en travers du corps, une jambe de guingois et le visage qui disparaissait à demi sous la couette.

— Brian ?

Son souffle se tut puis reprit, venu des profondeurs de son ventre, délicieux. Alex vint s'asseoir sur le lit et dégagea la couette de son visage. Elle lui sourit. Un sommeil salé avait dessiné des cercles au coin de ses yeux. Ses traits étaient relâchés, la peau de ses joues formait un pli près de ses oreilles. Ils vieillissaient.

— Je dois aller bosser, Brian.

Brian ouvrit un œil, difficilement.

— Je me lève.

Néanmoins il resta là, allongé, immobile.

— Thomas vient de téter et Danny va se réveiller dans une minute.

Elle se leva et rajusta son tailleur.

— J'ai chauffé son biberon et je l'ai mis de côté. Tu peux appeler pour te renseigner sur le baptême dans la matinée ? Tu te lèves, Brian ?

Il rouvrit le même œil, dévoilant plus que le blanc cette fois, et leva le regard vers elle.

— Je me lève.

Elle sourit.

— Tu veux que j'allume?

— Hmm. Tu vas demander à Danny aujourd'hui?

— Oh! Chais pas.

Au moment de sortir, elle appuya sur l'interrupteur et l'entendit se débarrasser de la couette en maugréant.

Elle gagna le rez-de-chaussée sur la pointe des pieds, attrapa sa mallette en bas de l'escalier et enfila son manteau, avant d'ouvrir la porte sur la journée hivernale et sèche en souriant.

Le froid matinal lui caressa le visage, et, afin d'apprécier pleinement le luxe de cet instant, elle baissa les paupières pour apaiser la sensation de brûlure dans ses yeux. En refermant la porte derrière elle, elle entendit des pleurs de bébé qui lui parvenaient de l'étage, aux confins de la maison, un son ténu émis sur une fréquence secrète.

Dans la voiture, elle alluma le moteur, mit le chauffage, la radio, et resta là un moment, le temps que la condensation se dissipe, contemplant l'ombre de la maison à travers la buée, heureuse. En attendant ainsi le matin, assise dans sa voiture, il lui arrivait souvent de sentir monter des larmes de gratitude. Elle avait de la chance de pouvoir rêver de son lit moelleux, d'avoir un foyer paisible vers lequel revenir. Le flash d'informations vint lui rappeler l'existence de cette réserve de désespoir qu'elle avait entrevue la nuit précédente. Tout cela l'attendait, elle le savait; mais pour l'instant, elle avait devant elle sa maison, et, dans cette maison, il y avait ses garçons.

Cette fois, elle abordait les choses différemment. Avant le décès de son jeune fils, foudroyé par une méningite, elle n'avait jamais envisagé qu'il puisse tomber malade et passait son temps à se plaindre de ses nuits sans sommeil, à se lamenter sur sa façon de manger. Cette fois, elle n'éprouvait que de la gratitude. Bien sûr, cet équilibre ne durerait pas. Les enfants grandiraient; au boulot, ressentiments et soucis reprendraient le dessus, mais pour l'instant, juste pour l'instant, Morrow savourait son état de grâce.

Le pare-brise se dégageait lentement, et, sans se départir de son sourire, elle quitta en marche arrière l'allée en pente raide, tourna le volant et s'engagea sur la route qui menait en ville.

Tout en conduisant, elle songeait à Brendan Lyons, reprenant des réflexions qu'elle avait ébauchées en s'endormant.

Le comportement de Lyons n'avait ni queue ni tête. Comment pouvait-il connaître cet homme ? *Toi.* Lyons était un type bien, tout le monde disait que c'était un type bien. Peut-être qu'il était secrètement gay et qu'il avait eu une liaison avec le tireur. Il pouvait aussi avoir fait sa connaissance par le bus pour handicapés, par ses activités de quartier, ou par une vieille connaissance de la famille.

Elle se gara dans le parking vide derrière le poste de police de London Street et éteignit la radio, pressée de se mettre au boulot.

Il y avait du monde au comptoir pour 7 heures du matin. Les équipes de nuit finissaient leur service dans la douleur. Morrow trouva le sergent de garde en train d'aboyer des questions au visage d'un homme minuscule et sec. L'homme se tenait debout, visiblement défoncé à la cocaïne, les épaules voûtées comme un bœuf s'apprêtant à charger. Le bureau était couvert de postillons, et les deux officiers qui le maîtrisaient avaient les joues cramoisies, essoufflés comme s'ils venaient de crier.

À l'arrivée de Morrow, ils changèrent d'attitude. Se tinrent plus droit, plus professionnels, et d'un hochement de tête le sergent de garde la remercia de leur avoir rappelé qu'ils n'étaient pas des voyous. Sentant le changement d'atmosphère, le type sec se retourna afin de voir qui en était le catalyseur.

— UNE FEMME ! s'écria-t-il, sans que sa voix s'infléchisse ou trahisse la moindre colère, juste une observation.

Les flics qui le tenaient éclatèrent de rire, se rendant brusquement compte qu'il était dingue. C'était juste un dingue, et eux valaient mieux que lui. Le type sec sembla comprendre qu'il avait perdu l'attention de son auditoire, qu'il n'était qu'un imbécile porté sur le chaos, seul face à eux tous, et dans de sales draps. Vaincu, il laissa ses épaules s'affaisser.

Quand Morrow retourna dans le hall d'entrée, au moment où la porte se refermait derrière elle, elle l'entendit crier de nouveau : «N'APPELEZ PAS MA MÈRE !»

Traversant le hall, elle gagna son bureau. La table croulait sous les rapports d'enquête préliminaire.

L'équipe de nuit n'avait pas chômé. Brendan Lyons avait été encarté au parti communiste de 1967 à 1983. Il y avait été permanent pendant quinze ans. Il avait quitté le parti un an et demi après avoir perdu sa place. Plus important, il détenait une assurance sur la vie. Sa famille allait pouvoir compter sur un versement de soixante-dix milles livres. Le rédacteur du rapport avait anticipé ses questions : pour autant qu'on sache, Brendan Lyons n'avait pas de dettes. Les Lyons n'étaient pas propriétaires de leur pavillon qu'ils louaient à la mairie. Brendan Lyons n'avait pas une réputation de joueur. Rien ne sautait aux yeux qui aurait pu expliquer qu'il ait orchestré son propre assassinat afin de permettre à sa famille de toucher l'argent de l'assurance. Mais il existait des dettes qui se contractaient sous le manteau et ne laissaient aucune trace. Peut-être avait-il été la proie d'un usurier. Avec les dettes illégales, tout pouvait facilement déraper.

Elle ferma les yeux et passa en revue les éléments en sa possession : si Brendan avait proposé son aide au tireur, s'il s'était arrangé pour être là et se faire assassiner, il n'aurait pas emmené son petit-fils. À moins que Pavel ne soit lui aussi dans le coup. À moins qu'il n'ait été chargé de faire sortir le gosse et ne l'ait pas fait.

Se forçant à rouvrir les yeux, elle tira vers elle le rapport suivant. Deux vieux dossiers où il avait été fait usage d'un AK-47, le premier dans le cadre d'une dispute familiale liée à une affaire crapuleuse, le second quatre ans plus tôt, une histoire de gang, et, dans les deux cas, on avait retrouvé les armes.

La recherche qu'ils avaient menée sur les vols à main armée était tout aussi incomplète : quelques cas avec des armes factices, hors de propos ; d'autres plus anciens, tout aussi hors de propos.

Il n'y en avait qu'un qui semblait valoir la peine d'être creusé : un tireur solitaire, vêtu d'« une sorte de passe-montagne gris », avait pénétré dans un modeste appartement du quartier de Battlefied et menacé la maîtresse de maison, Anita Costello, ainsi que sa fille de quatorze ans, Francesca. Des voisins avaient appelé la police quand on avait tiré vers le plafond. Il avait quitté les lieux avant l'arrivée de la première unité. La mère avait un casier chargé, rien que des petits délits : recel, atteinte à l'ordre public, vente d'alcool aux mineurs. Tout convergeait pour donner le sentiment qu'il s'agissait d'une petite dealeuse qui avait probablement de l'argent liquide à son domicile lors de l'incident. Quand la police s'était présentée, en tout cas, elle n'en avait plus. Agrafé au rapport sur le cambriolage se trouvait un rapport annexe daté de deux mois plus tard : Anita Costello avait été retrouvée morte dans un parc, assassinée par des inconnus. Morrow le nota dans un coin de sa tête : *Francesca Costello*. Ça vaudrait le coup de lui parler s'ils parvenaient à la trouver.

Fouillant sous les dossiers, elle exhuma la liste des témoins et l'ouvrit pour voir ce qu'ils avaient trouvé sur Martin Pavel : Pavel avait menti. Il n'était pas inscrit en géologie à Glasgow University. Il appartenait par ailleurs à plusieurs organisations politiques : 8G, APFC, FUV. Morrow n'en connaissait aucune, mais avec des noms à consonance paramilitaire comme ceux-là, elles avaient peut-être accès à des armes à feu.

La coïncidence semblait trop grande : Lyons et Pavel, tous les deux très impliqués dans des causes politiques.

Elle vérifia les signatures sur les documents, ouvrit sa porte et gagna la salle des opérations. L'agent McCarthy, assis à son bureau, fusillait du regard un écran d'ordinateur en se mordillant l'intérieur des joues. Maigre, la peau abîmée, des lèvres inexistantes, McCarthy avait toujours terriblement mauvaise mine. Mais son allure de gringalet était presque une couverture, car Morrow l'avait vu plaquer des suspects au sol d'un coup d'épaule. Il avait un faible pour les vieilles motos, mais peut-être parce que le pantalon et le blouson de cuir matelassés le mettaient à son avantage.

— McCarthy ?

Comme il levait les yeux vers elle, elle lui montra le rapport.

— C'est vous qui avez fait le boulot concernant ce témoin, Pavel ?

— *Aye.*

— Venez me voir.

Elle retourna dans son bureau et s'assit.

McCarthy entra et ferma la porte derrière lui. Un peu inquiet, il scruta son visage pour savoir à quelle sauce il allait être mangé.

— Tout va bien, dit-elle, en désignant d'un geste une chaise dans le coin. Apportez ça par ici et asseyez-vous.

Il obéit, et, quand il se retourna, elle vit qu'il souriait avec suffisance.

— Qu'est-ce qui est si drôle?

Il haussa une épaule.

— Rien. Je vois pas trop ce que je peux vous raconter là-dessus. (Il marqua une pause.) Madame?

Trop familier. Elle était sans cesse confrontée à ça, maintenant, à cette bonhomie. Ils avaient senti que la hargne épouvantable qui l'habitait l'avait quittée, elle ne les intimidait plus. Elle regarda McCarthy dans les yeux, épuisée. Était-ce si important? À quoi bon engueuler les gens ou faire la tête toute la sainte journée? Il lui fallut un certain temps pour digérer ses pensées, pour lui en vouloir et décider de réserver son jugement. Quand elle en vint enfin à bout, elle vit McCarthy en train de cligner des yeux, mal à l'aise, agrippé aux côtés de sa chaise.

— Bon, dit-elle, en se disant que cela avait peut-être suffi. Ces organisations, qu'est-ce qu'elles racontent?

Il jeta un coup d'œil sur la feuille :

— 8G est spécialisée dans les campagnes de lobbying, elle fait le lien entre des organisations de plusieurs pays.

— Du lobbying dans quel domaine?

— La lutte contre la pauvreté.

Elle fronça les sourcils. Bon nombre de ces organisations lui semblaient n'être rien d'autre que de vains exercices moralisateurs.

— Pas bien risqué… Et celle-ci?

— APFC, c'est l'acronyme de l'Action parlementaire pour la formation continue. Ils font le forcing auprès des députés pour obtenir que des fonds issus des budgets de l'éducation nationale bénéficient aux étudiants en difficulté.

— J'ai failli m'endormir en vous écoutant.

— Je sais, soporifique. Même le site web, c'est de la merde, on dirait qu'il n'y a qu'un seul type derrière. Il y a des photos d'événements dans la galerie et elles montrent toutes le même homme entre de serrer des mains.

— Mais Pavel les a rejoints?

— Ouais.

— Vous avez obtenu l'info comment ?

— Il a affiché les liens sur sa page Facebook.

— Vous l'avez demandé comme ami et il a accepté ?

— Ouais, mais je suis d'abord devenu membre de l'APFC.

Morrow n'aimait pas voir les policiers s'impliquer dans quelque cause politique que ce soit. Peu importe comment on s'y prenait, ça n'était jamais à leur avantage.

McCarthy savait ce qu'elle pensait.

— Vous en faites pas, je l'ai fait sous un faux nom.

— Oui, mais quand même. Ne le refaites pas.

— D'accord.

Sans trop savoir s'il avait gaffé, Mc Carthy pointa le doigt vers la page suivante.

— Mais regardez les photos sur sa page Facebook, madame.

Au compte rendu sur Pavel était jointe une impression des photos disponibles sur Facebook : Pavel en tenue de ski sur une pente enneigée ; Pavel, l'air plutôt triste dans une foule de jeunes gens, américains, vu leurs coiffures et leurs vêtements. Il était bel homme, mais manquait d'aisance, son look encore en devenir. Il portait un T-shirt parmi les Américains, et seule sa main gauche était tatouée à l'époque, le cou était encore vierge. Vers le bas de la page, Pavel avec des lunettes de sécurité jaunes, de nouveaux tatouages. Puis Pavel souriant, armé d'un fusil, armé d'un pistolet, armé d'une mitraillette. Sur la photo avec la mitraillette, il s'était fait tatouer la moitié du cou : un gros slogan en lettres noires, trop haut pour être caché sous une chemise. Morrow, d'une manière générale, n'aimait guère les tatouages et encore moins sur le visage, cela revenait pour elle à s'enlaidir volontairement.

— Ce « FUV », dit-elle, c'est un syndicat ?

— Non, c'est la Fondation pour l'unité de la vie.

— C'est quoi ? Pro-avortement ? Anti-avortement ?

— Le site web ne mentionne rien concernant l'avortement. Ce n'est pas aussi clair. Ils ont beaucoup d'argent, en revanche, le site est d'enfer : vidéos HD, documents téléchargeables, réunions partout dans le monde. On dirait une organisation religieuse. Ça parle beaucoup de vertu. On y lit… (il se pencha et lu la feuille à l'envers) que c'est un «think tank développant des solutions alternatives aux problèmes sociaux».

— Ça peut vouloir dire n'importe quoi.

Elle y réfléchit un instant. Elle espérait que c'était religieux. Il était plus facile de mener l'enquête dans ce milieu qu'en politique.

— Personne dans aucune de ces organisations n'a de casier?

— Je ne sais pas trop qui sont les adhérents. Rien du côté de Pavel, en tout cas.

— C'est son vrai nom?

Il n'y avait même pas songé.

— Je vais vérifier, dit-il.

Elle parcourut de nouveau les documents.

— Si c'est religieux, trouvez-moi une liste des adhérents.

Mais McCarthy terminait son service dans une heure, il ne pourrait pas s'y atteler tout de suite.

— Laissez tomber. Je vais mettre quelqu'un d'autre sur le coup.

Il la regarda, attendant de nouvelles instructions.

— Sortez, dit-elle.

Alors il sortit.

Assise derrière son volant dans l'obscurité, Tamsin Leonard n'entendait pas les essuie-glaces grincer avec indignation contre le pare-brise sec maintenant que la pluie avait cessé. Elle avait sept minutes pour arriver, fourrer ses affaires dans son casier, pointer et rejoindre la salle de réunion, mais elle voulait croiser Wilder avant de prendre son service, histoire de voir la tête qu'il avait. Penser à lui l'avait empêchée de dormir.

Il commençait à y avoir du monde du côté de l'entrée de derrière : des voitures se garaient, ses collègues en sortaient et filaient vers le poste. Deux arrivèrent à vélo. Ils se saluèrent au moment de franchir l'entrée du parking. Les regarder l'attrista, ce sentiment d'appartenance lui paraissait tellement lointain désormais. Comme elle s'était toujours sentie sur la touche, elle ne s'attendait pas à éprouver ce manque si intensément.

Elle aperçut soudain le capot de la Corsa bleu de Wilder, qui s'apprêtait à quitter le parking. Elle se pencha pour essayer de distinguer son visage, mais il avait tourné la tête pour vérifier qu'aucune voiture n'arrivait en face, si bien qu'elle ne put voir son expression. Pourquoi partait-il ? C'était étrange, ils devaient prendre leur service dans six minutes. Le parking était peut-être complet. Une fois dans la rue, il contourna l'arrière du bâtiment en direction des terrains vagues. C'était un territoire en friche, mais sans danger. Surveillé par des caméras à cause de la proximité du poste.

Leonard démarra et s'engagea lentement à sa suite. Elle se rangerait à côté de lui, lui parlerait avec naturel, pour juger de son humeur.

Au bout de la rue, elle scruta le terrain vague et n'y vit personne. Jetant un regard sur la gauche, elle aperçut au coin les feux arrière de Wilder, qui s'engageait vers la route principale. Si elle faisait de même, il remarquerait qu'elle le suivait.

Elle se gara sur le terrain vague et sortit de voiture, cherchant machinalement des yeux les caméras pour s'assurer qu'elles fonctionnaient, qu'elle était en sécurité.

Puis, tout d'un coup, elle en prit conscience : elle n'était plus en sécurité nulle part, plus maintenant. Elle avait dans son coffre cent soixante-trois mille livres dans trois grands sacs de caisse réutilisables. Si c'était de l'argent volé, elle ne pouvait pas en parler. Elle était complètement seule.

Dans l'obscurité, elle écoutait le grondement lointain de la circulation tandis qu'une pluie fine lui caressait le visage. Elle se sentait comme une enfant perdue et eut envie d'appeler chez elle, d'appeler Camilla pour tout lui raconter.

Mais elle n'en fit rien.

Elle remonta dans sa voiture et redémarra, tourna au coin de la rue et alla se garer près des autres véhicules, avant de sortir et de verrouiller la portière.

Elle s'engagea sur la rampe qui menait à la porte de derrière, consciente tout du long que c'était sa main à elle qui avait plongé dans le coffre de Hugh Boyle, que de fil en aiguille elle avait fini par voir cet argent qu'elle emportait dans ce sac comme une assurance. Maintenant, elle se rendait compte qu'elle avait commis un acte épouvantable, que si elle avait gagné une chose, elle avait perdu bien davantage.

Quand elle pointa, la cage était calme, les portes des cellules ouvertes. Quelqu'un ronflait à l'intérieur, ses reniflements ténus résonnant contre les murs en béton. Elle traversa pour aller plonger dans l'agitation du vestiaire, salua deux ou trois collègues en sortant ses clés pour ouvrir son casier, dans lequel elle fourra blouson et sac à main. Ridiculement mal à l'aise, elle retoucha son mascara dans le miroir collé sur l'intérieur de la porte.

Traversant le hall, elle composa le code d'accès de la Criminelle et fonça à la salle de réunion. Elle avait très envie de se faire toute petite, au fond ou sur un côté de la pièce, mais elle alla s'asseoir au premier rang, comme à son habitude. Elle n'osa pas chercher Wilder du regard, mais elle était certaine qu'il n'était pas encore là.

L'inspectrice Morrow fit son entrée, flanquée de Harris qui portait un fin dossier. Les agents s'assirent avec un respect exagéré. Ce n'était qu'en partie sarcastique. Morrow était une bonne inspectrice, pas sévère, pas à la colle avec la direction. Ils avaient le sentiment que sa priorité, c'était le boulot et qu'ils étaient tous logés à la même enseigne. Leonard aimait bien Morrow mais hésitait à le montrer : elle ne voulait pas que l'équipe pense qu'elles avaient tissé un lien particulier parce qu'elles partageaient les toilettes pour dames.

Harris laissa la chemise sur la table à l'attention de Morrow et vint s'asseoir à côté de Leonard, la saluant du menton, alors que Morrow jetait ostensiblement un regard vers la porte. Routher se leva d'un bond pour aller la fermer pendant que le silence tombait sur l'auditoire. Ils n'attendaient personne d'autre. Wilder devait déjà être là.

Morrow fit le point sur les dossiers : l'affaire Barrowfield avançait bien – ils avaient obtenu la veille un numéro de téléphone portable qui les aiderait à pister un dealer. Elle adressa un signe de tête appréciateur à Leonard, une allusion à l'interpellation de l'Audi le soir précédent. Leonard surveilla son regard, attendant qu'elle jette un coup d'œil en direction de Wilder, mais Morrow passa à autre chose.

Ils avaient besoin de quatre agents pour l'enquête sur Barrowfield aujourd'hui, dit-elle, deux pour creuser du côté des voisins, deux autres pour planquer dans une fourgonnette et filmer la porte de Benny Mullen. Les volontaires ne manquèrent pas, car il s'agissait d'un travail sédentaire. La main de Leonard resta sur ses genoux. Elle redoutait de faire équipe avec Wilder et d'avoir à passer la journée entière assise en sa compagnie.

Morrow désigna les équipes – Gobby et Evskine dans la fourgonnette, deux des nouveaux pour les voisins – avant d'embrayer sur le compte rendu de l'affaire que tous attendaient, le braquage du bureau de poste. Sa présentation prit la forme d'une série de questions.

Premièrement : le grand-père était un type bien sous tous rapports originaire d'une famille bien sous tous rapports. Pourquoi avait-il confié son petit-fils à un inconnu à l'allure étrange afin d'aider le tireur ?

Deuxièmement : l'inconnu à l'allure étrange avait menti sur sa situation et il fallait trouver pourquoi. Morrow piloterait cette partie-là, un sujet délicat du fait d'éventuelles implications politiques.

Quelqu'un au fond de la salle renifla bruyamment : l'inspectrice Morrow n'était pas connue pour sa délicatesse. Morrow leva les yeux, un avertissement accompagné d'un petit sourire entendu.

Troisièmement : le tireur savait que le système d'alarme du bureau de poste était en panne. Comment ? Il fallait quelqu'un pour rendre une petite visite au dépanneur qui avait attendu la livraison de la pièce avant d'aller réparer : qui était-il ? Était-il digne de confiance ?

Morrow désigna Leonard puis, laissant planer son doigt au-dessus de leurs têtes comme si elle choisissait un chocolat dans une boîte, elle le pointa vers quelqu'un dans le fond.

— *Aye*, dit-elle, vous et elle.

Leonard tourna la tête et vit Routher qui l'observait. Elle fouilla la salle des yeux. Wilder n'était nulle part. Morrow croisa son regard.

— Votre coéquipier habituel ne se sentait pas bien ce matin, dit-elle. Il a dû rentrer chez lui.

Puis elle revint à ses notes.

On poursuit : le tireur était muni d'un AK-47, un témoin assure qu'il s'agissait d'un pistolet, quelqu'un a-t-il déjà vu un pistolet AK-47 ? La plupart venaient d'Irlande. Les paramilitaires en étaient friands car on pouvait s'en servir sans trop d'entraînement et les enterrer des mois durant sans qu'ils se grippent. Une grande partie d'entre eux étaient un cadeau de Kadhafi. Morrow leur demanda de tendre l'oreille au cas où ils entendraient parler d'associations républicaines ou loyalistes, ou de n'importe quoi d'autre ayant trait de près ou de loin à l'Irlande du Nord.

Leonard décrocha, tout à ses propres soucis : putain, où donc était Wilder ? Pourquoi s'être présenté avant de repartir aussi sec chez lui ? S'il avait vendu la mèche, Morrow ne lui aurait pas assigné une mission. La nuit précédente, alors qu'elle rentrait chez elle après avoir quitté le poste, les sacs dans le coffre, elle s'était persuadée d'une chose : Wilder avait beaucoup plus de bouteille qu'elle, il avait déjà dû être confronté à ce genre de situation. Ce matin, elle l'avait cherché pour se rassurer. Elle pouvait lui téléphoner, mais un appel en dehors des heures de service les lierait, serait de nature à démontrer la conspiration. Elle avait projeté de se débarrasser de l'argent et de le traiter de menteur s'il se faisait prendre ou la dénonçait.

Harris lui fit passer la photocopie de la photo d'un pistolet AK-47. Plus court qu'un fusil, il était équipé du même chargeur courbe, avec la même crosse courte. À Glasgow, les armes à feu ne couraient pas les rues. Elles n'étaient guère utilisées pour se battre, davantage pour conclure des affaires, pour menacer, ou lors de règlements de comptes entre gangs.

Prise de panique, Leonard envisagea de se débarrasser des sacs de billets aussitôt son service terminé. Elle pouvait les jeter dans le fleuve. Mais ça lui sembla lâche, une issue peu glorieuse. Elle regarda Morrow penchée sur ses documents, sourcils froncés. Peut-être qu'elle pourrait tout lui raconter au sujet de l'argent, soulager sa conscience et accepter les conséquences, mais c'était impossible sans impliquer Wilder.

Morrow leva la tête, esquissant un léger sourire.

— À présent, je vais finir sur une note positive : notre vieux camarade, l'agent Bannerman, vient d'obtenir une promotion au service des plaintes, et nous allons puiser dans notre cagnotte pour lui offrir une bouteille de whisky.

Un murmure mécontent parcourut la salle. Personne n'aimait Bannerman, il tyrannisait ses collègues et avait été viré de leur division après que plusieurs agents l'avaient dénoncé via une ligne de téléphone anonyme. Morrow n'apprit que plus tard que Harris avait orchestré les appels afin de se débarrasser de lui, et ça l'avait mise hors d'elle. Un doigt menaçant tendu vers son auditoire, elle leur fit la leçon :

— Quand on fait ce métier, on ne réfléchit pas en termes de *popularité*. Quand on fait ce métier, on réfléchit en termes de décence. Bannerman n'était pas un pourri. Il n'avait pas *tort*.

Morrow leur avait rabattu le caquet, mais sans pour autant les convaincre. Elle laissa retomber sa main.

— Allez, Bannerman est exaspérant, d'accord, mais ce n'est pas un traître à sa classe.

Les rires se firent d'abord discrets, ce fut comme un lent bourdonnement, le temps que tous fassent le lien avec les gros titres des journaux et comprennent que Morrow blaguait. Elle blaguait rarement lors des briefings, et jamais à propos de politique. Un grand éclat de rire parcourut alors la salle, vif et retentissant.

Cela fit à Leonard l'effet d'une claque : ce qu'ils avaient tous en commun, ce n'était pas une retraite, ni un uniforme, ou un certificat universitaire. Assise au premier rang, elle sentit l'éclat de rire rouler au-dessus de sa tête, suffocant. Morrow en appelait à leur sens de la décence, tous ensemble ils se trouvaient de ce côté-ci de la décence. Sauf qu'à présent elle n'y était plus.

6

Quand le réveil de Martin Pavel finit par sonner, il l'arrêta du plat de la main et se leva. Il était déjà habillé ; réveillé à 5 h 22, il s'était forcé à se rallonger pour se reposer un peu et attendait. Le Dr Leonowsky elle-même l'avait dit : la discipline immodérée que Martin s'imposait pouvait également être utilisée à des fins positives. Courir en était une.

Sortant les jambes du lit, il repensa au matin précédent. La veille, à 8 heures, il avait fait taire son réveil avant de se rendormir une heure. Sa préoccupation principale à ce moment-là était de poster les cadeaux et de résister aux tentatives de ses parents pour passer Noël en sa compagnie. Il y avait eu des menaces : s'il ne voulait pas venir chez eux, alors eux viendraient chez lui, mais il avait refusé. Il était content qu'ils ne soient pas là aujourd'hui, à faire tous les quatre des efforts démesurés pour se montrer polis, en se demandant ce qui ne tournait pas rond dans sa tête, évaluant en silence le prix de tout dans la maison.

Durant les deux heures et trente-huit minutes qu'il passa dans le noir à attendre la sonnerie du réveil, il pensa principalement au tireur. Il s'était un peu remis du choc, à présent. Il avait un brin de recul. Il savait, par exemple, que le tireur n'avait rien de lumineux. Il n'était probablement pas non plus aussi grand que Martin l'avait d'abord cru. Sous son masque de persécuteur, l'homme transpirait peut-être ou avait peur ; parfois les gens souriaient lorsqu'ils étaient tendus. S'il l'avait d'abord perçu comme quelqu'un de fabuleux, c'était simplement parce qu'il se comportait exactement comme Martin évitait toujours de se comporter : il répandait le mal et c'était splendide.

En descendant, Martin souriait. Il s'assit sur une élégante causeuse tout au fond du vestibule et chaussa ses chaussures de course en songeant au mal que l'on pouvait causer, à la capacité que chacun avait de lâcher prise, de se dédouaner, d'occulter sa responsabilité.

Il se leva : et puis merde, pas de Great Western Road pour lui aujourd'hui. Il déciderait plutôt de son itinéraire au fil de sa course, y caserait quelques côtes, même si cela risquait de relancer sa périostite au tibia ou impliquerait de faire moins, ou plus, que le programme préconisé par l'application course à pied de son téléphone. Juste perdre le contrôle et apprécier. Il mit ses écouteurs sur ses oreilles. Son doigt hésita un instant au-dessus de l'icône du programme de course mais, pour finir, il appuya directement sur l'iPod et sélectionna le mode « lecture aléatoire ».

Levant les yeux, il vit à travers la vitre de la lointaine porte d'entrée les lueurs orange des réverbères percer l'aube noire. S'arrêtant devant le chiffonnier, il ouvrit un fin tiroir à gants et en sortit un cardiofréquencemètre qu'il se sangla au biceps. Sa bouteille d'eau était restée dans la cuisine, mais son cœur accélérait déjà, poussé par un impérieux besoin de courir. Il aurait dû s'échauffer, pour éviter de se blesser, mais ce matin il expérimentait le chaos.

Ouvrant la porte en grand, il sortit dans la nuit et les bourrasques de pluie, tâta sa poche pour s'assurer qu'il avait bien pris ses clés à l'instant où la porte claquait et se verrouillait automatiquement derrière lui.

Martin se mit à courir.

Gravissant Cleveden Hill, il longea les haies touffues des manoirs victoriens, les fesses contractées, les cuisses et les mollets mis à rude épreuve par la pente raide. Il fendait la pluie, la sentait qui s'étalait sur son visage. Ses muscles d'abord gourds se réchauffèrent, l'adrénaline entrait en action, suivie par un léger filet d'endorphines. Il courait par petits bonds rasants, un cheval de Muybridge, les pieds parallèles au sol. Il courait non pas pour fuir quelque chose mais vers quelque chose, quelque chose de neuf et de prometteur. Il courait à foulées parfaitement régulières, son rythme cardiaque stable, les yeux à demi-fermés.

Arrivé à un rond-point, il profita d'un trou dans la circulation clairsemée pour traverser. Il sentit soudain son poids basculer tout entier sur la pointe de ses chaussures de course noires et usées, torse en avant, talons à la verticale de ses orteils, il accéléra jusqu'à ce que ses pas se fassent inégaux et irréguliers. Il fuyait, allongeant sa foulée, chancelant, rapide et imprudent.

Pendant plus de deux kilomètres, il courut cerné par la peur, concentré sur tout ce qui sortait de ses écouteurs, l'*Agnus Dei* aussi agréable que les mixes de boîtes de nuit, sans se servir du rythme pour lui dicter son allure aujourd'hui.

Le son s'estompait, la route devenait une masse confuse, et il prit brusquement conscience du souffle qui lui brûlait les poumons, des élancements dans ses talons.

Quand il leva les yeux, il se rendit compte qu'il se trouvait en plein cœur de Kelvindale, et lui vint aussitôt à l'esprit la vue d'ensemble du quartier sur Google Maps. Le 9 Lallans Road. Lallans Road était le pouce d'une petite grappe de rues qui serpentaient autour du canal, dessinant comme une main. L'adresse était à deux pas. Il ralentit l'allure et la chercha.

De petites maisons merdiques. Des jardins entretenus par leurs occupants eux-mêmes, petits carrés d'autarcie industrieuse. Ralentissant encore, il longea un alignement de boutiques.

Une petite épicerie était ouverte, qui faisait la promotion de son café chaud et de ses journaux. Il essaya d'accélérer de nouveau mais il sentait l'élancement du froid dans ses dents sèches, et une douleur lancinante s'installait dans sa gorge. Il se crut sur le point de vomir. À un carrefour, il s'arrêta, haletant, se massa les tendons pour calmer les tiraillements, regardant autour de lui, même s'il savait qu'aucune voiture n'arrivait ni dans un sens ni dans l'autre.

Plié en deux, Martin dut admettre qu'il se poussait à bout. Le Dr Leonowsky le lui avait dit : se faire du mal est l'expression d'un dégoût de soi. Ça n'aide personne, ça n'empêche rien. Il n'était pas en train de lâcher glorieusement prise, tout ça n'était qu'illusion : il s'automutilait.

Tressaillant de douleur à cause de ses talons, il retourna vers le kiosque à journaux. Ce n'est qu'alors qu'il commença à sentir ses orteils engourdis et son T-shirt lourd de sueur. Il jeta un coup d'œil à son cardiofréquencemètre : 165 battements par minute. C'était trop, 165 bpm pendant soixante-cinq pour cent de sa course. Pas bon, imprudent, il avait les talons en feu.

Il s'arrêta devant le magasin, pour réfléchir à la meilleure façon de récupérer : il reprendrait son souffle et s'achèterait une bouteille d'eau. Il rentrerait chez lui en marchant. Une fois là-bas, il mangerait : des œufs et même du pain, accompagnés de jus d'orange. Il prendrait une douche, pas brûlante, juste modérément chaude, puis retournerait se coucher et regarderait la télé.

La porte du magasin déclencha une sonnette. Martin pénétra dans un mur de chaleur alimenté par le rougeoiement des trois résistances d'un radiateur électrique. Une radio derrière la caisse diffusait de vieilles chansons et donnait l'état du trafic local. Un homme émergea de l'arrière-boutique, le visage ridé par une vie entière de sourires adressés à des inconnus.

Toujours essoufflé, Martin demanda une bouteille d'eau. Il présenta le billet de cinq livres qu'il conservait plié en quatre dans la poche de son jogging. Il était humide. L'homme lui tendait une bouteille fraîche et sa monnaie quand elle apparut à la porte.

La mère de Joseph. Elle n'était pas en colère aujourd'hui. Aujourd'hui, son maquillage n'avait pas coulé, elle avait les traits doux, ses épais cheveux sombres n'étaient pas brossés. Son imperméable beige de vieille femme était déboutonné, comme si elle s'était sauvée de chez elle, et ses yeux étaient gonflés. Quand elle posa le regard sur lui, il y reconnut Joseph.

Martin ne parvenait pas à la quitter des yeux.

— Vous vous connaissez ? s'étonna le commerçant en les dévisageant tour à tour.

Martin ne savait que répondre. La mère de Joseph répondit pour eux deux :

— Oui. Dix Marlboro Light et un Fruit Shoot au cassis, s'il vous plaît.

L'épicier s'occupa de sa commande.

82

— Il est où, le petit bonhomme, aujourd'hui?

— Resté à la maison, répondit-elle, les yeux rivés sur le comptoir.

— Pas de jardin d'enfants?

— Non (elle jeta un regard à Martin), il a un petit rhume.

— Vous avez bien raison de le garder, alors. Pas une bonne idée d'aller répandre ses microbes, hein?

Elle n'avait pas envie de parler. Elle posa l'argent sur le comptoir, prit les cigarettes et la boisson avant de tourner les talons.

— Attendez-moi, je sors aussi, dit Martin en faisant le tour du comptoir.

Elle lui tournait le dos mais baissa le regard vers le sol à côté d'elle, comme pour lui signifier son assentiment.

Dehors, le temps se levait timidement. Un bus passa en ronflant, ses passagers comme dissous, formant des taches de couleurs floues derrière la condensation qui perlait sur les vitres.

— Je m'étais dit que vous habitiez peut-être dans le coin, annonça-t-elle sans autre forme de procès. Vers le bureau de poste.

— Pourtant non, fit Martin, surpris. J'habite à trois kilomètres environ dans cette direction.

Elle tourna la tête vers la route, méfiante.

— Vous êtes venu par ici dans l'espoir de nous trouver?

— Non. Je cours, c'est tout.

Elle hésitait à le croire.

— C'est un peu bizarre, non?

— Très bizarre. Je n'avais jamais mis les pieds dans ce magasin jusqu'à maintenant.

Martin avait les mollets et les talons en feu, les ligaments qui se décollaient de l'os comme du papier peint sur un mur mouillé. Il était content que la douleur vienne le distraire parce qu'il ne voulait pas donner l'impression de prendre tout cela très à cœur.

— Je dois avoir l'air de vous harceler ou un truc dans le genre.

Ses mollets lui arrachèrent une grimace.

— Merde, je me suis fait mal aux jambes.

Il espérait qu'elle l'inviterait chez elle, mais elle n'en fit rien. Elle désigna une grille verte plus haut dans la rue. Un petit square municipal équipé d'une balançoire et d'un toboggan.

— Il y a un banc là-bas. Je pourrais fumer…, dit-elle.

Elle ouvrit la marche, toujours sans trop savoir que penser de lui, le laissant boitiller derrière elle et jetant des regards par-dessus son épaule.

Le portillon métallique s'ouvrit dans un grincement. Elle essuya le gros de la pluie sur le banc du tranchant de la main, avant de sortir un mouchoir en papier pour sécher les deux places de son mieux. Elle s'assit et alluma une cigarette. Martin s'installa à côté d'elle et la regarda souffler un nuage de fumée blanche dans la bruine.

— Pardon, fit-elle.

Elle serra les paupières.

— J'ai du mal à vous regarder sans voir le sang de mon père partout sur vous.

— Ouais, je comprends.

Il avait recouvré son souffle à présent et pouvait se concentrer sur la sensation dans ses chevilles. Vraiment pas terrible, comme des coups de poignard dans le talon et le long du tendon d'Achille. Il aurait dû s'étirer avant de partir, il avait couru beaucoup trop vite dans les montées. S'il ne se remettait pas rapidement à bouger, il allait devoir appeler un taxi. «Je me suis réveillé à 5 heures et je n'ai rien fait d'autre depuis que fixer le plafond.» Il songea à lui confier qu'il comprenait pourquoi son père avait été si attiré par cet homme, mais il savait qu'une telle remarque lui ferait froid dans le dos et il ne trouva rien d'autre à dire.

Quand elle aspira une nouvelle bouffée, ses yeux se cerclèrent de rouge.

— Un homme adorable, mon père.

— Vous étiez proches?

— Très. On habite tous sous le même toit, moi, mes parents, ma grand-mère, Joe. Ils sont gentils avec moi.

— Vous êtes mère célibataire?

L'expression la fit rire, elle se la répéta à mi-voix.

— Qu'est-ce qui est si drôle?

Elle haussa les épaules.

— Chais pas (elle colla sa cigarette entre ses lèvres), en fait, si, je sais!

Elle parlait vite, soudain pleine d'animation.

— Les «mères célibataires», un beau ramassis de conneries, expliqua-t-elle. Ça part du principe qu'il existe une famille idéale, la famille nucléaire, alors que si on regarde l'histoire, ça n'a jamais été la norme, vous le savez bien. C'est une construction rétrospective.

Elle haussa une épaule, pour s'excuser de parler si vite, avec tant de grandiloquence.

Martin la dévisagea. Il aimait sa façon de s'exprimer, sa capacité à conceptualiser. Comme il hochait la tête en signe d'assentiment, elle lui adressa un vague sourire et continua :

— Il me semble quand même que tout ce truc autour de la «mère célibataire» a des connotations honteuses. Comme si on avait perdu quelque chose en chemin. Alors que dans mon cas le père de Joe n'est même pas au courant qu'il existe. Je vis avec mes parents et ma grand-mère.

Elle voulut lui jeter un regard en coin, sans tourner la tête, mais elle n'y parvint pas.

— Je ne cherchais pas à vous blesser, dit-il.

Elle se détourna, ses cheveux couverts de minuscules gouttes de pluie formaient comme des confettis.

— Vous ne m'avez pas blessée. Je sais que je devrais vous être reconnaissante d'avoir pris soin de Joe mais j'ai vraiment du mal à poser le regard sur vous.

— La reconnaissance, de toute façon, dit-il, je trouve ça surfait.

Elle sourit, mais une larme coula le long de sa joue. Elle l'écrasa et baissa les yeux vers les chaussures de sport de Martin.

— Vous courez?

— Ouais, d'habitude le long de la Great Western le matin, mais aujourd'hui, j'ai juste eu envie de grimper et je me suis retrouvé ici. Je me suis blessé…

Il désigna sa jambe. Il ne voulait pas lui confier qu'il était parti courir pour oublier, oublier le drame d'hier – ça avait quelque chose de mélodramatique et d'égocentrique. Son père était mort, tout de même.

— Moi aussi je cours, dit-elle en regardant ses pieds. J'ai participé à une course de cinq kilomètres le mois dernier.

— C'est vrai?

Martin regarda ses cuisses. Il n'aurait pas aimé courir avec tous ces kilos.

— Bravo!

— C'est quoi?

Elle pointait le doigt vers sa main gauche.

— Les pointillés? dit-elle.

— Oh!

Il brandit son auriculaire, où le tatouage commençait.

— Un S russe. En Russie, tous les criminels se servent de leurs tatouages pour raconter leur histoire...

— Vous êtes un criminel?

— Non! Bien sûr que non.

C'était bizarre, même à ses oreilles, la façon dont la phrase était sortie.

Elle eut un sourire gêné.

— Vous ne vous êtes pas fait prendre, c'est ce que vous voulez dire?

Martin s'expliqua aussi clairement que possible :

— Je ne suis pas un criminel. Je ne commets pas de crimes. C'est juste que je... c'est l'idée d'afficher sa biographie sur son corps, pour être contraint de l'assumer, contraint de rester honnête avec soi-même.

Puis il y eut un silence; il aurait pu continuer mais ne savait pas comment se montrer plus clair, ou s'il y avait autre chose à ajouter.

— D'accord.

Elle considéra de nouveau sa main.

— Et le rond, alors, qu'est-ce qu'il signifie?

— Ça...

Il posa le doigt sur le cercle noir dessiné sur la plus grosse articulation de son petit doigt.

— Si le point est à l'extérieur du cercle, ça signifie «je suis orphelin». Ça signifie «dans cette vie, je ne compte sur personne d'autre que moi-même».

— Mais votre point à vous, il est à l'intérieur.

Il vit qu'elle souriait.

— Bien, ajouta-t-elle. C'est bien. Et les autres, qui remontent le long de votre bras ?

— C'est un récit. La vie est un récit.

Ils se dévisageaient, Martin absorbant le marron de ses yeux, les mêmes que ceux de Joseph.

— Quand vous vous demandez « qu'est-ce que je dois faire ? », il faut surtout vous poser la question suivante : « Dans quelles histoires est-ce que je me trouve partie prenante ? »

Elle réfléchit à ses paroles.

— Supposons que maintenant vous fassiez partie de notre histoire, dit-elle nonchalamment.

Il la regardait vraiment à présent, il ne voyait plus seulement Joseph à travers elle, mais la personne qu'elle était, elle. Elle avait une chevelure épaisse mais de grands yeux délicats, les pommettes hautes comme son père et une petite bouche aux lèvres nerveuses. Il s'était escrimé maintes fois à expliquer longuement cette idée de récit, hélas, le plus souvent sans grand résultat.

— N'allez pas vous faire des idées, dit-elle, je ne vais pas pouvoir m'occuper de vous, j'ai déjà largement de quoi faire.

— Je n'attends rien de personne…

— J'ai déjà tout un tas d'obligations. Encore plus maintenant.

Elle souffla sa fumée.

— Et ces autres points qui s'en éloignent, ce sont aussi des histoires dont vous faites partie ?

Le Dr Leonowsky soutenait que la dépression était la cause ou la conséquence d'un manque d'endorphines. Martin ne l'avait compris que d'un point de vue intellectuel jusqu'à ce que la mère de Joseph, célibataire, fumeuse, pas particulièrement jolie et en surpoids ne prononce ces mots. Soudain, Martin comprit exactement ce que le Dr Leonowsky voulait dire, car il sentit son hypophyse sécréter une averse d'endorphines, une averse tiède qui se déversa dans son cou et sur ses épaules, sa poitrine et son ventre, jusqu'à ses genoux et ses doigts, et même jusqu'à ses mollets. La vive douleur dans ses talons reflua. Il remonta sa manche sur son coude pour lui montrer les pointillés qui serpentaient le long de son avant-bras.

Elle hocha la tête, feignant la désapprobation.

— Vous bougez beaucoup, on dirait, non?

Ils rirent ensemble, tous les deux tristes, tous les deux en deuil, mais riant néanmoins.

— Ce ne sont pas des conquêtes, quand même?

— Oh! non, lui assura-t-il, pas du tout.

Elle scruta son visage.

— Non. Vous m'avez l'air de prendre les choses un peu trop à cœur pour simplement profiter des plaisirs de la vie. Combien il y en a, d'ailleurs?

— Trente-trois.

— Ça fait beaucoup.

— Ouais.

Il en était fier. Ça faisait beaucoup, en effet. Beaucoup de contrôle de soi et de changements. Il se sentit pris de nausée en songeant au niveau de contrôle qu'avait exigé l'accomplissement de tout ça : modifier le cours des rivières, retenir les coulées de boue, déplacer le soleil. Il eut envie de s'amputer le bras.

Elle ne remarqua rien.

— Je ne sais même pas si j'ai regardé trente-trois personnes dans les yeux depuis la naissance de Joe, dit-elle. Mon père a traversé une sale période. Il y a ma grand-mère qui perd un peu la boule. On se sent débordé de toutes parts à gérer tout ça au quotidien...

Elle leva une épaule qui resta là, coincée dans un haussement plein de regrets.

Il voulait cesser de se morfondre sur son sort.

— Tu es jeune pour être maman.

— *Aye*. Vingt-deux ans.

— Et moi vingt et un. Vingt-deux le mois prochain.

Mais son anniversaire lui semblait plus lointain que ça, une vie entière paraissait s'être écoulée depuis le jour où il s'était senti traqué.

Elle contempla ses bras.

— Tes parents, ils en pensent quoi des tatouages?

Il souffla.

— Ils me prennent pour un dingue.

Ça la fit rire, elle prit ça comme une expression toute faite; pourtant, ce que Martin voulait dire, c'est qu'ils avaient tenté de le faire interner.

— J'ai toujours voulu avoir un enfant. Mon père, il était communiste, il me voyait à la tête de l'agence régionale de distribution d'électricité ou d'une fonderie, un truc dans ce genre.

Martin revit le grand-père tenir le sac ouvert pour le tireur, gifler la fille du postier, souriant, abandonnant son petit-fils pour un sac d'argent.

— *Lui*, communiste?

— Bon Dieu, il parlait que de ça, la politique, à longueur de journée!

Elle porta nerveusement le regard sur la route derrière lui.

— Tu le gardes pour toi, d'accord?

— À qui j'en parlerais?

— Non, je sais, c'est juste que je ne voudrais pas qu'il…

Martin la regarda se souvenir que son père n'entendrait plus jamais rien. Les traits de Rosie s'affaissèrent, ses joues s'empourprèrent. Elle lâcha sa cigarette qui s'éteignit en chuintant sur le sol mouillé. Le visage dans les mains, elle sembla disparaître dans ses épaules.

— Hé!

Glissant le long du banc, Martin la serra contre lui.

— Hé! répéta-t-il, sans rien trouver de réconfortant à lui dire qui n'aurait pas été grossier ou insultant.

Confuse, elle bascula la tête vers ses genoux sans se découvrir le visage et fondit en larmes, le dos agité de spasmes. Elle remonta les mains dans ses cheveux sombres et serra son crâne comme pour lui éviter d'éclater. Entre deux hoquets, elle murmurait : «Non. Non, non, non non non.»

Martin lui pressait l'épaule, mal à l'aise, et il se rendit compte qu'il pleurait aussi. Il savait néanmoins que le deuil qu'elle était en train de vivre allait définir le restant de sa vie, alors qu'il était pour sa part simplement choqué ou en train de s'apitoyer sur son propre sort. Cela n'avait pas exactement la même valeur morale. Ses larmes à lui, en un sens, lui faisaient horreur.

La pluie tombait contre le dos de la jeune femme, changeant le beige en gris boueux. Martin avait mal au bras. Il voulait relâcher son étreinte, songea à laisser glisser sa main dans le dos de Rosie, mais ça pourrait sembler trop intime, sexuel ou quelque chose, et il ne tenait pas à l'effrayer. Alors il ne bougea pas, resta penché vers elle dans une position inconfortable, malgré les picotements de chaleur au niveau de sa hanche fermement appuyée contre la cuisse de Rosie.

Il restait trop longtemps immobile. Il se comportait bizarrement. Quand il la lâcha enfin, il prit soin de lever haut la main pour éviter de la toucher.

Prenant l'une de ses mains entre les siennes, il se pencha à hauteur de son visage.

— Hé!

Elle le regardait sans le voir, le visage mouillé et rouge comme celui d'un nouveau-né. Elle secoua la tête, désigna du pouce Lallans Road.

— Ma mère et Joe et mamie, tu sais?

— Ouais.

— Là-bas, je peux pas pleurer.

— Ne t'en fais pas.

Elle se redressa dans un soupir, sortit un mouchoir en papier de la poche de son manteau et s'essuya le visage, avant de se reprendre tant bien que mal.

— Mon Dieu, j'aurais aimé l'avoir écouté davantage, tu sais? Toutes ses histoires de politique et tout ça. C'était un homme intelligent. Un homme bon. Maladroit, grandiloquent, mais il y croyait vraiment, à tous ces trucs, et moi, je me contentais de rouler des yeux.

— Et il était communiste.

— Modéré, pas stalinien.

Elle agita une main devant elle, courba le dos, comme si c'était trop difficile à raconter.

— Les droits de l'homme, tout ça. Venant d'un inconnu, j'aurais écouté. En même temps, il radotait.

Elle renifla.

— T'es un mec sympa.

— Nan.

— Si, assura-t-elle sans laisser la moindre place au doute, tu es un mec bien.

— Je ne sais pas. C'est compliqué…

Elle regardait sa bouche.

— *Camp*liqué? T'es d'où?

Lui n'était de nulle part et elle était d'ici. *Ici* était écrit partout sur elle : ces rues, cette boutique, ce ciel. Ici, elle devait connaître des gens depuis l'enfance, avait même sans doute joué dans ce square avant d'aller à l'école, alors que lui n'avait pas d'attaches.

— J'ai beaucoup bougé. Mon accent change tout le temps. Ce n'est pas volontaire.

— Tu essaies de t'intégrer.

Ce n'était pas négatif, la façon dont elle l'avait dit, mais il n'en était pas moins gêné.

— J'imagine, fit-il.

Elle baissa les yeux vers son bras et sourit.

— Mais tu t'es couvert le corps de tatouages de cinglé et ça fait de toi quelqu'un de différent.

Posant les yeux sur sa main, il sourit à la remarque. Elle lui semblait drôle à présent, cette contradiction. Pas importante, ni sinistre, ni rien. Juste un état de fait.

— Tu es futée, dit-il, et il le pensait.

À cet instant, ils ne purent pas se regarder. Martin ne savait pas quoi ajouter. Il tourna la tête vers le 9 Lallans Road et se souvint qu'il n'était pas censé savoir où ça se trouvait. Il leva les yeux vers le ciel. La pluie tombait d'un ciel bas et gris.

— Comment il va?

Nul besoin d'en dire plus, elle savait à quoi il faisait référence.

— Il s'est endormi dès qu'on l'a ramené et il a dormi cinq heures. Il s'est réveillé à trois heures et maintenant il somnole. Ma mère est dans un sale état. Je devrais rentrer.

Se levant en même temps qu'elle, il vit en se retournant leurs silhouettes sèches dessinées sur le banc mouillé. Elle se pencha pour ramasser son mégot en marmonnant : « Un chien pourrait le manger. »

Elle le jeta dans la poubelle. Ils retournèrent dans la rue. Trempé jusqu'aux os, Martin sentit la température de son corps chuter et sut qu'il risquait de s'ankyloser. Il aurait sans doute dû se remettre à courir, pour se réchauffer lentement, mais il la raccompagna jusqu'à la porte du magasin.

— C'est là qu'on habite, juste là en bas, au niveau de la boîte aux lettres.

Lallans Road ne comptait que cinq maisons et se terminait par un muret qui la séparait du canal en contrebas, comme il l'avait vu sur Google Maps. Il apercevait le numéro 9, une petite maison proprette derrière la boîte aux lettres, les fenêtres éclairées d'une chaude lueur jaune, ponctuée par le clignotement pastel des guirlandes électriques.

— Bon, j'espère qu'il va bien.

Il ne pouvait pas en dire plus sans risquer de l'effrayer, alors il commença à s'éloigner à reculons, tout en démêlant les fils de ses écouteurs.

Elle fit un pas vers lui, comme si elle voulait qu'il reste.

— Ouais, dit-elle, en le regardant tripoter les deux fils enchevêtrés, moi aussi.

— Hé, la maman de Joe, tu t'appelles comment ?

— Rosie Lyons.

— Et moi, Martin.

Il ne précisa pas Pavel, il ne voulait pas qu'elle le cherche sur Google.

Elle tendit la main. Il la prit et ils se saluèrent cérémonieusement, comme deux diplomates sur une photo officielle.

Martin se retourna vers la maison. Elle s'insérait parfaitement au milieu des quatre autres, un petit paragraphe soigné dans une page parfaitement justifiée. Une vie ordonnée, une communauté, quatre générations sous un même toit. Martin fut convaincu que pour leur éviter des ennuis, il devait garder ses distances.

Ne sachant pas quoi faire à présent, il mit ses écouteurs et la salua d'un geste, comme si elle se trouvait déjà très loin. Ça la fit sourire. Il fit volte-face et commença à courir pour apaiser la brûlure dans ses talons.

Il courut sans se retourner, laissant les images se succéder dans sa tête : une petite maison, un petit square, un petit magasin, la vue aérienne du quartier sur Google Maps, zoomant, zoomant, zoomant sur un banc mouillé et deux personnes en larmes pleines de bienveillance l'une pour l'autre.

Il avait parcouru huit cents mètres quand il pensa à remettre sa musique.

7

Assis dans la cuisine, Kenneth Gallagher était entouré des débris d'un petit déjeuner avalé dans l'urgence : des céréales au miel qui flottaient dans du lait comme des abeilles noyées, des tartines de Nutella entamées. Annie autorisait aux enfants beaucoup trop de sucreries et ça les faisait grossir, surtout Andy, leur benjamin. C'était embarrassant. Elle était obligée de lui acheter des pantalons trop grands pour son âge et d'y confectionner des ourlets. Malcolm, son beau-père, médecin généraliste, ne manquait jamais une occasion d'inspecter les gamins comme un agent de sécurité dans un aéroport, de faire des commentaires sur leur poids. Malcolm n'était pas plus épais qu'un fétu de paille. Quant à la mère de Kenny, jamais elle n'oserait prendre le risque de grossir. Kenny aurait voulu aborder le sujet avec Annie, mais ce matin il préférait éviter tous les terrains glissants ; il s'était réveillé habité d'un affreux pressentiment, comme s'il portait déjà le deuil d'événements à venir. Quand il descendit, ils étaient déjà tous partis pour l'école. Annie serait de retour dans dix minutes.

Il émanait de la poubelle une légère odeur âcre impossible à ignorer. C'était jour de ramassage des ordures. Annie, qui n'avait pourtant rien d'autre à faire que de tenir son intérieur, n'y mettait pas du sien. Dans le temps, tous les jours elle passait la serpillière dans la cuisine, l'aspirateur dans le vestibule, mais c'était fini désormais. Elle lui avait réclamé une femme de ménage. À quoi il avait rétorqué que les femmes de la classe ouvrière se faisaient une fierté de s'occuper elles-mêmes de leur intérieur. Elle l'avait alors menacé de se mettre en grève pour obtenir une amélioration de ses conditions de travail. Mais sur un ton proche de l'autodérision, devant les enfants, et elle n'en avait plus jamais reparlé.

La maison était plongée dans un silence oppressant. Il aurait aimé voir arriver le facteur, entendre le téléphone sonner, qu'il se passe quelque chose. Une sensation d'effroi qu'il connaissait trop bien l'envahit. Il se retourna brusquement et jeta un regard par la fenêtre, essayant de s'imaginer quelqu'un en train de l'observer, voisin, reporter mal intentionné, admirateur obsessionnel, mais il n'y avait personne. Il était seul, tout bonnement seul.

Sentant la panique le gagner, il se mit à penser au cul, mêlant en vrac bribes de fantasmes et de souvenirs : des femmes offertes, des grosses, des jeunes, trois hommes dans une femme, quatre hommes, père et fils, mère et fille, toujours plus excités, toujours plus obscènes, des gens qui baisaient, des gens qui baisaient pendant que d'autres les regardaient. Ça ne marchait pas. Ses pensées aux couleurs fades se succédaient à un rythme effréné, sans qu'il parvienne à leur donner une cohérence, ça ne le calmait pas. Plus que sept minutes avant le retour d'Annie.

Raide sur sa chaise, il sentit les larmes lui monter aux yeux, nom de Dieu, puis son regard s'arrêta soudain sur le journal. Il était en une du *Globe*.

Ses poumons s'emplirent aussitôt d'un air agréable et frais. Son dos se déploya et assis là, à la table de la cuisine, ce fut comme s'il se matérialisait de nouveau.

«TRAÎTRE À SA CLASSE !» assénait le gros titre.

Gallagher fit nonchalamment pivoter le journal vers lui et se laissa tomber contre le dossier de sa chaise avant de choisir une orange dans la corbeille à fruits posée sur la table. De l'ongle du pouce, il dessina une encoche dans la peau, et de piquants embruns d'huile d'agrumes lui sautèrent aux lèvres. Il retira la peau charnue, faisant rouler sous ses doigts la douce pellicule blanche sous l'écorce avant de fendre le globe en deux en enfonçant le pouce au sommet. Croquant dans un quartier, il laissa son regard errer vers le journal.

Le dîner de la veille au soir. Sa phrase. Une citation toute neuve de McFall réitérant l'accusation : Gallagher entretenait une liaison avec Jill Bowman. Pire, le 10 octobre, ils s'étaient rendus à Inverness pour un meeting, et les frais de la jeune femme, voyage et chambre d'hôtel, étaient passés en frais de représentation parlementaire.

En frais de représentation parlementaire. Jill travaillait pour le parti, il n'y avait donc absolument rien d'anormal à ce que le parti finance ses déplacements. Sans ça, la politique resterait l'apanage des classes moyennes. La professionnalisation de la politique. Les gens de la classe ouvrière exclus de fait du processus.

Inverness le 10 octobre. Allumant son téléphone, il vérifia son agenda. Le meeting à Inverness datait du 8. Même les dates étaient erronées. Le 10, il se trouvait à ce machin sur le logement, une table ronde sans intérêt avec beaucoup de gens moches et en colère qui exigeaient des structures d'accueil pour les petits handicapés. Une vingtaine de personnes y assistaient.

Gallagher détourna les yeux du journal qui le narguait. Il dégusta l'orange lentement, quartier par quartier.

Son téléphone sonna dans sa poche. Un texto. Le posant sur la table, il lut : *Salops. Dinou si on peu fair qqchose. McG.*

Danny McGrath. Pas un as de l'orthographe, qui envoyait toujours ses messages d'un numéro masqué. Danny, jadis, avait été un gangster, qui cherchait apparemment à rentrer dans le rang. Danny, cependant, savait ce que ça faisait d'être le gros poisson dans la mare, que tout le monde méprisait, il savait ce que c'était de s'être plié en quatre pour des gens qui finissaient par vous trahir. Danny connaissait la valeur de la loyauté. Kenneth aussi : il effaça le message aussitôt.

Il relut l'article. McFall ne se rendait pas compte des implications de ce qu'il disait. Il ne savait sans doute rien du scandale des dépenses de Westminster. Quelqu'un le manipulait.

Il lut le nom de l'auteur de l'article. Gordon Buchan. Il aurait dû s'en douter, putain. Buchan et lui avaient usé les bancs de la même école, il était d'un an son cadet, un petit connard suffisant qui était venu se présenter à lui plusieurs fois : « On était dans le même établissement, j'avais un an de moins », lui rappelait-il constamment, les yeux à demi fermés, le sourire moqueur, comme s'il voulait montrer à Gallagher qu'il doutait de son intégrité. Kenny n'avait jamais caché avoir fait toute sa scolarité dans le privé. C'était en partie ce qui plaisait à son électorat. Même le secrétaire sortant du parti communiste de Grande-Bretagne (marxiste-léniniste) avait dit de Gallagher que c'était un grand homme, qui se battait pour les classes populaires au détriment de la sienne, non? Chaque fois, Buchan voulait qu'il ait honte, et chaque fois, Gallagher répondait en faisant mine de ne pas le reconnaître. Cela avait sans doute assez froissé Buchan pour le pousser à exploiter l'histoire de McFall quand elle lui était parvenue aux oreilles, à le brosser dans le sens du poil pour mettre de l'huile sur le feu, à faire de la simple injure une catastrophe : Gallagher emmenait-il Bowman lors de ses déplacements? Qui payait selon McFall? Pouvait-on présumer que les frais de Jill étaient pris en charge? Connard.

L'idée de la classe ouvrière exclue du processus politique : un bon argument. Il en prendrait note, le mentionnerait à Pete, insisterait sur son histoire à lui, ses origines privilégiées, ferait profil bas pour le tourner à son avantage. Il pourrait plus tard le caser dans un discours, pas en référence à cet épisode, non, simplement afin d'asseoir ses arguments avant que la question explose au grand jour. Puis y faire référence, donner le sentiment qu'on discutait de la question depuis longtemps.

Très calme à présent, il ouvrit le journal. En page cinq (alors que ça aurait dû figurer en page trois) : une photo de McFall souriant de toutes ses dents, pull-over en cachemire rose, une flûte de mauvais champagne à la main, portant un toast face à l'objectif. Debout dans l'allée de sa villa en briques jaunes de Lennoxtown. Le Roi du Tapis de Kirki. Kenny aurait trouvé ça drôle s'il n'avait pas été sa cible. La maison de McFall était en brique jaune, tout comme l'allée, et dans son dos on apercevait son immense garage, portes ouvertes pour exhiber ses trois voitures. À côté de cette photo, il s'en trouvait une autre : Kenny assis dans l'hémicycle, l'air épuisé, chiffonné, louche.

Gallagher se laissa choir contre le dossier. Là-bas, l'éclairage était affreux, la lumière naturelle donnait le teint gris à tout le monde. Personne ne pouvait y avoir bonne mine. Il se demanda qui au journal exerçait le contrôle éditorial, qui avait sélectionné cette photo en particulier, qui était le photographe. Elle avait visiblement été prise du balcon. Avec la caméra de télévision ? Une image extraite d'une séquence télé ?

Il se sentait très calme.

Il ferait bien d'appeler Peter, son secrétaire, afin de décider d'une ligne de conduite. Et le journal aussi, pour exiger un droit de réponse. Cet argument, celui de l'exclusion, il pourrait écrire un papier dessus, évoquer le lien entre le remboursement des frais et la participation au processus politique, reparler de ses années en école privée, prendre la main. Mais Pete lui rétorquerait peut-être que cela risquait de donner le sentiment qu'il prenait la défense des magouilleurs de Westminster. Il fallait qu'il aille en discuter avec lui.

Le bruit d'une voiture qui approchait le tira de ses pensées. Annie. Une portière qui claque, le bip du verrouillage. Le grattement du métal contre le métal tandis qu'Annie cherchait l'encoche de la serrure du bout de sa clé. Gallagher croisa les jambes de façon à ce qu'elle aperçoive son pied sous la table et sache qu'il était là.

La porte s'ouvrit. Elle entra dans le vestibule, se débarrassa de son sac et de son manteau. Gallagher balançait doucement son pied sous la table, comme une invitation, mais Annie ne bougea pas ; il sentait son regard posé sur lui, mais, au lieu de le rejoindre dans la cuisine, elle fila à l'étage.

Agacé, il l'appela :

— Annie ?

Pas de réponse. Roulant des yeux, il se leva et monta sans toucher la rampe, les mains poisseuses de jus d'orange.

— Annie ? Annie, où es-tu ?

Elle se trouvait dans la salle de bains en haut de l'escalier, assise porte ouverte sur la cuvette des toilettes, la jupe retroussée jusqu'à la taille, découvrant la chair de ses cuisses.

Il en fut choqué, jamais il ne l'avait vue dans cette position. Annie qui n'avait même pas voulu de sa présence aux accouchements. Quelque chose de fondamental avait changé.

— Oh ! magnifique, commenta-t-il, tu ne pouvais pas fermer la porte ?

Annie le foudroya du regard.

— T'as vu le journal ?

Il baissa les yeux vers elle. Elle n'était plus la même. Et ça ne datait pas d'aujourd'hui, de gros défauts qu'elle lui avait cachés, cette impression que tout lui était dû, son lâche besoin d'argent, sa fierté bourgeoise de plus en plus évidente.

Là, tout de suite, elle ne faisait pas la fière, cependant. Elle le dévisagea des pieds à la tête et se pinça les lèvres de dégoût.

— Le petit Kenny m'a demandé si tu avais de nouveau une copine. Les garçons à l'école le houspillent. C'est le cas ?

Elle soutint son regard, son dédain tranchant, jusqu'à ce qu'elle commence à pisser, le jet éclaboussant bruyamment l'eau de la cuvette.

Étirant les épaules, Gallagher prit une profonde inspiration, entra dans la salle de bains et ouvrit le robinet pour se laver les mains.

À douze ans à peine, le petit Kenneth était déjà un fouteur de merde. Quand il haussait les sourcils avec son air faussement innocent, c'était toujours pour mettre les pieds dans le plat : « Pourquoi mamie Helen, elle tousse comme elle tousse ? » demandait-il à propos de la mère d'Annie qui fumait tellement qu'elle en avait les doigts jaunis et empestait en permanence la cigarette, « maman, pourquoi papa n'a pas le même accent quand il parle à papy Malcolm que quand il te parle à toi ? ».

— Je t'ai posé une question, dit-elle.

Elle n'avait pas haussé le ton mais elle avait la voix si grinçante que Kenneth aurait voulu disparaître sous terre.

Tout en s'essuyant la bouche pour apaiser ses lèvres en feu, il jeta un coup d'œil dans le miroir et vit Annie, jambes écartées, qui s'essuyait avec un carré de papier-toilette. Elle croisa son regard, l'air méprisant.

— Tu m'avais promis.

Il allait attraper l'essuie-mains quand il sentit le coup dans son dos et bascula tête la première contre le mur. En un éclair, il surprit l'image d'Annie dans le miroir, ses cheveux d'ébène devant son visage ; elle semblait flotter, avec les mouvements d'une catcheuse américaine à la télé. Elle lui avait assené un coup entre les deux omoplates, un rictus aux lèvres, montrant les crocs comme un chien de combat.

100

Gallagher s'effondra, le côté de sa tête heurta le coin du lavabo.

Coincé entre le pied en céramique et le mur, immobilisé sur le flanc, Annie à cheval sur lui, il essayait en vain de se dégager. Elle l'écrasait de tout son poids, le frappait violemment du plat de la main sur le dos, la tête, les oreilles, luttant sur le carrelage, jambes garrottées par la petit culotte autour de ses chevilles.

Il tenta de les empoigner mais n'y parvint pas, cria, « STOP ! » comme on est censé le faire en cas d'agression, de toute la force de ses poumons. Mais Annie continuait à lui asséner des coups inefficaces, le visage et le cou baignés de larmes, éructant, haletante, des syllabes décousues : sal – aud – con – nard – enf…

Puis son ardeur belliqueuse s'évapora soudain. Hors d'haleine, elle ne bougeait plus, ne le regardait pas. Elle se laissa glisser à côté de lui avant de se relever, enfonçant le talon de sa main dans son ventre mou comme s'il était une chose, une carpette, un tapis de bain. Debout à présent, elle se regardait calmement dans le miroir au-dessus du lavabo. Sans lui accorder un regard, elle se pencha pour remonter sa petite culotte et sortit.

Roulant sur le dos, Kenny tendit l'oreille pour écouter les mouvements de sa femme. Il entendit coulisser la porte du placard à vêtements.

Annie l'avait déjà frappé une fois, une gifle grossière, choquée ou indignée, aveuglée par l'amour et le besoin de lui, mais jamais ainsi, jamais avec sa petite culotte sur les chevilles.

Peut-être lui avait-elle laissé des marques sur le visage. Kenny se releva tant bien que mal. Pas de contusion. Aucune douleur lancinante annonciatrice d'une ecchymose à venir, heureusement. Il repéra une griffure qui saignait légèrement au-dessus de son oreille, mais masquée par la naissance des cheveux. Il la tamponna à l'aide d'un carré de papier-toilette, appuyant pour faire couler le sang et exagérer le drame.

Quand elle passa devant la porte de la salle de bains et dévala l'escalier, il la suivit. Il s'arrêta sur le seuil de la cuisine, le bout de papier-toilette toujours contre la tête pour qu'elle constate ce qu'elle avait fait.

— Annie, les journaux font de la provoc'. C'est encore un coup de Buchan, regarde la signature. Tu crois que McFall aurait trouvé ça tout seul ? Je n'étais même pas à Inverness le 10. McFall lit le *Sun*, bon Dieu de merde !

Elle l'ignora, débarrassant la table du petit déjeuner et jetant la vaisselle sans ménagement dans l'évier.

— Le 10, c'est ici que j'étais. À présent, demande-toi *pourquoi maintenant*. C'est ça la question que tu devrais te poser, Annie, pas celle de savoir si j'ai ou pas tenu mes promesses mais *pourquoi maintenant*.

Elle se figea, se tourna froidement vers lui, toujours sans le regarder, et parla comme si elle avait préparé ce qu'elle allait dire : « Kenny. » Son menton tremblait et des larmes coulaient sur ses joues, mais elle était très séduisante.

— Quand je t'ai rencontré, j'avais un boulot. J'avais de l'ambition, de l'amour-propre et un diplôme. J'avais tout pour réussir.

Sa voix flancha.

— Tu m'as rabaissée, Kenny. Tu m'as réduite au rôle de pauvre cruche qui s'occupe de ton ménage et de ta lessive.

— Annie, tu es ma *femme*.

Il voulait dire qu'elle était plus que ça, plus que ce rôle qu'elle esquissait pour elle-même, mais il se rendit soudain compte qu'elle pouvait comprendre qu'il était en train d'appuyer ses propos.

— Est-ce que je te mentirais comme ça, les yeux dans les yeux ?

Ça n'aurait pas été la première fois, ils le savaient l'un comme l'autre, mais ils avaient déjà fait le tour de la question et tous les deux craignaient de remettre ça sur le tapis.

Complètement immobile, Annie ferma les yeux.

— Tu crois honnêtement que je ne sais pas à quoi ressemble une tache de foutre ?

Il fut choqué de l'entendre prononcer ce mot vulgaire. Il lui fallut un instant pour prendre la mesure de l'accusation qu'elle venait de proférer.

— Tu te fiches de moi ? Quand ? Quand est-ce que tu aurais vu ça, hein ?

La dernière fois qu'il n'avait pas eu l'occasion de se doucher ensuite remontait à des mois. C'était donc ça l'explication des sautes d'humeur d'Annie, de sa froideur, de la distance grandissante qui s'était installée entre eux au lit, des blagues sur la grève. Ça ne pouvait dater que de plusieurs mois, alors il dit :

— Cette semaine ? Quand ? Hier ? Alors montre-les-moi.

— Je les ai lavées.

— Pourquoi ?

— Ils étaient dans le panier à linge.

— Tu crois sincèrement que je ferais une chose pareille ? Juste les mettre au sale pour que tu me les laves ? Tu crois que c'est mon genre ?

Elle pleurait de honte à présent, mais, quand elle voulut sortir de la cuisine, il se mit en travers de sa route.

— Allez… casse-toi, Kenny, va bosser.

— Annie…

Il plia un genou pour se mettre à la hauteur de ses yeux.

— Réfléchis, Annie. Pourquoi maintenant ? C'est bientôt les élections. On est une menace à leurs yeux, pour la première fois. Je t'ai dit que ça allait devenir sordide. Ce n'est pas une coïncidence. Ils ont peur de nous. C'est Buchan qui court après cette histoire, qui l'alimente. Un jaloux. Réfléchis un peu : quand McFall s'est-il soucié des notes de frais ? « Le Roi du Tapis de Kirki » ?

Il avait espéré lui arracher un sourire, mais non. Il la regarda réfléchir à la remarque, douter d'elle-même. Les taches de sperme étaient sa seule preuve concrète, et il avait réussi, à présent, à la faire douter. Soudain, elle ne savait plus, et il en profita.

— Ils ont peur. Je t'avais prévenue. Je t'avais dit qu'ils se serviraient de ce genre de stratagème, non ?

Tête baissée, Annie le supplia :

— Dis-moi juste la vérité, Kenny. Pour une fois. S'il te plaît ? murmura-t-elle. Simplement, je t'en prie, comme à une amie, dis-moi la vérité. S'il te plaît ?

Ils menaient deux conversations parallèles.

Kenny était plus intelligent qu'Annie. C'était une fiction qu'ils s'étaient construite, l'idée que c'était elle la plus intelligente parce qu'elle avait réussi sans aucune aide, et que si lui avait un diplôme supérieur au sien, c'était seulement parce qu'il avait fréquenté des écoles privées, mais ce n'était pas vrai. Maintenant, elle semblait même incapable de suivre un raisonnement simple. Et elle avait pissé sous ses yeux. Une femme ne pouvait pas pisser devant un homme et espérer qu'il la respecte.

Il recula, la voix solennelle :

— Annie, écoute-moi : les journaux, c'est leur truc. Ils foutent en l'air la vie des gens pour engranger des profits.

Elle sourit bêtement et s'essuya le visage de sa paume ouverte, étalant ses larmes et faisant luire ses joues.

— Ces salauds de journaux capitalistes ?

— Ils foutent en l'air la vie des gens, Annie, et c'est comme ça qu'ils s'y prennent.

— Qui ?

Quand elle renifla bruyamment, renversant la tête en arrière, il aperçut l'ombre de la femme splendide qu'elle avait été.

— Ces enfoirés de journaleux ? fit-elle.

Ça l'agaçait de l'entendre jurer.

— Les journaux dans ce pays ont beaucoup trop de pouvoir. Rien qu'au cours de la dernière année, cinq…

— PAS DE ÇA CHEZ NOUS !

Il ne bougea pas. Elle avait crié si fort qu'il avait senti l'écho de sa voix vibrer dans ses tympans. Il y avait en elle une violence, une expression entre fureur et douleur qu'il ne parvenait pas à interpréter.

— PAS DE CE TON DE POLITICIEN CHEZ MOI !

Tout en hurlant, les yeux hermétiquement fermés, elle leva une main qui fendit l'air dans sa direction, comme pour lui asséner un nouveau coup.

Il recula, juste au cas où. Elle semblait sortie de ses gonds, irrationnelle, si bien qu'il changea de ton et retenta sa chance.

— C'est les journaux. Ils mentent pour me discréditer. Pour *te* discréditer. Pour t'humilier. Voilà ce que j'essaie de te dire.

— M'humilier, moi ?

Elle pleurait de nouveau, perplexe et effrayée.

— Tu crois qu'ils auraient le droit de raconter des salades, pour m'humilier ? dit-elle.

Ne sachant pas où tout ça les menait, il haussa les épaules.

— Non.

— Non?

Elle pleurait et riait à la fois. C'était répugnant.

— Ils ne devraient pas être autorisés à mentir pour m'humilier. Parce que ce n'est pas bien de mentir, et si les gens se mettent juste à mentir, et que mentir devient la norme, alors celui qui dit la vérité passe pour un cinglé, non?

Elle le traitait de menteur, dans leur propre cuisine, mais Kenny décida de prendre de la hauteur et grimaça, comme s'il n'avait pas compris.

— Quoi? Qu'est-ce que tu insinues? Qu'ils essaient de me faire passer pour un fou?

— Dis-moi la vérité.

— C'est ce que je fais, je te dis la vérité.

À travers ses larmes, elle riait, peut-être pour se moquer d'elle-même.

— Seigneur, fit-elle en secouant la tête. T'es vraiment qu'un connard de petit-bourgeois superficiel.

Jamais elle ne l'avait traité de petit-bourgeois, jamais. Elle ne s'en voulait même pas. Elle était là, debout devant lui, la somme de tous les administrés belliqueux à qui il avait eu affaire, de tous les geignards. Il sentit la colère le gagner, une rage folle. Annie ne pouvait tout simplement pas comprendre parce qu'elle n'avait jamais dû céder sa place à une table, elle n'avait jamais eu à être là, à se battre là et à travailler pour le bien de gens qui la méprisaient parce qu'elle n'était pas des leurs.

— Ouais. Et tu sais quoi? fit-elle d'une voix blanche. Tu sais quoi, Kenny? Tu ne devrais pas les laisser faire. Tu devrais te défendre, jouer les héros face à la presse. Porter plainte. Ce serait génial : un homme honnête contre la presse capitaliste qui s'est liguée contre lui...

— Non...

— Oh! si, si, non, allez.

Elle criait, riait, furieuse, à moitié folle.

— Porte plainte, Kenny. Prouve donc à tout le monde que tu n'es pas un menteur.

— Annie, ne fais pas l'enfant…

— Les footballeurs et les barons de presse sont les seuls à avoir droit à une réputation ? Pourquoi il n'y a pas d'aide juridictionnelle en cas de diffamation ? Les gens ordinaires ne peuvent pas défendre leur réputation eux aussi ? Les familles ordinaires ? Tiens, voilà une campagne pour laquelle tu pourrais retrousser tes manches vertueuses.

Futé, se dit-il, lui retourner sa propre rhétorique. Finalement, il lui avait appris quelque chose.

— Tu ne sais pas de quoi tu parles. Il s'agit d'énormes multinationales. On n'a pas les moyens de lutter.

Elle croisa les bras.

— Hypothèque la maison. Elle vaut un demi-million. À mon avis, ça en vaut la peine.

Ils se dévisagèrent, elle rageuse, lui calme et pondéré, jusqu'à ce qu'il rompe le silence.

— Sois réaliste, Annie, même ça, ça ne suffira pas. On pourrait tout perdre. Pense aux enfants, on ne peut pas foncer sans réfléchir…

— Oh! non, Kenny, fit-elle, l'air dur. Ce n'est pas foncer sans réfléchir puisqu'on peut prouver que ce n'est pas vrai. On va gagner. On gagnera parce que tu n'es pas un menteur et parce que tu ne me prends pas pour une idiote. Si tu m'as épousé et si tu m'as fait des enfants, ce n'est pas pour te rapprocher du peuple, pas pour m'exhiber devant les camarades de golf de tes parents comme un monstre de foire pendant que tu t'envoyais en l'air avec toutes les pétasses qui croisaient ton chemin.

— Annie…

— Alors, on va porter plainte. On va gagner. On va demander à Jill Bowman de fournir la preuve que tout ça est un tissu de mensonges. On va exiger de McFall qu'il admette qu'on l'a forcé à dire ces choses. Et le 10, c'est ici que tu étais. On peut le prouver.

Elle le dévisagea, patiemment, posa les yeux sur ses lèvres, attendant qu'il parle. Il ne dit rien.

— Appelons Jill tout de suite. Pour s'assurer qu'elle va respecter la ligne du parti à la lettre.

Elle tendit la main vers le portable de Kenny, sur la table.

— Tu as son numéro ?

Il ne bougeait pas.

— Il n'est pas dans mon répertoire.

— Oh! fit-elle en écartant la main. Pas dans ton répertoire? Ça, c'est bizarre. Tu as le numéro de tout le monde à ton bureau, mais pas le sien?

— Elle n'a jamais vraiment été là souvent.

Il fit un geste vers le téléphone.

— Je t'en prie, regarde par toi-même si tu ne me crois pas.

Annie posa les yeux sur le téléphone.

— Pas la peine. Je sais qu'il n'y est pas. Il est dans «effacé récemment». J'ai regardé hier soir quand tu te préparais à sortir.

Il repensa au moment où il avait pris sa douche, pantalon sur le lit, téléphone dans la poche.

— Tu n'as pas besoin de l'appeler toi-même. Je vais m'en charger pour toi..., fit-elle.

Il comprit alors qu'Annie projetait de le quitter.

Kenny Gallagher sentit son sternum se fêler. Annie allait le quitter et emmener les enfants. Elle allait le laisser seul. Les journaux auraient vent de la nouvelle. Ce qui viendrait confirmer les rumeurs. Des femmes, des tas de femmes, viendraient en masse confier des bribes d'histoires, des grosses, des jeunes, trois hommes, des hommes en train de regarder, des hommes en train de baiser, dans des hôtels et des chambres avec des photos de grands-mères sur des commodes, avec des jouets d'enfants par terre, dans des taxis et dans des bars après la fermeture.

Il serait fichu. C'était un père de famille, un homme digne de confiance, un type bien. Et tout ce pour quoi il s'était battu, tout son travail serait anéanti, de sorte qu'il ne serait plus qu'un homme d'âge moyen seul dans une pièce vide, et Malcolm ne le verrait plus que pour l'ombre de lui-même qu'il serait devenu.

Annie allait le quitter. McFall l'appellerait pour lui témoigner sa sympathie, offrirait des cigarettes à sa mère. Il lui rendrait visite, servirait le vin, la sauterait juste pour emmerder Malcolm. McFall allait sauter Annie.

Soudain, son portable sonna.

Annie s'en empara.

107

— Allô, dit-elle sans rien laisser paraître, avant de demander à qui elle s'adressait. Puis elle se tourna vers lui, les yeux mi-clos.

— Le *Daily News*.

Il prit le téléphone.

— Hello, Kenny ? Paddy Meehan à l'appareil, du *Daily News*. Je me demandais si vous aviez un peu de temps pour m'en dire un peu plus sur Tom McFall.

Kenny se tourna vers Annie, qui le contemplait d'un regard vide.

— Bien sûr, Paddy, que puis-je faire pour vous ?

— Super ! fit Meehan, visiblement surprise. McFall prétend que vous entretenez une liaison avec Jill Bowman, est-ce vrai ?

— Écoutez, Paddy, j'ai été clair là-dessus : je connais Jill Bowman. Elle a travaillé à mon bureau comme intérimaire. Mais toutes les insinuations selon lesquelles notre relation aurait été autre chose que professionnelle sont des absurdités. Les employés du parti ont le droit de demander le remboursement de leurs frais. Sans quoi tous les gens de la classe ouvrière seraient automatiquement exclus du processus politique. L'exclusion sociale. C'est de ça que l'on parle, Paddy. Réfléchissez-y : vous êtes vous-même issue d'une famille ordinaire. Quand vous étiez jeune, auriez-vous pu vous permettre de dépenser soixante-dix livres pour un billet de train et une nuit d'hôtel ?

— Non, Kenny, vous avez raison, je n'aurais pas pu. Je partage beaucoup de vos idées, comme vous le savez, mais honnêtement, je n'avais pas réfléchi à ça. D'habitude, on prend en charge les frais de tout le monde ?

— Bien sûr, Paddy. Le parti travailliste est le parti de la justice sociale. Nous n'excluons personne du processus sur la base de leur compte en banque.

Un sourire froid, hypnotisé, passa sur le visage d'Annie.

— Donc, les frais de Jill Bowman ont bien été pris en charge ?

— Eh bien, Paddy, voilà l'histoire : je peux prouver que je n'étais même pas à Inverness le 10.

— DIS-LUI, KENNY !

Annie parlait si fort que Kenny eut peur que Meehan l'entende.

— C'est Annie derrière vous, Kenny ?

— **DIS-LUI.**

— Est-ce que c'est Annie? Je peux lui parler?

Kenny leva une main vers Annie en guise d'avertissement, pour qu'elle se taise.

Annie hurla.

— *DIS-LUI!*

Elle risquait de le frapper, et, si c'était le cas, Meehan entendrait et ça ferait le tour des rédactions.

Paniqué, Kenny enfonça le téléphone contre sa poitrine meurtrie.

— *Quoi?*

— Dis-lui que tu n'es pas un menteur. Dis-lui que tu vas te défendre!

Annie lui décocha un sourire suffisant.

— Allez! Dis-lui que tu vas porter plainte.

— Allô? Kenny? Allô? braillait Meehan contre sa poitrine. Vous m'entendez?

Il porta de nouveau le téléphone à son oreille.

— Je peux vous rappeler, Paddy?

— Bien sûr, répondit-elle, d'une voix hésitante. Vous avez une préférence pour l'heure?

Dégoûtée, Annie cligna des yeux et tourna les talons. Alors que son regard se détachait de lui, Kenny sentit son cœur s'écrouler dans sa poitrine, ses côtes lui écraser les poumons, forçant l'air lourd vers la sortie.

— Paddy! Vous êtes toujours là?

— Oui?

— Paddy, je vais porter plainte.

Annie se retourna vers lui.

— Je vais les poursuivre en justice.

Il vit les traits d'Annie se radoucir, il la vit redevenir la jolie fille qu'elle était jadis.

— Je n'étais pas à Inverness cette nuit-là, continua-t-il. On essaie de me discréditer avant les élections. Il m'a été conseillé de ne pas en dire davantage pour l'instant, mais on va organiser une conférence de presse, nous prendrons contact avec vous pour vous en donner les détails, d'accord?

Meehan buvait ses paroles. Annie ne pouvait pas détacher ses yeux de lui, mais ils n'étaient plus ni vides ni en colère à présent, ils étaient pleins de larmes, des larmes d'espoir, de respect, d'amour.

— D'accord, répondit Meehan. D'accord, Kenny, merci. Pour la date et le lieu, vous me direz ?

— Peter vous appellera quand nous aurons décidé.

— Génial.

8

En s'asseyant face à Alex Morrow dans son bureau, Tamsin Leonard se rendit compte qu'elle était incapable de regarder sa patronne dans les yeux. Pour se donner une contenance, elle étala sur le bureau les documents qu'elle avait apportés et essaya d'en lire la première page.

— Sur le site web de la première organisation dont Pavel est membre, 8G, on trouve une longue liste d'adhérents...

— Pourquoi faites-vous ça?

Appuyée contre le dossier de sa chaise, l'inspectrice Morrow fixait les mains de Leonard. Elle avait l'air agacée.

— Quoi, madame?

— Ça, fit Morrow en faisant claquer prestement l'ongle de son pouce contre son index. Qu'est-ce qui vous arrive?

Leonard s'interrompit aussitôt et posa sa main sur sa cuisse.

— Pardon.

Morrow la considéra d'un œil vide pendant un moment avant de désigner les documents d'un geste du menton.

— Allez-y, racontez-moi.

— 8G a un grand nombre d'adhérents, dont la liste figure sur son site web. L'organisation a neuf ans. En comparant Martin Pavel avec les noms qui viennent après lui et qui ont déclaré s'être inscrits sur d'autres sites, je dirais qu'il est membre depuis trois ans environ.

— Rien de très récent, alors.

— Non. Un simple nom suffit pour devenir adhérent, c'est plus de l'ordre d'une pétition qu'autre chose.

— Ils font quoi, dans ce cas ?

— Des campagnes de sensibilisation pendant la conférence du G8. Ils assaillent d'e-mails les gouvernements des pays membres.

Tamsin leva les yeux. Tête inclinée de côté, Morrow écoutait ; elle désigna de nouveau les documents du menton.

— Pour ce qui est de l'APFC, c'est donc une organisation pacifiste, fit-elle.

— Ouais, ils gèrent un truc dans le domaine de l'éducation, chiant comme la pluie…

— En effet.

Tamsin leva la tête en souriant et croisa le regard de Morrow. Elle rougit, honteuse de ce moment d'honnêteté partagée, avant de replonger aussitôt le regard vers le bureau.

— Rien à signaler de leur côté. Il est adhérent, mais eux non plus n'ont pas l'air de lever des fonds ni rien, juste du militantisme virtuel, ils harcèlent les autorités locales à coups d'e-mails. Ce genre de chose.

— Et la FUV ?

— La Fondation pour l'unité de la vie.

Leonard se tortilla sur sa chaise avant de continuer.

— Rien trouvé d'autre sur eux que leur site web. Mais si on enlève le côté « fondation », tout à coup, un tas de choses apparaissent.

Elle poussa le document vers Morrow.

— Des organisations évangéliques, anti-avortement, une compagnie d'assurances…

— Basées où ?

Elle consulta ses notes.

— L'église est dans le Surrey. Les mouvements anti-avortement sont américains.

— Ils assassinent, non ? Les militants anti-avortement américains. Est-ce qu'on sait quelque chose de l'opinion de Brendan Lyons sur l'avortement ?

Leonard ne savait pas si la question était rhétorique.

— Je n'ai rien là-dessus. Il était politiquement engagé ?

— Membre du parti communiste. Quelle est leur position sur l'avortement ?

— Je vais vérifier, répondit Leonard.

— À mon avis, ils sont pour. Voyez si Brenda Lyons a participé à une campagne sur le sujet ou quoi que ce soit de ce genre. Concentrez-vous sur ce qui est récent.

Soulagée de pouvoir prendre congé, Leonard se leva.

— Merci, madame.

— Leonard ? Qu'est-ce qui cloche ?

Leonard se figea. Et voilà. Le temps de passer aux aveux était venu.

Ce serait un soulagement que d'en parler, de laisser fuser ces paroles qui la consumaient et d'en emplir la pièce. Camilla l'apprendrait forcément. Elle risquait de faire une fausse couche. De surcroît, elle dénoncerait Wilder, qui avait déjà une vie de merde. Le prix à payer était trop fort pour ce maigre soulagement.

— Je... je me sens patraque, dit-elle en rassemblant ses documents. J'ai la nausée.

Elle se dirigea vers la porte qui ouvrait sur le couloir, loin de cette bulle temporelle où révéler la vérité devenait possible. Arrivée sur le seuil, elle jeta un coup d'œil derrière elle et vit que l'inspectrice Morrow l'observait.

— Wilder était malade ce matin. Peut-être que vous avez tous les deux attrapé le même microbe.

Leonard acquiesça d'un signe de tête et ferma la porte dans son dos.

Tamsin roulait au pas le long d'une route bordée d'entrepôts de brique neufs, de longues constructions rouges percées de portes à intervalles réguliers. Chacune accompagnée d'un numéro de un mètre de haut environ, blanc sur fond rouge, l'adresse de chaque bâtiment. Sur bon nombre d'entre eux, on avait collé un panneau « bail à céder » sur des enseignes défuntes : imprimerie, boulangerie, etc.

L'agent Routher égrenait les numéros qu'ils remontaient à rebours comme un enfant surexcité. Jeune, un bouton sur le menton, il portait ses cheveux châtains coupés court comme si sa mère avait donné des instructions au coiffeur, et, chaque fois qu'elle lui lançait des regards en coin, Leonard le surprenait en train de sourire. Elle sentait qu'il appréciait de se laisser conduire, surtout par un chauffeur de dix ans son aîné et avec cinq ans de service en moins, mais elle n'y pensait guère. Son esprit était tout à Wilder.

Wilder ne se sentait peut-être pas vraiment dans son assiette, ou alors sa conscience le travaillait. Ou bien il était saoul. À moins qu'il ne soit simplement rentré chez lui réceptionner toutes les conneries – voitures et produits en tout genre – qu'il avait commandées sur Internet la nuit précédente et qui les dénonceraient.

Elle songea à cette éventualité, à la fureur de Camilla. Camilla était aussi pragmatique qu'une femme de pionnier : si Tamsin finissait en taule, elle ne l'attendrait pas, pas le moindre doute là-dessus.

— Vingt et un !

Routher souriait, les yeux sur un entrepôt dont l'enseigne annonçait, en lettres celtiques tellement alambiquées qu'elles en étaient presque illisibles : «TSF Ingénierie électrique».

Leonard se gara sur l'une des nombreuses places disponibles.

Routher et Leonard détachèrent d'un même geste leur ceinture de sécurité, firent glisser la boucle par-dessus leur épaule, ouvrirent leur portière et posèrent un pied sur le bitume.

Leonard se figea soudain. Au fond de la poche de son pantalon, son portable personnel vibrait de manière angoissante contre sa cuisse.

Routher était sorti, debout à côté de la portière ouverte, il sentit que quelque chose en elle avait changé et se pencha vers l'intérieur de l'habitacle.

— Qu'est-ce qu'il y a ?

— Mon téléphone, dit-elle d'une voix aiguë, hors d'haleine, en extirpant l'appareil de sa poche.

— C'est pas bien ! fit Routher en agitant un doigt en signe de reproche. Infraction au règlement, pas de téléphone perso en intervention.

Mais ils étaient au même grade et elle n'avait pas à le tolérer.

— J'arrive dans une seconde.

Manifestement déçu par le refus de Tamsin d'entrer dans son jeu, il ferma sa portière et s'adossa à la vitre, la laissant consulter son téléphone.

C'était un texto, mais pas de Camilla. Une photo envoyée par un expéditeur inconnu, trop petite et trop sombre pour qu'on y distingue grand-chose.

Elle l'ouvrit, fit glisser deux doigts sur l'écran pour l'agrandir et ne la quitta pas des yeux le temps que le flou se dissipe. Un rectangle argenté à cheval sur deux bandes sombres et indistinctes. Elle se fatiguait les yeux à essayer d'interpréter le grain. Puis, soudain, l'image devint nette.

Leonard cilla.

Elle ouvrit la portière, posa un pied au sol, loin d'elle, se pencha et vomit sur le bitume. Elle attendit, un filet de salive suspendu à sa lèvre inférieure, au cas où il y en aurait encore. Non. C'était tout. Remettant le pied dedans, elle rabattit prudemment la portière derrière elle.

Voilà pourquoi Wilder était rentré chez lui. À cause de ça.

Elle contempla de nouveau l'image. La bande sombre à gauche de la photo, c'était elle, et Wilder était son jumeau. Le rectangle argenté entre eux deux était le rétroviseur de la voiture de patrouille. Ils se tenaient devant le coffre de l'Audi de Hugh Boyle, les bras chargés de sacs. Malgré la piètre résolution d'une photo prise par un téléphone dans l'obscurité, elle distinguait les yeux écarquillés de Wilder et sa mâchoire à elle, qui pendait bêtement de stupéfaction. Une photo envoyée par un numéro masqué.

Un coup sur le pare-brise la fit sursauter. C'était Routher, qui haussait les sourcils.

— Tout va bien ?

Elle confirma d'un signe de tête. Lui fit signe qu'elle se sentait malade. Leva un doigt. Donnez-moi une minute. Il lui fit signe que oui et regarda ailleurs.

Elle avait été malade, ce qui s'accordait avec l'histoire de Wilder, et avec ce qu'elle avait dit à Morrow. De l'extérieur, rien encore ne paraissait louche. Elle baissa de nouveau les yeux vers son téléphone flambant neuf.

Trois semaines auparavant, en s'asseyant dans les toilettes d'un pub, Leonard avait senti son téléphone glisser de sa poche arrière et tomber au fond de la cuvette. Celui-ci était neuf et seules huit ou

115

dix personnes en connaissaient le numéro ; elle ne l'avait même pas encore communiqué au boulot. Wilder était l'un des huit.

Un cliché souvenir de l'expression de Wilder quand il avait plongé la main dans le coffre et touché les billets, les phares de l'Audi éclairant de leur vive lueur blanche son visage par-dessous. Elle imagina un bref instant Wilder attiré dans un piège quelque part ce matin, puis assassiné, son téléphone dérobé et quelqu'un lui envoyant ce message. C'était trop tiré par les cheveux. Wilder pouvait tout aussi bien posséder un deuxième téléphone depuis lequel il essayait de lui faire du chantage dans le but de récupérer sa part de l'argent. Mais la photo avait été prise de l'intérieur de la voiture de patrouille, alors qu'eux se trouvaient à l'extérieur. Le photographe, c'était Hugh Boyle.

Dehors, Routher bougea. Se rendant compte sur le tard que Camilla n'avait pas fait de fausse couche et qu'elle aurait dû s'en sentir soulagée, Leonard repoussa le téléphone au fond de sa poche et sortit de voiture.

— Tout va bien ?

— J'ai chopé une saloperie. Je me suis sentie nauséeuse toute la matinée.

Routher fit signe qu'il comprenait.

— Vous voulez qu'on rentre au poste ?

— Non, on est là maintenant. Allons-y.

Elle se dirigea la première vers l'entrée de l'entrepôt.

— Vous êtes sûre que ça va ? demanda-t-il. C'était quoi, le SMS ?

— Rien. Un spam…

Consciente qu'il fallait qu'elle ait l'air concentrée sur son boulot, elle désigna du doigt le toit de l'entrepôt.

— Trois caméras anti-vandalisme.

Elle énonçait une évidence, autant montrer le ciel en disant « des nuages ».

— Oui, sourit Routher comme pour entrer dans le jeu, et le boîtier du système d'alarme est un faux. La lueur rouge dans la grille provient d'une caméra.

Ils jouaient maintenant, et Tamsin ne savait pas comment y mettre un terme. Elle se tut.

Routher appuya sur le bouton de la sonnette sans se départir de son sourire, une invitation à continuer la partie. Il était moins lisse qu'elle ne l'avait cru. Ce qui la rendit méfiante.

Une voix chantante jaillit de l'interphone.

— TSF Ingénierie électrique, que puis-je pour vous ?

— Police du Strathclyde, répondit Leonard. Russell Crossan nous attend.

— Un instant, je vous prie.

La standardiste avait l'air jeune dans l'interphone, mais quand elle les fit entrer après avoir vérifié le rendez-vous et exigé qu'ils présentent leur insigne à la caméra, ils furent accueillis par une femme potelée, dans la quarantaine, habillée et maquillée comme une gamine.

Une fois la porte franchie, ils durent de nouveau produire leur insigne.

La société tenait à montrer à quel point le bâtiment était imprenable, ils se savaient sur la sellette, se dit Leonard, mais les caméras sur la façade étaient coûteuses et les cloisons intérieures doublées pour empêcher les intrusions.

La réceptionniste leur sourit. Le faux cil qui s'était décollé de sa paupière avait quelque chose de déroutant. On l'aurait dite en voie de putréfaction.

Leonard nota le nom et l'adresse de la femme, lui demanda depuis combien de temps elle travaillait ici. Trois ans, répondit Wendy. Leonard voulut savoir s'ils avaient un veilleur de nuit. C'était le cas. Wendy lui communiqua également ses coordonnées. Une information sans importance car on n'avait découvert la panne du système d'alarme du bureau de poste que le matin du braquage, mais ils savaient que Morrow leur poserait tout de même la question.

Wendy prévint Russell de leur arrivée.

La serrure d'une porte éloignée se déverrouilla bruyamment, et un homme grand, chemise en jean et pantalon beige, vint à leur rencontre.

— Russell Crossan, dit-il en tendant la main. Cette histoire est une première pour nous. C'est vraiment inquiétant.

Routher le rassura.

— Simple routine, M. Crossan, nous explorons plusieurs pistes.

Rien de routinier dans tout ça, pourtant, ils en étaient tous conscients.

— Pouvez-vous nous conduire dans les bureaux ?

— Bien sûr ! répondit Russell.

Posant ostensiblement la main sur le clavier pour le protéger des regards indiscrets, il composa un code secret qui déclencha l'ouverture de la porte, tout en leur expliquant que c'était lui, personnellement, en tant qu'ingénieur en chef et associé, qui changeait le code toutes les semaines et en choisissait les combinaisons. Se rendant compte qu'il était en train de concentrer les soupçons sur sa personne, il s'empourpra.

Il les précéda dans un open space au plafond bas. Au fond, une cloison vitrée donnait sur une réserve baignée d'une lumière vive. Les deux autres ingénieurs qui l'épaulaient se trouvaient en mission à l'extérieur, leurs fauteuils vides mais leurs bureaux chargés de piles nettes de manuels et de journaux.

— Vous avez beaucoup de caméras dehors, remarqua Leonard.

— Et dedans, insista Russell. C'est notre bureau, mais nous nous en servons de vitrine pour l'équipement de sécurité.

Il désigna deux caméras dans des coins de la petite pièce, une lueur rouge clignotait aussi sur le détecteur de fumée du plafond.

— On n'est jamais trop prudent, dit-il.

Visiblement, Crossan n'avait pas envisagé une seule seconde qu'ils auraient pu le soupçonner d'avoir informé le braqueur de la panne. C'était bon signe, songea Leonard.

Il leur offrit un thé, qu'ils refusèrent avant de s'asseoir avec lui afin de remplir le formulaire d'interrogatoire, notant ses coordonnées, ses souvenirs de la journée, toutes les conjectures qu'il pouvait hasarder sur l'incident. Rien qui vaille le coup qu'on s'y attarde. Russell n'était pas quelqu'un d'imaginatif.

Routher lui demanda de les guider à travers les étapes de la procédure d'urgence.

Russell commença par s'échauffer : eh bien, l'appel est venu directement du fabricant. Ensuite ils ont envoyé les détails via une messagerie sécurisée. Routher voulut savoir pourquoi les détails et l'ordre de mission étaient communiqués séparément. Parce que les appels téléphoniques pouvaient être interceptés, expliqua Crossan, et les bugs dans les messages électroniques laissaient toujours une trace. Ils pouvaient trianguler toutes les fuites, mais il n'y en avait eu aucune dans ce cas. L'adresse du bureau de poste se trouvait-elle dans l'e-mail ? Certainement pas, répondit Russell : jamais ils ne l'informaient de l'adresse à l'avance, simplement le temps de trajet approximatif, quinze ou cinquante minutes, c'était tout. Puis lui, ou un autre spécialiste de ce genre de système à qui incombait la mission, attendait au bureau la livraison de la pièce. Le fabricant leur appelait le taxi.

— Donc vous ne savez jamais où vous allez ? s'étonna Routher.

Russell confirma que le fabricant de leur disait rien. Cette pièce-ci était livrée du sud par avion. Un taxi viendrait les chercher de l'aéroport et les conduirait sur place.

Leonard écoutait, laissant Routher poser les questions, hochant la tête quand il la regardait, hochant la tête quand Crossan la regardait, hochant la tête, encore et toujours.

Quand Russell Crossan lui sourit, Leonard eut soudain la sensation qu'elle était sur le point de vomir de nouveau. Elle bougea doucement une fesse sur sa chaise et hocha la tête une nouvelle fois.

— Monsieur Crossan, dit-elle, surprise par le calme dans sa voix, pourriez-vous nous communiquer la liste des autres entreprises pour lesquelles vous avez accompli le même travail ?

— Certainement, répondit Crossan. Tout à fait, bonne idée, ainsi vous pourrez leur demander ce qu'ils pensent de nous. Tout à fait.

— Puis-je utiliser vos toilettes ?

Crossan la raccompagna à la réception et jusqu'à une porte menant à des toilettes glaciales.

Elle le remercia, ferma le verrou et s'écroula contre la cloison. Elle resta là longtemps.

Russell Crossan leur fournit une énorme quantité de documents : listes de clients, recommandations des employeurs précédents de Russell, attestation de solvabilité – il se l'était de toute façon procurée dans le cadre d'une demande de prêt immobilier, alors peut-être cela les intéresserait-ils de l'avoir ? Ils prirent congé avec un dossier débordant de papiers, un DVD du système de vidéosurveillance des locaux, dedans comme dehors, devant comme derrière, pour l'intégralité de la semaine précédent l'incident.

À la porte de l'entrepôt, Russell leur adressa des gestes d'au revoir impatients.

Leonard recula, laissant Routher répondre.

— Vous en pensez quoi ? demanda Routher alors qu'ils s'engageaient sur la route principale.

— Je ne sais pas, et vous ?

— Il a l'air de vouloir nous aider.

— Ouais.

— Il faudrait qu'on sache si le chauffeur de taxi avait l'adresse.

— La pièce aurait-elle pu être si particulière qu'il ait pu deviner l'adresse ? se demanda Routher. Ce bureau de poste avait déjà eu le problème.

C'était une bonne remarque, une remarque intelligente, ils le savaient tous les deux.

— Ça vaudrait le coup de se renseigner, j'imagine, insista Routher, comme s'il espérait un compliment.

— Ouais.

— Vous vous sentez toujours nauséeuse ?

— Très.

— Peut-être qu'il vaudrait mieux prendre votre journée.

— Oui, je crois qu'il va falloir.

Elle leva les yeux et vit que Routher souriait de nouveau, le même grand sourire que celui qu'il avait en venant. Elle comprit alors que ce n'était pas parce qu'il avait le dessus. Il souriait parce qu'il était quelqu'un de bien et qu'il aimait travailler avec elle. Toutes ces autres conneries, c'était dans sa tête à elle.

9

Morrow regarda la rue bordée d'une rangée de pavillons ouvriers ordinaires. Les dernières constructions victoriennes encore habitées au beau milieu d'une morne zone industrielle en bordure du fleuve. L'endroit ne payait pas de mine, la pluie incessante avait changé la couleur du grès rouge en un bordeaux foncé, mais les fenêtres, toutes habillées des mêmes voilages brodés, suggéraient qu'il s'agissait d'un bâtiment institutionnel. Ça et le niveau de sécurité à l'entrée, digne d'une prison, une cage de métal blanc équipée d'une serrure de la taille d'un livre de poche qui donnait sur une porte en acier.

Morrow suivait une intuition sur la vieille affaire Anita Costello, sans quoi elle aurait envoyé quelqu'un d'autre. Faute de savoir exactement quelles questions elle allait poser à la fille d'Anita sans l'avoir vue, il lui était impossible de déléguer. C'était ce genre de visite de terrain qui motivait la plupart des agents à chercher des promotions, pas l'ambition, pas le besoin de servir à un plus haut niveau, ni un ardent désir d'aller foutre la merde en haut lieu, non, juste la lâche envie d'éviter ce genre de mission : le face-à-face avec les âmes perdues.

Ce foyer d'accueil pour sans-abri n'était pas destiné aux familles en difficulté, ni aux hommes et aux femmes à la recherche d'un emploi. Il accueillait la lie de la société, des ivrognes et des toxicomanes, des maîtres du chaos, avec leurs plaies ouvertes ou leurs maladies contagieuses, ou d'autres encore, atteints d'impitoyables pathologies mentales. Beaucoup de résidents avaient été récemment libérés de prison sans point de chute. En d'autres temps, plus brutaux, bon nombre seraient allés mourir sous les ponts. La ville avait ouvert cette unité dans cette zone désertique à bas coût parce qu'il n'y avait pas de voisins pour s'y opposer et rien que les résidents puissent voler.

Harris avait prévenu de leur passage et quelqu'un guettait leur arrivée. À leur approche, la cage de l'entrée se déverrouilla dans un bourdonnement. Une fois dedans, ils durent refermer derrière eux avant de pouvoir ouvrir la porte principale.

Un homme les attendait à l'intérieur du bâtiment. Teint gris mais une courte barbe rousse aussi fraîche que l'herbe de mousson.

— Keith Beckman, leur dit-il la main tendue, en accompagnant son geste d'un hochement du menton agressif.

Il planta son regard dans le leur, la poignée de main ferme, comme s'ils se livraient à un bras de fer secret. Il eut ensuite un sourire satisfait, visiblement il considérait l'avoir emporté.

Morrow inspecta l'endroit d'un coup d'œil. Un vestibule vieillot, aussi froid et gris qu'une prison. Un panneau d'affichage cloué au mur à côté d'un téléphone anti-vandalisme datant de Mathusalem, des annuaires posés au-dessous sur une étagère.

Prenant une profonde inspiration, Keith s'apprêtait à parler quand une porte s'ouvrit à moins d'un mètre d'eux. Un visage de vieillard apparut, joues lardées de cicatrices et nez camus. En les voyant tous les trois, l'homme sursauta et disparut aussitôt en claquant la porte.

Keith se lécha la lèvre avec hostilité et les dévisagea, attendant leur réaction.

Morrow porta la main à son visage.

— Des cicatrices de duel ?

Beckman ricana et lui envoya au visage une bouffée aigre de fumée de cigarette.

— Elle est bien bonne.

Il jeta un dernier regard vers la porte et partit d'un nouveau rire inamical.

— Bien. Par ici.

Il les fit entrer dans une salle commune qui empestait l'urine er une vague odeur de désinfectant. On avait disposé des fauteuils autour d'un vieux poste de télévision accroché au mur dans une cage grillagée. Une télécommande crasseuse rafistolée au ruban adhésif en toile était posée sur un accoudoir, ses touches noires lustrées par l'usure.

— Vous savez qu'elle a souffert d'une commotion cérébrale? les prévint Keith.

— Vous me l'apprenez, répondit Morrow.

— Ouais, fauchée par une voiture, fit-il avec un haussement d'épaules. Elle s'est endormie en traversant une route à double sens.

La pensée lui arracha un sourire moqueur. Ne plus croiser des types de ce genre, songea Morrow, voilà ce qui pourrait pousser à tout laisser tomber, quitte à perdre une bonne pension de retraite. Il y avait dans l'amertume du personnage une pointe de sadisme.

— Eh bien, commenta-t-elle, elle devait être vraiment fatiguée.

— Ça lui arrivait souvent d'« avoir sommeil ».

— Plus maintenant?

— Difficile à dire avec certains d'entre eux. Elle vient d'arriver, on verra bien. Je vais la chercher.

Il s'en alla.

Seuls dans la pièce, Morrow et Harris contemplèrent les fauteuils. En plastique violet, imperméable sans doute, ornés d'un motif à base de triangles et de carrés, comme l'abstraction d'un vomi. Harris secoua la tête et resta debout.

— Non, dit-elle, moi non plus.

Près de la fenêtre, trois chaises en bois étaient disposées autour d'une table branlante; ils allèrent s'y asseoir, Harris tirant la troisième pour leur interlocutrice avant de s'installer.

La voix de Keith résonna dans le couloir :

— Oui!

Une femme marmonna quelque chose en réponse.

— Entre! hurla Keith.

Harris et Morrow se regardèrent en secouant la tête : ce type n'avait rien à faire ici, il était méchamment surmené.

La porte alla s'écraser contre le mur, et Keith poussa une femme dans la pièce.

Sans avoir potassé ses dossiers, Morrow aurait donné la trentaine à Francesca Costello. À dix-sept ans à peine, la jeune fille avait perdu quatre de ses dents de devant, ce qui affaissait sa lèvre supérieure. Elle était grosse, et, sur le côté gauche de ses abominables cheveux noirs coupés par ses soins, avait séché une substance grumeleuse marron de nature indéterminée. Elle était vêtue d'un survêtement fané en velours rose, le zip de la veste remonté jusqu'au cou, et tenait ses poings ramenés devant elle au fond de ses poches.

Son allure en disait long sur la triste histoire de sa vie : elle cachait ses mains gonflées par l'héroïne, poings serrés pour parer à une agres-sion éventuelle. Corpulente, édentée, Francesca s'enlaidissait autant qu'elle pouvait, parce que la beauté faisait de vous une proie.

Alex Morrow n'avait pas envie de le savoir. Elle ne voulait pas que ces choses s'insinuent dans sa tête avant de rentrer chez elle retrouver ses fils, elle ne voulait pas penser à Francesca le jour de Noël. Elle ne voulait pas ouvrir ses cadeaux, un genou par terre, et se demander où Francesca se trouvait, comment elle se sentait ou si elle était à l'abri du danger. Elle en voulait à cette femme laide de la mettre mal à l'aise, ça la dégoûtait ; elle sentit la colère de Keith la gagner et com-prit que tout le monde partageait ce besoin primaire de considérer les malchanceux comme responsables de leur sort.

— Francesca ? demanda-t-elle.

— Appelez-moi Frankie, corrigea la fille sans s'asseoir, incapable de lever les yeux vers Morrow.

— Frankie, je suis l'inspectrice Alex Morrow.

Morrow tendit la main vers elle. Frankie la regarda avant de pouf-fer de rire, faisant saillir sa lèvre supérieure. Mais Morrow ne retira pas sa main et la secoua un peu pour lui donner une idée de ce à quoi la poignée de main ressemblerait.

Sans lever les yeux, Frankie sortit une main du refuge de sa poche et saisit le bout des doigts de Morrow, qu'elle pinça à peine, froide-ment. Elle avait la peau spongieuse, à cause des poches de sang nées de l'état déplorable de ses valves veineuses. Morrow l'invita à s'as-seoir et se rassit à son tour, laissant Frankie jauger la situation avant de décider si oui ou non elle acceptait de se joindre à eux.

— Assise ! aboya Keith.

124

Traînant les pieds, Francesca se glissa gauchement entre la chaise et la table et s'assit, les mains dans les poches et le dos voûté au-dessus de la table.

Sentant qu'ils désapprouvaient ses méthodes, Keith se justifia :

— Beaucoup de nos pensionnaires se méfient si on se montre trop sympa. Mieux vaut être direct.

— *Aye*, répondit Harris laconiquement.

Morrow sentait que lui aussi désapprouvait la brusquerie de Keith.

— Peut-on s'entretenir avec Frankie seuls à seuls maintenant ?

Inquiet, Keith tiqua.

— C'est-à-dire que…

Il regarda Morrow, réfléchit un instant.

— D'accord.

Au moment de se diriger vers la porte, il se retourna.

— Je serai dans le couloir, ajouta-t-il.

— Merci, Keith, répondit Morrow, ravie d'apercevoir dans le regard de Francesca une lueur de défi.

À peine Keith eut-il refermé derrière lui que Francesca releva le menton. Elle scruta Morrow non pas comme on regarde une personne mais comme on regarde un objet, examinant ses cheveux et son manteau tout juste sorti de chez le teinturier, son sac contenant les clés d'une maison, du chewing-gum, des mouchoirs en cas de besoin.

— Frankie, dit Morrow, je voulais te poser quelques questions sur ta mère.

— Ouais.

Frankie baissa de nouveau les yeux vers la table.

— Est-ce que tu m'y autorises ?

Haussant longuement les épaules, elle braqua le regard sur la télé-vision éteinte avant de marmonner :

— Tout le monde s'en fout de savoir qui a fait ça, de toute façon.

Le trou béant à l'avant de la mâchoire assourdissait ses propos.

— C'est surtout au sujet du cambriolage qui l'a précédé.

Frankie planta alors ses yeux dans les siens, sur ses gardes.

— Vous voulez dire quoi ?

— C'était quand ? Il y a trois ans, non ?

Frankie reposa les yeux sur la télévision, un automatisme, songea Morrow, acquis à force de fréquenter des salles où la télé braillait en permanence dans un coin.

— C'est bien ça? insista-t-elle.

Visiblement, les trois années avaient été longues.

— Je voulais te poser des questions sur le type qui a braqué ta mère. Tu étais présente cette nuit-là, c'est bien ça?

Lentement, Frankie sortit ses mains gonflées des poches de son survêtement, posa un poing par-dessus l'autre, puis le menton au sommet de la tour charnue.

— Georgie Mac.

— C'est son nom?

— *Aye*. Georgie Mac nous a braqués.

— Mac, c'est le diminutif de quoi?

— Chais pas.

— À l'époque, ta mère avait déclaré ne pas le connaître. C'était vrai?

— *Aye*. Jamais elle a su. Il nous a dit après qu'elle est morte.

— Pourquoi est-ce qu'elle n'en savait rien? Vous ne le connaissiez pas?

— Il avait un masque.

— Quel genre de masque?

Frankie balaya l'air devant elle.

— Gris. Un trou…, dit-elle en traçant de son doigt un ovale incomplet à hauteur de son visage.

Le souvenir l'animait, lui illuminait le regard. Morrow sut alors avec certitude que son cerveau n'était pas atteint. Qu'est-ce qui poussait Frankie à jouer les demeurées devant Keith? Qu'est-ce qui clochait chez ce type?

— Pourquoi t'a-t-il avoué que c'était lui?

Elle roula une épaule.

— Il nous a dit, c'est tout.

— Il s'en voulait?

Frankie avait l'air perplexe.

— De quoi?

— De vous avoir braquées.

126

— Il m'a jamais braquée à moi, il a juste braqué ma mère.

— Il lui a pris son argent, non ? Nous avons toujours cru qu'elle avait été assassinée parce qu'elle ne pouvait pas régler ses dettes, alors il était un peu responsable, en un sens. J'ai tort ?

Frankie eut un regard vague. Elle avait bien dû y songer, elle avait bien dû lui en vouloir d'une manière ou d'une autre.

— Ma copine à St Helen le connaissait…

Sa voix avait faibli. St Helen, un établissement sécurisé pour les mineurs en danger ou présentant de graves troubles du comportement. La plupart de ses anciens pensionnaires passaient ensuite directement à la case prison.

— Il nous l'a juste dit, insista Frankie en se grattant frénétiquement la tête.

— Tu étais en foyer avant le braquage chez ta mère ?

— Non ! rétorqua-t-elle, indignée. C'était une bonne mère, ma mère.

— Mais après, en revanche ?

— Après qu'elle est morte, oui.

— Pas de famille chez qui tu pouvais aller ?

Frankie sourit, offrant à ses interlocuteurs toute la surface de ses gencives. Elles paraissaient à vif, comme si les dents venaient à peine de tomber.

— Mamie. Elle pouvait pas nous garder chez elle.

— Comment s'appelle ta copine de St Helen ?

— Sheila.

— Sheila quoi ?

— Chais pas.

Elle savait, Morrow le voyait, mais jamais elle ne le leur dirait. Peu importait, si nécessaire, ils trouveraient.

— Ce Georgie Mac, tu l'as rencontré où ?

— À une fête.

— Où ça ?

— Chais pas.

Leurs regards se croisèrent et Frankie s'excusa.

— Vous pouvez rien lui faire maintenant, de toute façon, si ? C'est fini.

— L'argent, il y en avait beaucoup ?

— Peut-être cent livres, répondit Frankie avec un sourire narquois. *Aye*. Il avait jamais eu besoin de l'argent, qu'il a dit.

— Pourquoi l'avoir fait alors ?

Frankie sourit au plafond.

— Chais pas.

— Tu souris, Frankie, pourquoi crois-tu qu'il l'ait fait ?

— Juste pour se marrer, faut croire, dit-elle d'une voix blanche.

De retour sur le trottoir mouillé, Morrow et Harris regagnèrent leur voiture sans un mot. Morrow avait bien conscience que c'était ridicule d'emporter chez elle, comme un fardeau, la tristesse de Francesca qui lui collait à la peau, mais c'est ce qui se passait.

— Ça vous travaille, parfois ? demanda Morrow doucement.

Harris soupira, les yeux à demi-fermés, rivés sur le flot de voitures qui, deux pâtés de maisons devant eux, faisaient la queue pour s'engager sur l'autoroute.

— Quelquefois. Mais des comme elle, il y en aurait encore plus si on laissait tomber.

Elle fut irritée par sa langue de bois, l'orthodoxie de sa réponse.

— D'accord, mais pourquoi nous ?

Harris l'entendit cette fois, il s'arrêta un instant et se tourna vers elle.

— Parce que si ce n'est pas nous, ce sera des gens comme Keith.

Ils se remirent en route. Harris inspira, prêt à ajouter quelque chose mais Morrow l'interrompit.

— Faites une recherche pour un « George Mac » ou « Georgie Mac » qui pourrait être mêlé à des cambriolages ou des affaires de possession illégale d'armes au feu. Et renseignez-vous sur toutes les Sheila qui auraient résidé à St Helen au cours de ces trois dernières années.

— « Georgie Mac », j'ai déjà entendu ce nom quelque part, en relation avec quelque chose. Je ne me souviens plus…

— Ouais ?

Il secoua la tête, les yeux au sol.

— Un truc en lien avec Gourock.

— Ça me dit quelque chose. Pavel n'a pas mentionné un accent de la région d'Ayr ?

— Si.

Elle s'arrêta à la portière de la voiture.

— Vous pouvez me déposer en ville. J'ai rendez-vous avec mon frère.

La confidence le fit chanceler de surprise.

— Danny Mc Grath ?

— Ouais. La journée ne va qu'en s'arrangeant.

10

Kenneth Gallagher et Annie se rendirent chez les parents de Kenneth à Jordanhill dans un silence pesant. Partout, dans les zones commerçantes que traversait la voiture, une affiche barrée du gros titre : «TRAÎTRE À SA CLASSE : LA RIPOSTE DE GAL-LAGHER LE VAILLANT. »

Ni l'un ni l'autre n'en revenait vraiment de voir à quelle vitesse la nouvelle s'était répandue, comment une dispute tout à fait privée avait soudain comme éclos hors du périmètre de leur cuisine fami-liale pour aller s'étaler au grand jour.

En s'engageant dans la rue de ses parents, Kenny ralentit l'allure. Il était là à contrecœur, c'était Annie qui avait tenu à ce qu'ils s'en-tretiennent avec Malcolm avant de programmer la conférence de presse. C'était sa manière à elle de pousser Kenny dans ses retran-chements, en comptant sur le mordant de Malcolm pour lui faire renoncer aux poursuites s'il mentait et leur éviter la ruine.

Kenny voyait bien que sa témérité effrayait Annie, cette femme belle et rusée, mais ne pas porter plainte reviendrait à admettre qu'il avait bel et bien sauté Jill Bowman dans une réserve à fournitures de sa permanence, dans un bed & breakfast d'Inverness, et qu'elle l'avait sucé dans une voiture sur le parking le jour du congrès du parti. Annie le quitterait et McFall la sauterait. Tout le travail d'une vie, la gloire, les sacrifices, l'amour que les gens lui portaient… tout ça serait perdu. Et Malcolm aurait eu raison : il finirait professeur. Il fallait qu'il porte plainte.

Levant les yeux, il vit sa mère le regarder dans l'encadrement de la fenêtre en façade ; bras croisés sous la poitrine, elle attendait. Elle suivit des yeux la voiture qui approchait lentement dans la rue. Derrière elle, une ombre bougea, l'éloigna du carreau : Malcolm, son beau-père, qui la ramenait dans son orbite.

La villa des parents de Kenneth valait légèrement mieux que celle des voisins sur de nombreux plans : jardin plus vaste, terrain d'angle, fenêtres plus grandes, double garage. Ils auraient pu s'offrir bien plus grand, à Lenzie, moins loin du club de golf de Malcolm, mais ils tenaient à rester où ils étaient, même s'ils n'aimaient ni les voisins ni le quartier.

Kenny contourna la maison et s'engagea dans l'allée humide, froide et privée de soleil derrière le garage. Au moment de franchir le portail, ils aperçurent Malcolm et Moira qui les guettaient dans la véranda.

La porte du garage était ouverte. Kenny gara sa Honda à côté de la Jaguar de Malcolm, coupa le moteur, jeta un regard vers le chemin où il traînait toujours dans son enfance, celui où il y avait fumé sa première cigarette, qu'il empruntait pour aller et venir de l'école, de la fac, des manifs. C'était par là qu'il était rentré le jour de l'Affrontement de Bath Street, des points de suture tout juste posés sur sa joue gonflée, pas encore au courant pour la photo dans les journaux, ni de celui qu'il venait de devenir. Tout le monde l'appelait Kenneth à l'époque. Son surnom de Kenny, il le devait à la presse. Au parti travailliste, il était toujours Kenny. Il trouvait ça puéril maintenant. Il devenait trop vieux.

Annie, sur le siège passager, se tourna vers lui et le dévisagea dans la pénombre du garage. Kenny était incapable de soutenir son regard. Il descendit de voiture, sortit par la porte latérale ouverte et fit signe à sa mère de l'autre côté de la vitre. Moira leva la main à son tour, mollement, avant de la laisser retomber le long de son corps sans détacher d'eux son regard, comme si elle craignait qu'ils n'entrent pas.

Annie passa devant lui, Kenny lui emboîta le pas à travers la pelouse et le sentier gravillonné sur le côté de la maison, jusqu'à la porte de la véranda. Il marchait d'un pas lourd, laissait Annie prendre de l'avance, tant il appréhendait le moment de discuter de son comportement sexuel avec sa mère.

Montant la garde devant la porte, Moira l'ouvrit avant même qu'Annie ait atteint le perron, de façon à les faire entrer avant que les voisins les aperçoivent.

— Qu'est-ce qui se passe?

— Entre et on en parlera.

Annie se glissa à l'intérieur. Quand elles furent l'une à côté de l'autre, Kenny remarqua à quel point sa femme était mince, le lustre de ses cheveux d'ébène, le brillant d'un noir bleuté de sa coupe au carré frôlant comme une lame sa nuque fine. Et sa mère, hanches larges, carrée, complexée par son cou épais, le carré Hermès censé le masquer ne servant en fait qu'à attirer l'attention sur la zone incriminée. Sa chevelure d'un blond sans reflets, raide de laque.

Moira regarda derrière Annie.

— Kenny, comment vas-tu, mon chéri?

Lui attrapant le menton, elle lui déposa un léger baiser sur la joue, laissant traîner sa main comme les fiancées des soldats dans les documentaires sur la guerre.

— Qu'est-ce qui s'est encore passé?

Malcolm, resté dans la véranda, vint se joindre à eux dans la cuisine. Il était grand, mais pas aussi grand qu'il le laissait paraître: il se tenait voûté comme si aucun plafond n'était assez haut pour son incroyable stature, les mains derrière le dos à la manière des militaires, alors qu'il n'avait jamais fréquenté l'armée. Cardigan boutonné tendu sur son torse, chemise au col ouvert révélant une caroncule distendue et un collier de poils gris sur sa poitrine. Il aurait boutonné sa chemise jusqu'au col si Annie n'était pas venue.

Traversant la véranda à la température agréable pour venir s'installer à la table de la cuisine, Kenny baissa le regard en longeant le mur orné de photos de lui. Des coupures de presse que Moira découpait ou des photos originales qu'elle réclamait en écrivant aux journaux et aux magazines concernés. Kenny et Tony, Kenny et Gordon, Kenny et Ed… Gallagher le Vaillant l'emporte! Kenny et Annie Gallagher nous ouvrent les portes de leur nouvelle maison. Kenny Gallagher charmant un auditoire en costume-cravate. Kenny

Gallagher en compagnie de Nelson Mandela. Cette dernière était un original. Tous ceux qui rencontraient Nelson y avaient droit, cadeau de son photographe. Il n'y avait sur les murs aucune photo d'Annie ou des enfants. Une photo de son demi-frère, James, celle dont les journaux s'étaient servis après l'accident qui lui avait coûté la vie, quand il s'était fait renverser par une voiture. La plus imposante de toutes se trouvait face à la porte, le cliché qui avait fait la une le jour de l'Affrontement de Bath Street, jaunissant dans un modeste sous-verre. Le bas de la page découpé avec des ciseaux à cranter puis replié par Moira pour que cela ait l'air plus soigné. Ça agaçait toujours Kenny qu'elle le laisse ainsi.

Tous les quatre se glissèrent sur les bancs de part et d'autre de la table du petit déjeuner : d'abord Kenny, puis Annie, d'abord Malcolm, puis Moira. La table était trop basse pour les jambes de Kenny, il s'y sentait toujours pris au piège. Elle avait été fabriquée pour James, Moira et lui quand les garçons étaient petits. Pas pour un homme adulte.

— Alors ?

Malcolm n'avait toujours pas croisé leur regard. Mains serrées, il se tenait penché vers le centre de la table, occupant tout l'espace, un sourire forcé au visage.

— *Qu'est-ce qui se passe* ? demanda-t-il.

Se relevant, Annie pivota d'un geste fluide et élégant, baissa les yeux vers son bras droit et laissa son manteau lui glisser des épaules pour atterrir dans ses mains, mettant en branle la dynamique de toujours : Malcolm qui la détestait et l'adorait, Moira blessée parce qu'elle savait qu'il avait eu des liaisons avec des filles comme elle, des filles quelconques. Elle était déjà au bord des larmes, prête à subir un nouvel affront de son geôlier. Et Annie, fière, consciente de l'ombre qu'elle venait de jeter, de son impact.

— Malcolm, dit-elle doucement en se rasseyant, je ne sais pas si vous avez entendu, mais Kenny fait de nouveau parler de lui...

— Je suis tout à fait au courant.

Annie encaissa mais continua.

— Ils racontent qu'il a eu une liaison avec une employée du parti, Jill Bowman...

— Je sais.

Malcolm tourna le regard vers Kenny, une moue rageuse aux lèvres mais un sourire dans les yeux.

— McFall est à l'origine de la rumeur. J'aurais dû le laisser s'inscrire, c'est ça ?

Malgré le parrainage et le soutien répété de plusieurs membres de longue date, Malcolm avait bloqué trois fois la demande d'adhésion de McFall au Kintail Golf Club. Une vindicte personnelle. Des propos que McFall aurait tenus à Malcolm et que celui-ci ne pouvait lui pardonner, ça aurait donc pu être n'importe quoi. Garer sa voiture à côté de celle de Malcolm, un modèle plus ancien. Flirter avec une serveuse que Malcolm convoitait. Malcolm soutenait que McFall ne savait pas jouer au golf, que c'était la seule raison. Et voilà qu'à présent, c'était toute la carrière de Kenny qui se trouvait dans la balance, tout ça simplement parce que Buchan était tombé par hasard sur un rival de Malcolm, tout ça à cause d'une animosité née autour d'une adhésion à un club de golf.

— Kenny veut intenter un procès au journal pour diffamation, lâcha Annie. Il programme une conférence de presse aujourd'hui.

Malcolm ne quittait pas son beau-fils des yeux.

— Est-ce sage ? dit-il en baissant la voix, comme pour éviter qu'Annie n'entende. Tu as vraiment l'intention de te pourvoir en justice ?

Kenny contempla sa femme qui étalait son manteau sur ses genoux et en lissait la doublure soyeuse du plat de la main tout en croisant ses jolies jambes.

— Oui, dit-il à Annie. C'est un tissu de mensonges, alors je porte plainte.

Malcolm maugréa, comme s'il riait.

— Et tu comptes financer ça comment ? Par l'aide juridictionnelle ?

— Non, intervint Annie, on n'obtiendra pas l'aide juridictionnelle.

Moira, fière, regarda son fils, les yeux écarquillés.

— Parce que tu gagnes trop ?

— Non, dit Annie, pas de possibilité d'aide juridictionnelle pour la diffamation.

— J'espère que tu n'envisages pas notre soutien, tonna Malcolm. Intenter un procès, ça coûte très cher.

Annie croisa le regard de Kenny, et un bref sourire passa sur ses lèvres. C'était mot pour mot ce que Malcolm avait dit en apprenant la grossesse d'Annie. Désireux de baigner un peu plus longtemps dans l'atmosphère de cet agréable souvenir, Kenny répéta ce qu'il avait dit à l'époque :

— On trouvera un moyen.

— Tant que ta mère et moi ne faisons pas partie de ce « moyen », rétorqua Malcolm.

— Bon, je m'occupe du thé, intervint Moira.

Elle alla remettre la bouilloire en marche sur le plan de travail, versa l'eau dans la théière qui attendait sur un plateau et l'apporta sur la table accompagnée de quatre mugs et d'une assiette dans laquelle elle avait disposé en éventail des biscuits Rocky au caramel. Elle en offrait toujours quand Annie venait, en lieu et place des habituels cookies Extremely Chocolatey Rounds de Marks and Spencer, plus chics. C'en était devenu, en des temps moins sombres, un sujet de plaisanterie entre Annie et Kenny.

Elle avait préféré les mugs aux tasses, des mugs qui ressemblaient néanmoins un peu à des tasses à thé, ornés de fleurs roses à grosses tiges. Celle-ci vint poser le plateau sur la table exiguë et tendit l'assiette de biscuits à Annie. Annie en prit un avec un air faussement ravi.

Moira ne quitta pas Annie des yeux jusqu'à ce qu'elle sorte le biscuit de son sachet et croque dedans. Puis elle hocha la tête d'un air triomphant, avant de leur rappeler à tous qu'elle avait un jour surpris Annie, pourtant au régime à l'époque, en train d'en glisser un au fond de sa poche.

Elle tendit l'assiette à Kenny qui se servit, les yeux sur le visage de sa mère qui s'illuminait toujours quand il mangeait quelque chose. Malcolm en prit deux.

— J'aime bien ces trucs-là, dit-il.

Moira en fut agacée.

— Un pourrait te suffire…

Elle se tut, le regard baissé.

Malcolm ne l'avait frappée qu'une ou deux fois, au début de leur union. «Une autre époque», comme disait Malcolm quand on abordait le sujet de la violence domestique. Moira, enceinte de James, recroquevillée dans la cuisine, un œil au beurre noir qui avait enflé lentement au fil d'une soirée passée devant la télé. Plus jamais ensuite elle n'avait demandé à Malcolm pourquoi il passait son temps au bureau, ou ses week-ends dans un club de golf où elle n'avait pas droit de cité.

Sans relever les yeux, Moira se glissa à sa place en silence.

Maintenant que Moira lui avait suggéré de n'en prendre qu'un, Malcolm n'avait pas d'autre choix que de manger les deux biscuits. Alors qu'il avait déjà la bouche pleine, ils le regardèrent sans un mot déballer le deuxième et le glisser entre ses lèvres, le mâcher puis l'avaler sans plaisir, tout en jetant à sa femme un regard noir.

D'habitude, Kenny prenait un malin plaisir à voir la tension s'installer entre ses parents, surtout en présence d'Annie. Elle ne tolérait pas ce genre de conneries. Leur relation n'avait rien à voir, mais il voyait qu'aujourd'hui ça ne jouait pas en sa faveur. Annie, qui songeait à le quitter, serait peut-être enchantée de ne plus jamais avoir à s'asseoir à cette table, pour regarder Malcolm mettre à mal l'ego de Moira.

— Bon, fit Moira, avec le genre de sourire de martyr qui pousserait n'importe qui à abandonner l'idée même de sourire, pourquoi être venus si vous ne voulez pas d'argent? En quoi peut-on vous aider?

Kenny regarda Annie, attendant qu'elle réponde.

— C'était mon idée, dit Annie. Je veux que Kenny en discute avec vous avant de prendre sa décision finale. Je crois que votre opinion lui serait utile, Malcolm.

— Mon opinion?

Malcolm parut flatté.

— Parce que vous avez un regard extérieur.

Ça sonnait creux. Elle aurait tout aussi bien pu lui dire qu'en tant que coureur de jupons lui-même il savait jusqu'où les hommes de son acabit pouvaient aller sans rien risquer. Kenny lança à sa mère un sourire nerveux, essayant de donner l'impression que lui non plus ne comprenait pas ce qu'elle voulait dire.

Annie se leva.

— Je vais aux toilettes.

Moira se leva aussitôt à son tour, empêchant Annie de passer.

— Je pourrais vous accompagner.

Mais Annie n'y tenait pas.

— Je peux y aller toute seule, Moira. Vous devriez rester..., dit-elle, en tentant de la contourner.

— Non, je viens...

— Je vais aux W.-C., Moira.

Il y avait de l'agressivité dans son ton, elle n'avait pas retenu son accent, affichant au grand jour toutes les voyelles plates des quartiers populaires de Castlemilk.

Moira, qui s'était rassise, suivit des yeux les genoux d'Annie quand elle passa devant elle. Kenny les observait toutes les deux, il savait que Moira en voulait terriblement à Annie de ne pas l'avoir laissée en dehors de l'histoire, de l'avoir amenée là, comme un chat apporte un oiseau mort.

Annie disparut dans le couloir. Tous guettèrent la serrure de la porte des toilettes.

— Elle va te quitter, dit Moira.

Dans la bouche de Kenny, le biscuit se changea en gravier.

Malcolm eut un sourire nerveux.

— Et les enfants ?

— On n'est pas en train de se séparer.

— Pourquoi t'a-t-elle fait venir ici, alors ? fit-il en réfrénant un sourire triomphant. Qu'est-ce que je pourrais bien te dire ?

— Elle respecte ton opinion...

— Non, c'est faux, grogna Malcolm en tournant la tête vers le couloir.

Il se retourna vers Kenny.

— Tu sais pourquoi elle t'a amené ici.

— Ah ! et pourquoi donc, Malcolm ?

Il s'entendait parler comme un adolescent.

— Elle veut t'humilier.

— Elle est furieuse, ajouta Moira.

— Elle est furieuse, c'est vrai.

Kenny avait du mal à mâcher. Le chocolat sur la langue lui faisait l'effet de plumes épaisses.

Autour de la table, tout le monde se tut un instant, le silence seulement rompu par le doux tic-tac de l'horloge murale.

Malcolm les sortit de l'impasse :

— Cette Jill Bowman, qui est-ce ? fit-il en haussant un sourcil.

— Je l'ai à peine rencontrée, répondit Kenny sans pouvoir affronter le regard de son beau-père.

Malcolm eut un sourire narquois.

— Aucun coup bas ne fait peur à McFall, mais ce n'est pas un menteur, tu le sais.

Kenny croqua de nouveau dans son biscuit. Malcolm se mettait à sa place, il faisait toujours ça, mais il n'était pas lui. Kenny valait largement mieux, et l'idée qu'on puisse les confondre le rendait malade.

— Elle est d'où, la fille Bowman ?

— Knightswood, je crois, répondit Kenny qui aussitôt se souvint que s'il l'avait à peine rencontrée, il ne l'aurait probablement pas su. Il sentit qu'il rougissait.

— Quand même mieux que Castlemilk, j'imagine…

— Oh ! pour l'amour de Dieu ! s'exclama Kenny.

Malcolm baissa la voix :

— Je soigne ces gens depuis quarante ans, Kenneth, ces coins, je les connais.

Ces gens. Un autre argument qui n'admettait pas la réplique, une autre chose qui ne devrait pas se dire.

— Bref, lança Kenny joyeusement, oublions-moi. Et vous, vous allez comment ?

Il dévisagea son beau-père d'un regard dur. Malcolm était retraité, si odieux et tyrannique que même ses anciens confrères au cabinet refusaient qu'il assure les remplacements. Personne, dans les clubs ou les sociétés d'histoire, ne le voulait comme bénévole, et même le Kintail Golf Club avait voté une motion pour le relever de ses fonctions au conseil d'administration.

— Tu t'es tapé cette fille ? Tu portes plainte sur la base d'un mensonge ?

— Non.

Malcolm plissa les yeux, songeur.

— J'espère que tu as bien réfléchi à tout ça, Kenneth, en tant que *futur leader potentiel* du parti travailliste.

La remarque était surprenante, Malcolm ne lui reconnaissait jamais aucun mérite.

— J'y ai bien réfléchi…, répondit Kenny avec hésitation.

— Tu ne peux pas gagner. C'est trop coûteux, et il te faudrait prendre une année sabbatique pour arriver à quelque chose. La défaite est inévitable.

— Je suis juste…

Malcolm baissa de nouveau la voix :

— Tu t'en tiens à ça. Les élections sont pour bientôt. Ils s'en sont pris à toi parce que tu es une étoile montante du parti. Jamais tu ne pourrais l'emporter contre eux. Tu dois leur tenir le même discours, avant, pendant et après ta défaite.

Il jeta un regard en direction de la porte des toilettes.

— Et mets la maison au nom d'Annie, si ce n'est déjà fait, ajouta-t-il en souriant.

Un discours de perdant. Un superbe discours de perdant. Kenny rendit son sourire à Malcolm au moment où Annie tirait la chasse.

— La mettre au nom d'Annie ?

Malcolm se leva et traversa la pièce.

— Comme ça, quand tu auras perdu, ils ne pourront pas te la prendre.

La porte des toilettes s'ouvrit, mais Annie resta dans le vestibule, tendant l'oreille. Elle éteignit la lumière, revint et s'assit à la table sans un mot. Ostensiblement, elle prit le biscuit au chocolat, le recouvrit de son emballage et le reposa dans l'assiette.

Moira lui lança un regard interrogateur.

— Je n'ai jamais osé le dire jusqu'ici, dit Annie d'une voix affectée, mais je n'aime pas vraiment les Rocky, Moira.

Moira posa les yeux sur le biscuit entamé.

— Oh ?

Annie lui sourit.

— Je préfère de loin les cookies Extremely Chocolatey de chez Marks and Spencer, vous les avez goûtés ?

Moira secoua vaguement la tête, comme si elle n'avait jamais entendu parler ni de Marks and Spencer, ni de chocolat, ni de cookies.

Annie cligna des yeux lentement.

— Ils sont vraiment délicieux.

— Je n'en doute pas, acquiesça Moira.

Annie souriait à présent. Elle se tourna vers Kenny.

— Alors, vous avez discuté de la plainte?

— Oui?

— Et vous avez décidé quoi?

— On fonce.

Elle se tourna vers Malcolm, qui confirma d'un léger signe de tête courtois. Toute la tension qu'Annie avait accumulée s'envola. Elle sourit à son mari en s'excusant d'un léger haussement de sourcils. Kenny termina son biscuit et lui rendit son sourire.

— La pression a dû être terrible, commenta Malcolm avec un hochement de tête à l'attention de Moira. Et si on vous payait une nounou pour vous permettre de partir en amoureux pour le week-end? Qu'est-ce que vous en dites? Où iriez-vous?

Annie et Kenny échangèrent un sourire. Ils ne pouvaient pas, Andy avait de l'asthme, mais l'idée était sympathique.

— Port Patrick, répondit Kenny. Le restaurant de fruits de mer.

— Et ce petit hôtel sur la falaise? ajouta Annie.

— Avec la presse à pantalon?

Ils se mirent à rire. Le chauffage était en panne lorsqu'ils y avaient séjourné et c'est la presse à pantalon allumée toute la nuit qui avait fait office de radiateur. Ils avaient acheté des décorations pour le sapin de Noël dans une boutique du port, de magnifiques boules en verre avec de petits bateaux à l'intérieur. Seulement trois, ce qui plus tard correspondit à une par enfant, car elles étaient hors de prix. Lorsqu'ils reparlaient de leur séjour aux petits en les accrochant au sapin chaque année, ils prétendaient avoir toujours su qu'ils seraient trois. C'était la première fois qu'ils achetaient quelque chose ensemble.

Soudain dubitative, Annie baissa les yeux.

— Sérieusement, tu vas le faire?

— Oui, lui assura-t-il.

Annie se tourna vers Malcolm :

— Il peut gagner ?

Malcolm haussa les épaules.

— Je n'en sais rien. Mais je vous suggérerais de vous séparer quelque temps, Kenneth peut s'installer ici, dans son ancienne chambre, et vous devriez mettre la maison à ton nom. De cette façon, si vous perdez, vous aurez plus de chance de la conserver. En revanche, si vous gagnez – il sourit chaleureusement –, je pense que vous serez largement récompensés.

Annie parut ravie, autant par le soulagement qu'elle ressentait à l'idée d'une séparation de façade que par la possibilité d'un gros chèque. Par la séparation peut-être plus que par l'argent.

Quand le téléphone de Kenny sonna dans sa poche, il tendit la jambe et le chercha à tâtons, tout en marmonnant des excuses, comme il faisait toujours dans pareil cas. Glissant le long du banc, il se leva et se dirigea vers un coin de la cuisine, sachant qu'ils écouteraient de toute façon.

C'était Peter, son attaché de presse. La voix étouffée, il ne s'embarrassa pas des salutations d'usage.

— Meehan, du *News,* a appelé pour recueillir une réaction. Et la section locale demande qu'on se réunisse d'urgence à huis clos. Ils sortent tous du boulot maintenant. Putain, Kenny, qu'est-ce que tu es allé raconter à Meehan ?

— Je porte plainte.

— Tu quoi ?

Gallagher, honteux, lutta pour ne pas rentrer la tête dans les épaules.

— Je serai là dans une heure.

Et il raccrocha.

— Ils vont creuser dans toutes les directions, sortir tout ce qu'ils pourront, disait Malcolm à Annie. Tu es prête à endurer ça ?

Une réunion en urgence. Les luttes intestines et les schismes avaient eu raison d'une bonne partie de la base militante, ne restaient plus que des syndicalistes retraités, des lesbiennes et des rombières en mal d'amour.

— Kenneth ! Et toi, tu es prêt ?

142

— Oui! fit-il, tiré de sa réflexion dans un sursaut.

— Si tu as fait quoi que ce soit avec l'une ou l'autre de ces filles, le prévint Malcolm les yeux brillants, si tu as eu la main baladeuse à Noël parce que tu avais un coup dans l'aile…

Moira s'étrangla et regarda ailleurs.

— Moira, pour l'amour du ciel, n'écoute pas si ça te pose un problème! Ce que je suis en train de te dire, Kenneth, c'est que tu as sacrément intérêt à être prêt.

— Je suis prêt, Malcolm.

Annie croisa les jambes.

— Moira, nous allons entendre pire.

Moira se tourna vers Annie avec un sourire brusque.

— Tout le monde sait la classe que vous avez, Moira. Gardez la tête haute, c'est tout.

Moira approuva. Elle sourit, posa les yeux sur l'ample poitrine d'Annie et sourit plus franchement encore.

Annie ne releva pas l'insulte.

— Ça va peut-être marcher, Kenny. Très bien marcher.

Tout le monde souriait. Tout le monde était heureux. Annie allait s'éloigner. Malcolm viendrait à la barre, jouerait les pères en colère, et aurait droit à sa photo dans les journaux.

Kenny Gallagher – Gallagher le Vaillant, élu Écossais de l'année deux ans d'affilée – leur sourit en retour.

11

Morrow regarda son frère faire son entrée dans le café tel un candidat en lice pour la mairie, saluant des clients d'un geste, serrant des deux mains celle du patron. Il adressa à Alex un signe de tête tout en échangeant des plaisanteries avec la patronne.

Danny avait suggéré cet endroit comme point de rendez-vous parce qu'il voulait qu'elle le voie ainsi : populaire, accepté, dans son élément. Le propriétaire du café le regardait en souriant, plein d'une légère admiration mêlée de respect. Morrow savait que Danny détenait des parts dans son affaire et lui avait consenti un prêt. Le patron ne l'appréciait pas, il lui était redevable. Danny, cependant, ne voyait peut-être pas la différence.

C'était plutôt positif, en un sens, qu'il tienne à s'afficher devant elle comme un type bien plutôt qu'au volant d'une grosse voiture et entouré de tous les attributs de la richesse. Ce n'était probablement pas rien non plus qu'il soit venu seul, ou presque. Morrow apercevait la silhouette d'un homme au volant de l'imposante berline le long du trottoir d'en face, mais Danny avait demandé au type d'attendre là-bas.

Le café brassait beaucoup d'argent liquide, un commerce idéal pour blanchir les sommes d'argent colossales que Danny et ses associés brassaient quotidiennement. En Écosse, le trafic de stupéfiants générait plus d'un milliard de livres par an. Elle avait même entendu mentionner le chiffre de quatre milliards, mais de la part d'une source peu fiable, car à l'affût de financement. Quel que soit le chiffre exact, c'était une indication que les commerces où l'on payait en liquide passaient sous le contrôle des dealers. Coiffeurs, instituts de bronzage, ongleries, cafés, pubs…, soit on rachetait ceux qui existaient, soit on en ouvrait de nouveaux afin de fournir des sources crédibles au raz-de-marée d'argent sale. Dans certaines rues, des instituts de bronzage succédaient aux instituts de bronzage pour justifier des revenus de toute une flopée de gens. Selon certaines informations parvenues aux oreilles de Morrow, les gangs étaient présents même dans les crèches : cinquante enfants fantômes gardés à plein temps, dont les parents réglaient tous en espèces.

Danny se tourna vers elle sans lâcher la main du patron et ils échangèrent un sourire. Malgré tout ce qui les séparait, Danny et Alex s'étaient toujours appréciés.

Ils se ressemblaient : tous les deux grands, les mêmes cheveux blonds, les mêmes fossettes profondes. Ils partageaient aussi le même tempérament taiseux. Danny, en revanche, avait été élevé par une mère alcoolique, avec une descente de championne, qui collectionnait les aventures d'un soir avec les sales types. Par comparaison, avec ses trois repas chauds par jour, le centre de détention pour délinquants juvéniles de Polmont était presque Disneyland. Danny avait raconté à Alex qu'il y avait même apprécié d'être enfermé la nuit à double tour, car au moins personne ne pouvait venir le frapper. Âgé de dix-sept ans à l'époque, il était déjà une star aux yeux des voyous et père d'un fils de trois ans, prénommé JJ.

Morrow et Danny avaient gardé leurs distances jusqu'au jour où JJ avait été envoyé en taule pour un viol brutal. Appelée à témoigner sur l'histoire familiale du garçon, Morrow s'était alors rendu compte à quel point leurs vies étaient liées, en profondeur. Elle avait rejoint la police parce que Danny était un voyou, épousé Brian parce qu'il était brun, calme et doux. Son existence était toujours le miroir de celle de Danny. Sa vie durant, elle avait enduré les colères de sa mère et tenait à offrir mieux à ses fils. Mieux qu'une vie comme la sienne, minée par la rancœur.

Elle se leva pour accueillir Danny qui avançait vers elle, se frayant un chemin dans la pagaille qui régnait dans le petit café. Plantant

146

son regard dans les yeux de sa sœur, Danny posa la main sur le haut de son bras, un geste rare de sa part, infiniment tendre.

— Laisse-moi te commander un café, dit-il en se tournant vers le patron qui attendait avec empressement, menton pointé vers eux, lèvres entrouvertes.

— Un *café latte* pour moi, Malik, et… (il se tourna vers Morrow) *latte* aussi ?

— *Aye*, confirma-t-elle en souriant.

Il se retourna pour compléter la commande. Dans le temps, les cafés *latte* s'appelaient cafés au lait, mais Danny tenait à lui montrer qu'il savait ce qu'était un *latte*, qu'il possédait un vernis de raffinement, qu'il n'était plus la lie de la société. Elle trouvait positif qu'il tienne autant à l'impressionner.

Il se tourna et s'assit à côté d'elle, sans trop la coller, sur la banquette basse en skaï.

— Comment tu vas ?

— Bien, Dan, et toi ?

— Pas mal, je m'occupe. Et les garçons ?

— Super, tous les deux. Brian aussi.

— T'as l'air vannée.

— Je dois dormir cinq heures par nuit.

— C'est bon signe alors, non ?

— *Aye*, fit-elle dans un sourire. Ouais, c'est bon signe, oui. Et Crystyl, comment elle va ?

— Oh !

Ses traits s'assombrirent.

— Ce n'est pas une femme heureuse. Elle court après le fric, elle n'en a jamais assez.

Pour se venger de leur séparation, son ex-compagne le saignait à blanc. Morrow se doutait qu'elle laissait implicitement planer la menace de le traîner devant les tribunaux, et Danny ne pouvait pas se permettre d'attirer l'attention sur ses revenus. Ils finiraient par trouver un terrain d'entente. Crystyl avait de quoi le menacer, mais Danny était en lui-même une menace.

— Elle s'en sortira.

Il secoua la tête comme s'il n'y croyait pas.

147

— Et JJ ?

— Il fait n'importe quoi et il est le premier à en pâtir. Il refuse de me parler. Il a changé son nom de famille.

— Il s'appelle comment, maintenant ?

— Comme sa mère, dit-il en regardant Morrow.

Ils baissèrent le regard vers la table, le sourire aux lèvres, tandis que la machine à café faisait mousser le lait avec des cris perçants. La mère de JJ était givrée. C'était donc sans doute dans l'ordre des choses.

— *Aye*, dit-il quand le silence revint. Elle n'a jamais eu sa chance, cette fille.

Une remarque d'autant plus attentionnée que Crystyl ne s'était jamais montrée très aimable à son égard. Morrow changea de sujet :

— Tu pourras venir au baptême des garçons, alors ?

Il lui décocha un large sourire.

— Je me suis payé un kilt et tout et tout.

— Oh ! fit-elle en fronçant les sourcils. Les kilts, ce n'est pas plutôt pour les mariages ?

— Tu peux aussi les porter pour les baptêmes, rétorqua-t-il dans un grognement, sur la défensive.

— Pas de souci, c'est parfait, dit-elle en tendant la main vers lui. Il est comment, le tartan que tu as choisi ?

Il hocha la tête.

— En cuir noir.

Morrow approuva d'un signe, tout en prenant mentalement note de prévenir Brian afin de lui éviter de gaffer.

Malik arriva avec les cafés sur un plateau et une assiette débordant de biscuits. Des biscuits emballés dans des petits sachets individuels, destinés généralement à être déposés dans la sous-tasse à côté du café. L'assiette était si pleine que les gâteaux s'étalèrent sur la table.

— Tenez, Danny, je sais que vous les aimez.

— Merci beaucoup, Malik, mon vieux. Je les aime, c'est clair !

D'un regard, il fit signe à Morrow de se servir. Il lui faisait cadeau du cadeau. Devant la manière qu'il avait de trouver normale la déférence qu'on lui témoignait, Alex songea à Rita Lyons ; c'était comme pour eux, voir les gens anticiper leurs désirs coulait de source.

Morrow n'avait pas envie de voir ça en lui. Ils burent leur café et grignotèrent les biscuits tout en évoquant les détails du baptême, prévu dans quelques semaines, après Noël.

Danny embraya ensuite sur des gens qu'ils connaissaient dans leur jeunesse, leurs camarades d'école, Lan et Brody, ceux qui venaient d'avoir des enfants, ceux qui étaient malades, mais des relations en commun, ils en avaient d'autres. Il y en avait tout un tas qu'ils ne pouvaient pas évoquer : les flics qui avaient serré Danny, les amis de Danny sur lesquels elle avait enquêté, des connaissances communes assassinées ou mortes d'une overdose. Ils contournaient les écueils avec précaution.

L'ombre de Francesca planait toujours sur son humeur. Morrow commença à avoir l'impression qu'elle essayait de garder ses pieds au sec dans un marais. Elle se rendit compte qu'elle n'avait rien à faire ici, que sa présence était une fiction. Danny était égoïste, rapace, vindicatif, et rien ne pouvait raisonnablement justifier qu'elle soit là avec lui, dans ce café où il blanchissait les billets de cinq et de dix livres que versaient les plus démunis, des billets qui auraient dû nourrir leurs enfants et payer l'électricité.

Et le pauvre patron de café qui les regardait toujours, obséquieux, cherchant un besoin qu'il pourrait anticiper. Un type peut-être bientôt ruiné, bientôt SDF, en sursis grâce aux largesses de Daniel McGrath. Il les regardait avec un sourire presque naturel, heureux d'avoir repéré un penny sous la langue d'un lion.

Cependant, ce n'était pas pour elle qu'Alex était là, mais pour ses fils. Après le baptême, elle pourrait espacer de plus en plus les rendez-vous, laisser Danny s'éloigner peu à peu. Ce qu'elle voulait, c'était que ses fils connaissent leurs racines, que Danny soit à leurs yeux un ancêtre digne d'intérêt, pour ne pas perpétuer ce sentiment de honte qu'elle ressentait. Elle était là pour lui demander de bien vouloir être leur parrain. Dans sa tête, c'était un compliment qui n'avait pas grande valeur, mais il restait pourtant coincé au fond de sa gorge.

Elle avait pu devenir mère de nouveau et elle n'en revenait pas du courage qu'elle en tirait. Afin d'éviter que les jumeaux ne grandissent avec la même honte que la sienne, elle avait sollicité un entretien formel avec son délégué syndical et ses chefs un mois avant leur naissance. L'entretien où elle avait avoué son lien de parenté avec Danny McGrath, son demi-frère.

Danny McGrath était un assez gros poisson pour que ça déclenche une enquête sur l'ensemble de sa carrière. Ils devaient vérifier qu'elle n'avait pas essayé de cacher quelque chose en omettant ce détail lors de son embauche. Ils n'étaient pas en contact à l'époque (Danny était en prison), et elle le croyait disparu pour de bon en Espagne. Il fallait qu'ils s'assurent que leur relation n'avait jamais affecté ses décisions professionnelles.

Trois mois plus tard, ils n'avaient rien trouvé. Jamais personne n'avait fait l'objet d'une enquête aussi approfondie, et elle en était ressortie comme la plus honnête des inspectrices de Glasgow. Son passé ne lui faisait plus honte désormais.

Elle assumait de l'avoir pour frère. Ils avaient donné son prénom au plus jeune des jumeaux. Danny en avait eu l'air touché. Il commençait à présent à s'impliquer dans des affaires plus honnêtes, il était propriétaire d'une résidence pour étudiants et de plusieurs pubs. Comme tout le monde, Morrow avait cru que ces pubs ne représentaient qu'un maillon dans la chaîne de blanchiment d'argent sale. Les gens comme Danny ne pouvaient pas investir dans ce genre de commerce sans attirer les soupçons, mais l'enquête n'avait rien donné.

Danny lui parlait d'un enfant de leur classe qui louchait et qui était devenu grand-père une semaine plus tôt.

— Un garçon, précisa-t-il.

— Quel âge a-t-elle, la fille? Quinze?

— Treize.

— Mon Dieu, et elle le garde?

Danny soupira d'indignation.

— *Aye*, tant qu'ils ne le lui retirent pas…

Ils détournèrent tous les deux le regard, chacun campé de son côté de ce «ils». Puis Danny commença à lui raconter une affaire de maltraitance, une mère de famille d'accueil qui battait les enfants placés chez elle.

C'était un mensonge stupide et grossier : mauvais postulat de départ, personnages sans épaisseur. Le genre d'histoire dont raffolaient les parents indignes, qui leur servait d'alibi pour s'en prendre aux services sociaux venus leur retirer la garde de leurs enfants. Mais ce qu'un flic entendait dans ces propos, c'était surtout que Danny risquait de se voir retirer ses enfants et ne faisait pas confiance aux autorités. Morrow le laissa dire. Comme elle l'observait, elle le vit se rendre compte de l'image qu'il projetait et hésiter à poursuivre. Son débit de voix ralentit, la honte voila un instant son regard, remplacée aussitôt par la colère de voir son hypocrisie démasquée.

Il changea de conversation.

— J'arrive pas obtenir une licence de taxi.

— À cause de ton casier?

— *Aye.*

Simple constat, il n'avait pas l'air de vouloir qu'elle intervienne. Danny n'avait pas l'habitude des gens qui n'attendaient rien de lui. Il parlait rarement d'égal à égal avec quelqu'un, ça se voyait. Elle se demanda pourquoi il était venu. Peut-être qu'il voulait qu'on sache que sa sœur était flic; mais elle n'était pas le genre de flic dont on doutait de l'intégrité. Ses supérieurs le savaient. Les hommes de Danny aussi. C'était dur pour lui. Maintenant qu'il leur arrivait de mener de vraies conversations, qu'ils ne s'en tenaient plus à «papa est mort» ou à «mon fils a besoin d'un témoin», elle le découvrait mal à l'aise, dépassé.

— Danny, je veux juste que mes fils sachent d'où je viens, dit-elle avec franchise. Mais toi, pourquoi tu voulais me voir?

Danny jeta un regard vers le patron du café, qui lui fit signe en souriant comme un enfant fait signe à sa mère sur un manège.

— Je vieillis, répondit-il simplement. Il faut que j'apprenne à parler aux gens.

Il regarda le patron leur faire de grands gestes. Un autre café? Pas de problème, il pouvait s'en charger, il voulait s'en charger. Danny l'ignora et se tourna vers elle.

— Je ne veux pas que ma vie se résume à ça.

Elle savait ce qu'il voulait dire. Peut-être qu'il y avait tous les jours des Francesca dans sa vie. Peut-être qu'il méritait mieux.

— Et donc tu te fais la main sur moi, c'est ça?

151

Il fit un large sourire.

— En quelque sorte.

— Pas évident pour toi, ça se voit.

Tous les deux tressaillirent. Trop personnel, trop intime, trop de pression sur le barrage.

Danny hésita puis planta son regard dans le sien, esquissant un sourire triste.

— C'était plus facile avant ? murmura-t-il.

Elle ne se souvenait plus.

— Un peu. Et toi, tu en penses quoi ?

— À cause de ça. (Il laissa son doigt aller de l'un à l'autre, puis cilla et détourna le regard.) Je laisse tout tomber.

Il battit furieusement des paupières, mais ses yeux restèrent secs. Il se frotta les mains, comme par regret.

— Ta gentillesse, ta sincérité… tu m'as fait voir les choses différemment, Alex, vraiment.

Elle se demanda en l'observant comment un aussi mauvais menteur avait bien pu réussir. Il scruta son visage pour voir si son discours avait fait mouche. Alex baissa les paupières à son tour.

Le temps qu'elle rouvre les yeux, Danny s'était tourné vers la porte. Son chauffeur se tenait dans l'encadrement. Un voyou grand et efflanqué au crâne rasé, la mine patibulaire. Il parcourait la salle du regard, les yeux écarquillés, à la recherche de son patron. Il repéra Danny, croisa son regard et leva un sourcil, puis salua de la tête quand il vit qu'on l'avait remarqué et fit volte-face pour retourner à l'Audi A3. Tous les gangsters possédaient les mêmes voitures parce que quelqu'un au service financier de la ville n'encaissait pas les chèques de confiscation de l'argent sale. Elle envisagea une seconde de taquiner Danny mais se retint.

— Il faut que je file, dit Danny en se levant, sans remarquer que quelque chose en elle avait changé. J'achète un appartement à Crystyl et je dois passer voir le géomètre.

Un autre mensonge. Morrow savait que Crystyl occupait un logement dont Danny était propriétaire via l'une de ses sociétés. Elle y avait déménagé toutes ses affaires une dizaine de jours auparavant, avait passé une petite annonce pour la pose d'extensions de cheveux en indiquant cette adresse et n'avait nullement l'intention de déménager. Il la prit de court en disant :

— T'es sur ce truc du bureau de poste ?

Il pointait le menton vers la rue, en direction de l'endroit où avait eu lieu le braquage. Cela n'avait rien de bien inquiétant, tout le monde était au courant. Tous les journaux en parlaient. Sans attendre une réponse, il ajouta :

— Il était mouillé dans des trucs, ce Brendan Lyons.

— Tu l'as rencontré ?

Ce n'était pas ce qu'elle sous-entendait, mais il prit la question pour une accusation. Debout maintenant, il mit fin à la conversation d'un signe de tête.

— Bon, ben à bientôt.

Il salua le patron de loin en sortant, sans grand respect vu la considération que celui-ci lui portait.

Morrow attendit que sa voiture s'éloigne avant de partir à son tour, se rendant compte une fois dans la rue qu'elle ne lui avait pas demandé s'il voulait bien être parrain. Elle en fut soulagée.

12

Morrow et Harris se rendaient chez Pavel, au cœur du quartier huppé de Kelvinside, quand l'appel leur parvint : Georgie Mac était un pseudonyme connu de George MacLish, de Greenock. La piste semblait prometteuse : il avait un casier long comme le bras, principalement pour des faits de violence, et sa stature comme sa carrure correspondaient à la description du braqueur du bureau de poste. Il devait pointer chez son contrôleur judiciaire dans l'après-midi. Deux flics d'une brigade voisine étaient en route pour aller le cueillir à Greenock et le ramener en vue d'un interrogatoire.

Greenock, aux environs d'Ayr, un accent de là-bas, avait dit Pavel. L'accent n'était pas si précis, pas à ses oreilles, mais peut-être l'était-il pour un étranger. Elle trouvait étrange que Pavel soit si calé, comme s'il les observait dans une boîte de Petri, avec le détachement d'un psychopathe.

Elle raccrocha.

— On risque d'être rentrés chez nous pour le thé, ce soir. On aura peut-être même notre journée de Noël.

Harris, avide d'heures sup, ne cacha pas sa déception. Il avait quatre gosses. Il fit claquer sa langue contre son palais.

— J'ai toujours l'odeur de ces fauteuils dans le nez. Comme si je l'avais gobée et qu'elle était restée coincée dans ma bouche.

— Dur de s'en débarrasser, hein ?

Morrow regardait défiler les belles villas de l'autre côté de la vitre.

— De l'odeur ?

— De tout.

Il laissa passer une minute.

— Cette histoire selon laquelle sa mère était une bonne mère, c'est des conneries, vous savez. Tout ça serait sans doute arrivé de toute façon.

La pluie qui tambourinait sur le pare-brise assourdissait la voix de Morrow.

— Plus envie de côtoyer tout ça. Pas envie que mes enfants côtoient tout ça.

— Dans ce cas, soupira-t-il, mieux vaudrait un transfert dans un bureau, comme formatrice par exemple. Des horaires réguliers, en tout cas.

— Ouais.

Ces postes, pour elle, c'était de la blague, et elle savait qu'il partageait son opinion. Des rôles de gratte-papier, pas vraiment grand-chose à voir avec le maintien de l'ordre, mais manifestement de plus en plus nombreux. Des gens que les vrais flics, comme eux, avaient l'impression de porter à bout de bras.

— Ça se comprendrait, vous savez, dit-il, avec les gosses.

— Ouais, marmonna-t-elle, le regard tourné vers la vitre, ça se comprendrait.

Elle repensa à Danny. Selon lui, Brendan Lyons était dans le coup. Elle avait beau ne le croire qu'à moitié, l'espace d'un instant elle se demanda si un jour viendrait où elle pourrait vraiment lui faire confiance.

Au fin fond du West End, un magnifique quartier résidentiel, ils longeaient des maisons de ville de style néoclassique à l'allure sobre et des manoirs pompeux, tous magnifiques, tous en grès et tous ensemble.

Mais il ne s'agissait plus d'habitations individuelles. Depuis que les bâtiments avaient été scindés en plusieurs lots, les salles de bal grandioses étaient devenues les salons d'appartements avec cuisine américaine, presque impossibles à chauffer. Bibliothèques et salons de musique avaient été convertis en logements, les chambres de bonne sous les toits en studios chics mais exigus. Toutes les strates sociales et la hiérarchie ayant cours dans les manoirs étaient parties en poussière, comme si la fin d'une tragédie sonnait le début d'une farce.

Harris prit à droite à hauteur d'un feu, gravit une colline en pente raide et s'engagea sur la gauche dans la rue de Martin Pavel.

Ici, les manoirs semblaient intacts. Les portes d'entrée majestueuses, bordées de vieux buissons d'hortensia, n'avaient qu'une seule sonnette.

Morrow était surprise. Avec son crâne rasé et tous ses tatouages, Pavel ressemblait à un petit voyou étranger sans envergure. Depuis qu'ils avaient appris qu'il n'était pas inscrit à l'université, elle s'était dit que l'accent approximatif et les allusions aux États-Unis étaient un immense bobard, qu'il avait hérité son accent d'une vie de famille chaotique, beaux-pères, placements en famille d'accueil et déménagements à la cloche de bois.

— Réinsertion, commenta Harris qui, contemplant les maisons, pensait la même chose qu'elle. Je parie qu'il est dans un centre de réinsertion.

Morrow réfléchissait.

— Vous croyez?

— Ouais, liberté conditionnelle sans doute.

— Ici, tout de même?

Il scrutait les vastes demeures.

— Un centre privé?

— Ils coûtent cher, non?

— Ils prennent tous quelques pauvres à titre gratuit, non? Même s'ils sont plutôt sélects?

Morrow ne savait que répondre. Elle ne pouvait pas imaginer les voisins tolérant un tel endroit dans le quartier.

— Et la FUV? S'il s'agit d'activistes anti-avortement venus d'Amérique, ils ont peut-être pas mal d'argent, non? Peut-être qu'ils financent son séjour, pour lancer un truc ici.

— Comme une église ou quelque chose comme ça?

Elle haussa les épaules. Ça paraissait peu plausible.

— Peut-être que c'est un centre de désintox...

Sortant de voiture, elle claqua sa portière et attendit qu'Harris ait fait de même.

Mais une désintox pour quoi?

— Pas la drogue.

Harris avait raison : Pavel était musclé et avait l'air en bonne santé.

— Le jeu ? suggéra Morrow en levant vers Harris un regard innocent. Harris esquiva son regard, on disait de lui que c'était un parieur.

— Peut-être le sexe ? suggéra-t-il aussitôt.

Ils grimacèrent. Cela leur rappelait à tous les deux un autre délinquant. Un jeune homme issu de la classe moyenne, beau gosse, qui avait tout pour réussir. Un policier qui n'était pas en service l'avait surpris en train d'enculer un chien derrière un arrêt de bus. Ça aurait dû être drôle, mais ça ne l'était pas. Muet de honte quand ils l'avaient interpellé, il s'était mis à hurler à la lune comme une âme damnée, une fois seul en cellule.

Elle haussa les épaules afin de chasser le souvenir.

— Quel numéro a donné Pavel ?

Harris vérifia dans son carnet.

— Le 36.

Ils cherchèrent les plaques. Les numéros impairs se trouvaient du côté le plus haut de la rue, séparés des numéros pairs par une rocaille.

— Ça devrait être par là.

Sourcils froncés, Harris scruta la rue en courbe.

— On doit vraiment lui parler ?

— Il y a juste un truc qui me chiffonne.

Elle l'avait tourné et retourné dans sa tête toute la journée : si Brendan Lyons, le tireur et Pavel étaient impliqués dans une étrange arnaque à l'assurance, Pavel serait le seul susceptible de parler. Il n'était ni mort ni coupable de meurtre. Il n'avait fait que donner un petit coup de main.

Le numéro 36 n'avait rien de fonctionnel ou d'institutionnel. Ils gravirent une volée de marches creusée dans la rocaille et traversèrent la route. Le 36 avait une unique cloche en cuivre, des fenêtres bien tenues et un petit jardin en façade bordé d'une haie taillée d'une soixantaine de centimètres d'épaisseur qui séparait la propriété de la rue.

Il y avait, d'un côté de la porte d'entrée, une grande fenêtre en saillie et, de l'autre, une fenêtre plane tout aussi gigantesque. Les rideaux des deux étaient ouverts.

Ils frappèrent à la porte – un panneau de verre orné d'une urne grecque – et attendirent un instant avant d'aller couler un regard à l'intérieur par la fenêtre en saillie.

C'était une pièce immense, meublée d'un ensemble de salon impeccable recouvert de soie rayée jaune : un canapé juché sur quatre pieds délicats et deux fauteuils assortis, davantage conçus pour s'y tenir droit que pour s'y affaler. Pas de télé, pas de Xbox ni de PlayStation. Pas de tasse abandonnée sur le plateau blanc de la table basse. Nul effet personnel d'aucune sorte.

Ils se glissèrent discrètement jusqu'à l'autre fenêtre. Une salle à manger, avec des chaises aux dossiers minutieusement sculptés posées sur un gigantesque tapis bleu et rouge aux couleurs criardes. D'autres, à accoudoirs, aux dossiers en bois plein, disposées aux quatre coins de la pièce, tournées vers la table vide.

— Ce n'est pas chez lui, trancha Harris.

Morrow voyait ce qu'il voulait dire. Même si Pavel habitait là, la maison appartenait à quelqu'un d'autre.

Harris montra du doigt une grande poupée en porcelaine à robe rose assise sur l'une des chaises, ses petites mains raides posées sur les accoudoirs.

— Seigneur, on a peut-être affaire à un tueur en série !

Morrow revint à la porte d'entrée et, cette fois, appuya sur la sonnette. Une sonnerie retentissante résonna dans le vestibule.

Ils attendirent, les yeux sur la porte. Rien. Pas de bruits de pas traînants à l'intérieur, pas de mouvement derrière le verre dépoli.

Morrow contemplait une maison d'en face, dotée sur un côté d'une immense véranda de style victorien. Des voilages aux fenêtres empêchaient de voir l'intérieur depuis la rue. Rien de très sympathique. Elle se sentit plutôt contente de sa petite maison, une honnête maison jumelée des années trente, fonctionnelle.

Harris haussa les sourcils d'un air interrogateur. Morrow désigna la rue d'un hochement de tête.

— Les voisins…

La villa voisine était équipée d'un visiophone. Celle-ci avait l'air plus accueillant, moins guindé : on avait disposé des coussins sur une banquette construite le long de la fenêtre en saillie. Un livre était ouvert sur une table, et le lambris sombre sur les murs venait contrebalancer l'immensité de la pièce.

Une voix tremblotante se fit entendre dans l'interphone.

— Qui est là ?

— Police du Strathclyde.

Le fracas maladroit d'un combiné qu'on raccrochait à la va-vite suivi de bruits de pas dans le vestibule. Un vieil homme mince en tablier à fleurs qu'il portait par-dessus une chemise et une cravate, entrebâilla la porte. Il semblait en colère.

— Qu'y a-t-il ?

Ils se présentèrent, produisirent leur insigne sans qu'il lâche la porte, les dévisageant par l'entrebâillement.

— Un cambriolage a-t-il été commis ?

Il s'exprimait dans un anglais châtié.

— Non, nous cherchons votre voisin. Il habite au numéro 36, juste à côté.

— Je ne les connais pas.

— Pourriez-vous nous dire qui vit là ?

— Je ne les connais pas.

Il commençait à perdre patience, pressé de retourner à la tâche dont on l'avait tiré. Pour le calmer, Morrow parla moins vite.

— Je vois. Je suis navrée de vous déranger, mais nous avons besoin de savoir : vous savez qui habite là ?

Entrebâillant la porte un peu plus, il jeta un coup d'œil au numéro 36.

— Oui.

— Monsieur, pourriez-vous m'en faire une description ? Navrée de vous importuner.

Il apprécia le « monsieur » et les excuses, se radoucit un petit peu.

— James Cardigan et sa femme. Elle souffre d'un cancer. Ils sont partis pour Houston pour la faire soigner. Il est grand…

— Ils sont donc absents en ce moment ?

— Non. Ils ont loué. À un homme couvert de tatouages. J'ai d'abord cru qu'il était marin, mais ce n'est pas le cas. Il est très étrange.

— Pourquoi le preniez-vous pour un marin ? s'enquit Harris.

— Parce qu'il est couvert de tatouages, répondit-il, comme si la réponse coulait de source.

— Et en quoi est-il étrange ?

— Eh bien, il est couvert de tatouages, sans être marin.

— Je vois. Est-il grand ?

— Un mètre quatre-vingts ?

Il abordait à présent les questions comme s'il s'agissait d'un test, scrutant le visage de Morrow pour voir comment il s'en sortait.

— Quel âge a-t-il ? Je pose cette question simplement pour m'assurer que nous sommes bien à la bonne adresse.

— La petite vingtaine ? Il court beaucoup. Il pratique le jogging.

— Et il vit seul ici, n'est-ce pas ?

— Pas exactement. J'ai vu cinq personnes, plus vieilles, tous des Américains, entrer et sortir. Pas de tatouages cependant.

— Ils vivent là ?

— Je dirais qu'ils sont en visite. Tous vêtus à l'identique.

— Que voulez-vous dire ?

— Vous savez, comme des Américains. Décontractés. En pantalons de toile.

— Cinq, vous dites ?

— Deux hommes, deux femmes, tous à peu près du même âge. Et un autre homme. Portant un blazer.

Elle croisa le regard de Harris, tous les deux songeaient à la même chose : un comité religieux.

— Deux couples et un autre homme, donc ?

— Non, plutôt quatre personnes et leur supérieur. Les quatre sont tous vêtus de la même façon : pantalons de toile, chemises, tous dans les mêmes tons. Pastel. Ils transportent également chaque fois beaucoup de bagages. Vraiment beaucoup.

— Ils viennent donc de loin, à votre avis ?

— Non, plus de bagages que ça. Comme s'ils déplaçaient des choses. Ils ont des malles de voyage, une chacun.

— Des… ?

— Des malles de voyage, des sortes de coffres aux coins en cuir. (Il plissa le nez.) Nouveaux, pas commodes.

Morrow eut un doute : faisait-il référence aux malles ou aux gens ?

13

Tamsin Leonard frappa à la porte puis recula d'un pas et leva la tête. Elle s'était figuré une maison un brin menaçante, mal tenue, mais ce n'était pas le cas : les vitres étaient propres, les rideaux coquets. Le nom de Wilder figurait sur la porte, c'était donc bien sans l'ombre d'un doute la maison de la famille. À la vue des petits buissons bien taillés en bordure du jardin, des interstices entre les dalles qui avaient été désherbés, il monta dans son estime.

Quand elle frappa de nouveau, elle surprit à l'étage le léger tremblement d'un rideau, comme un signal à un amant. Sortant son téléphone portable, elle l'appela : s'ils posaient la question, elle dirait qu'elle avait voulu savoir s'il se sentait de nouveau patraque.

À l'intérieur, quelqu'un dévala lourdement l'escalier. Elle l'entendit en même temps à travers la porte et dans son téléphone :

— Allô ?

— Wilder, tu veux bien m'ouvrir ?

Il raccrocha, hésita, puis ouvrit.

Il s'était changé, vêtu à présent d'un T-shirt et d'un jean beiges. Ses cheveux châtain clair étaient ternes, son visage plus ou moins de la même teinte crémeuse. Il n'avait pas bonne mine.

— Salut, dit-il froidement, sans l'inviter à entrer.

— Tu as donné mon numéro à quelqu'un ?

— Non.

— Ce matin, tu n'as pas reçu un texto ?

— Quand j'étais à mon casier…

— C'est pour ça que tu es parti ?

— *Aye*. (Il se laissa glisser le long du mur.) Je ne pouvais pas affronter…

Il ne termina pas sa phrase. Il fixait le sol, clignant nerveusement des paupières.

— Qui te l'a envoyé ?

Il secoua la tête.

— Un numéro masqué. C'était Boyle.

Tamsin se pencha vers lui.

— D'où il tient mon numéro ? J'en ai changé il y a à peine trois semaines et je peux compter sur les doigts d'une main les gens qui connaissent le nouveau.

— Ben, moi je l'ai.

— Je sais.

Elle s'efforçait de maîtriser l'agressivité dans sa voix, mais il sentit le sous-entendu.

— Je ne le lui ai pas donné. Il est dans ton dossier RH ?

— Le boulot n'a pas ce numéro. Ils ont mon numéro de fixe.

Wilder n'y avait pas songé. Il ouvrit la porte.

— Entre.

En entrant, Leonard trouva la maison aussi terne que ses vêtements : murs blancs tirant sur le rose pâle, un vase garni d'une fleur artificielle posé sur un petit guéridon dans le vestibule. Des lithographies sur les murs. Il la conduisit dans une petite cuisine carrée et resta debout, les bras ballants. Elle sentait qu'il n'était pas habitué à recevoir de la visite. Un mug sale « Super Papa » était posé dans l'évier.

Wilder suivit le regard de Tamsin.

— Désolé pour le désordre.

Elle leva la tête et scruta son visage à la recherche de sarcasme. Mais il n'y en avait pas.

— C'est un coup monté ?

Il la regarda, affolé.

— Boyle ? Il a fait tout ça pour la photo ?

— Et si on n'était pas les seuls ? S'ils visaient les agents de notre division ? murmura-t-elle.

— Qu'est-ce qui te fait dire une chose pareille ?

164

— Barrowfield. Ils ont dû obtenir mon numéro par ton téléphone, quelqu'un au boulot a fouillé dans ton téléphone.

Il réfléchit à la remarque. L'enquête Barrowfield avait pour objectif de faire tomber tout un réseau de distribution de stupéfiants, et de les mener suffisamment haut dans la chaîne alimentaire pour y inclure Benny Mullen, un homme recherché par Interpol, ainsi que par les polices française et hollandaise. Dans un premier temps, tous avaient été surpris qu'aucun service ne s'empare du dossier pour se faire mousser, mais quatre longs mois plus tard, cela n'avait plus rien de surprenant : personne ne voulait témoigner contre Mullen. L'enquête, gourmande en personnel, représentait au pire une petite épine dans son pied. Qui lui imposait de changer sans cesse de téléphone.

— Ce n'était pas un peu trop facile ? dit-elle. On l'intercepte, on lui demande de se ranger, on lui prend son téléphone et hop, le numéro ?

Wilder acquiesça du menton.

— Un appât.

— Ouais, un appât. On l'a envoyé nous cueillir. Et pourquoi nous ? On est qui, nous ? Personne d'important. De simples flics, c'est tout, qui d'autre ils pourraient viser ? Réfléchis un peu. Si leur cible, c'est la brigade, c'est futé comme approche : un petit quelque chose sur chacun d'entre nous, et ils appellent pour qu'on leur rende de menus services. Une personne perdra un dossier, une autre éteindra la caméra pendant dix minutes, et une autre encore oubliera de leur coller un avertissement. Qui a eu accès à ton téléphone ce matin ?

— Personne. Attends, si ! Boyle ! s'exclama-t-il. Boyle ! Tu as laissé ton téléphone avec lui dans la voiture ?

— Non.

Elle s'était posé la question en venant.

— Je l'avais en permanence dans ma poche, précisa-t-elle.

— Bon, et la compagnie de téléphone ?

— Ils pourraient l'obtenir comme ça, mais il leur faudrait mon nom, n'est-ce pas ? Il faudrait que quelqu'un au boulot leur dise qui bossait ce soir là dans notre voiture de patrouille pour qu'ils puissent l'obtenir, non? C'était plus facile de jeter un coup d'œil dans ton téléphone ce matin. Tu as laissé ton téléphone au vestiaire?

— Une minute à peine, le temps d'aller pisser. La salle était vide, il n'y avait personne d'autre que McCarthy, et en revenant j'ai trouvé le texto. Il n'aurait même pas eu le temps de se saisir du téléphone, de noter le numéro...

Les yeux sur la moquette, il secoua la tête. De l'autre côté de la cloison, un bébé se mit à pleurer.

— Wilder, il faut qu'on aille en parler à la patronne.

Wilder laissa courir sur le sol son regard affolé.

— Elle pensera qu'on vient avouer simplement parce qu'on s'est fait prendre.

— Et c'est la vérité.

Ils connaissaient tous les deux la procédure : ils seraient suspendus. Contraints de rester chez eux jusqu'à la tenue d'un conseil de discipline. Puis ils se feraient enguirlander, auraient leur photo dans les journaux et seraient couverts de honte. On les menacerait de poursuites judiciaires, mais ça demeurerait sans suite car ils s'étaient rendus. Ils perdraient leur poste, personne nulle part ne voudrait d'eux, et ils finiraient fauchés.

— Je ne peux pas perdre cette maison, murmura Wilder. C'est tout ce que je leur ai donné. Je ne suis pas... (Il se mit la main devant les yeux.) Elle est partie avec le mec de sa meilleure amie. Dans le coin, tout le monde est au courant.

Il sanglota, crachota de la bave sur son menton.

Leonard comprit ce que Wilder voulait dire : on est déjà couverts de honte. On n'y survivra pas.

Elle voulait lui rendre la pareille, se livrer un peu à son tour, lui confier quelque chose de honteux à son sujet, mais rien ne lui inspirait de la honte, pas vraiment. Ni Camilla, ni le traitement contre l'infertilité, ni son activisme politique de jeunesse ou la faillite de la société qu'elle avait montée. Le temps qu'elle fasse le tour des quelques réserves qu'elle avait concernant sa propre existence, le moment était passé. Wilder avait cessé de pleurer et s'était découvert les yeux.

— On ne peut pas aller la trouver, dit-il.

Elle s'appuya contre le plan de travail, laissa errer son regard sur le sol.

— Pourquoi ils nous ont envoyé cette photo? dit-elle. Réfléchis : ils vont faire quoi, maintenant? Nous demander de leur rendre un service.

— Comme quoi?

— À ton avis? Rien de bien reluisant. Et si on refuse, qu'est-ce qui se passera?

— Mais même s'ils envoient la photo à la patronne, on pourra expliquer. On ne voit rien d'autre que nous en train de regarder dans un coffre...

Il avait l'air plein d'espoir, comme s'il avait passé la matinée à s'en convaincre afin de se rassurer.

— Puis ils passeront au crible tous nos achats. Nos rentrées et nos sorties d'argent. On ne peut rien dépenser. On ne peut pas y toucher. On n'a rien. Ça pourrait être des mouchoirs en papier que ce serait pareil. On n'a rien.

Il fronça tristement les sourcils : elle avait raison. Mais il refusait de l'entendre. Il s'empara de la tasse sale, ouvrit l'eau chaude, l'aspergea copieusement de liquide vaisselle et en frotta les parois. Peu satisfait du résultat, il se mit à la gratter à l'aide d'une éponge à récurer, avec des va-et-vient de son coude.

— Il y a forcément autre chose qu'on peut faire. Forcément. Je ne peux pas perdre la maison...

Il allait se remettre à pleurer. Leonard lui prit la tasse et la posa dans l'égouttoir à vaisselle.

— Wilder, dit-elle fermement, si on n'agit pas maintenant, la perte de ta maison sera le dernier de nos soucis. Va chercher ton manteau.

— Non...

— Tu ne peux pas te terrer ici pour toujours, à nettoyer la même tasse.

Il baissa le regard, les paupières agitées d'un tic nerveux.

— On a commis une erreur idiote, dit-elle. Si l'on ne fait rien, on court à la catastrophe.

Il ne bougea pas pour autant.

— Wilder, insista-t-elle fermement, va chercher l'argent et ton manteau.

Leonard ne voulait pas descendre de voiture. Tout dans le Milton la mettait mal à l'aise.

Une cité de faible hauteur recroquevillée sous un ciel menaçant. Les maisons délabrées, construites à la va-vite dans les années 1950, avaient mal vieilli. Dans un immeuble d'appartements voisin, les vérandas débordaient de vélos et de sacs-poubelles. Au cœur de la cité s'étendait une large bande d'herbe rare, criblée des cicatrices de petits feux de camp.

Wilder avait pleuré pendant le trajet mais s'arrêta quand ils eurent franchi le carrefour menant au poste. Il sécha lentement ses larmes, sans demander où ils allaient. Il se contenta de rester là, bouchée bée, épuisé.

Elle regarda par la vitre vers Abernathy Street.

— Il avait raison, hein ? Pas glorieux.

— Qui ? renifla Wilder.

— Boyle. Il avait dit : Abernathy Street, pas glorieux.

Wilder jeta un regard triste vers l'extérieur.

— Ah bon ?

C'était épuisant de le voir s'apitoyer sur son sort. Tamsin poussa un soupir, qu'elle essaya de garder silencieux.

— O.K., allons trouver ce petit merdeux. Où est-ce qu'il habite ?

— Après le virage, dit Wilder en désignant d'un geste une courbe de la route.

Tamsin s'engagea sur la chaussée, longea une école primaire tapie derrière un grillage à poules, au toit surmonté de fil de fer barbelé.

— Contente de ne pas avoir fréquenté cette école.

— Ils ont ce qu'ils méritent, répondit Wilder d'une voix absente.

Leonard jeta un regard vers lui. La tête contre la vitre, il paraissait déprimé. Quand elle avait dix ans, alors qu'elle rentrait de l'école à la hâte, après qu'une bande de garçons plus âgés lui avaient lancé des «sale gouine», sa mère lui avait offert un baladeur CD. Puis les mêmes garçons s'étaient mis à lui jeter des pierres, contraignant sa mère à aller l'attendre tous les jours à la sortie. Un jour, en les aperce-vant, Tamsin, pourtant à l'abri dans la voiture, s'était étranglée. S'ar-rêtant aussi sec, sa mère avait bondi dehors et attrapé le plus grand de ses persécuteurs par une oreille pour le faire plus ou moins valser. Jamais sa mère, membre du très respectable Women's Institute, qui avait jadis brodé des vêtements sacerdotaux pour l'évêque de Bir-mingham, ne lui avait rapporté ce qui s'était dit. Le sujet était clos. Leonard n'avait plus croisé les garçons. Elle se souvenait cependant de l'expression de sa mère quand elle s'était retournée pour revenir vers la voiture. Elle était hors d'elle mais elle souriait. Du coup, Leo-nard se sentait capable à présent de blesser Wilder sans se départir de son sourire. Vraiment capable.

Après le virage, une fois passé l'école primaire, l'atmosphère d'Abernathy Street changeait du tout au tout. La chaussée deve-nait plus étroite, et les arbres, les fenêtres et les clôtures de la courte rangée de maisons mitoyennes étaient ornés de guirlandes de Noël. Dans un jardin, de pieuses figurines étaient massées autour d'une crèche baignée de lumière. Des clôtures métalliques de faible hauteur séparaient les jardinets, mais le même banc trônait sous les fenêtres en façade de trois maisons accolées. Sur cette portion d'Abernathy Street, régnait un esprit de communauté.

Un vieil homme dans son jardin discutait avec une femme et un jeune enfant par-dessus la clôture, les mains négligemment posées sur le manche de sa pelle. La femme et l'enfant portaient des anoraks bleus assortis, capuche relevée pour se protéger de la pluie.

Suivant leur voiture des yeux, l'homme repéra Leonard derrière le volant et scruta son visage. Réflexe policier à un défi direct : Leonard s'arrêta et descendit de voiture sans le quitter des yeux.

— Bonjour, dit-elle en s'avançant vers lui.

Sa pelle était bien trop grosse pour le minuscule jardinet. Tamsin se demanda s'il avait pu la voler sur son lieu de travail. Remarquant son regard interrogateur, il devança la question :

— J'ai une entreprise de maçonnerie.

Il avait deviné qu'elle était flic.

La femme s'était tournée pour la regarder approcher, le visage éclipsé par l'encombrante capuche.

— Bon, à plus tard, lança-t-elle à l'homme en donnant une petite tape derrière la tête du garçonnet pour lui signifier qu'ils partaient.

— Ciao! pépia le garçon.

Sa mère le prit par la main et tous les deux s'éloignèrent tranquillement.

Le jardinier attendit qu'ils soient hors de portée d'oreille.

— Vous êtes ici à son sujet, j'imagine?

D'un geste de la tête, il désigna la seule maison sinistre de la rue, le numéro neuf, celle de Hugh Boyle. On avait ôté la clôture et remplacé le jardin par des places de parking aux dalles disjointes.

— Hugh Boyle? fit Leonard.

— *Aye.*

— C'est pour lui que je suis là, oui. Il est dans le coin?

— Le garçon ne se déplace jamais à pied. Si ce tank qu'il conduit n'est pas là, c'est qu'il est sorti.

— Vous savez quand il rentrera?

Elle tourna le regard vers l'allée déserte, sans trop savoir quel ton adopter pour s'adresser à cet homme.

— Z'êtes la police?

Il regardait la femme à capuche et son fils s'éloigner dans leurs tenues assorties.

— Oui.

— Hugh Boyle est un dealer, vous savez?

— C'est vrai?

Son regard glissa vers elle.

— Vous le saviez pas?

— Euh, je ne peux trop rien dire.

Il hésita un instant, la dévisageant d'un air coupable.

— Si, c'est ce qu'il est. Je lui dis : elle en penserait quoi ta mère? (De la tête, il désigna la route.) C'est chez elle. Morte à cinquante-trois ans. Une femme vraiment charmante. Elle l'adorait.

Leonard repensa à Boyle devant le coffre de la voiture, en train de supplier qu'on le laisse rentrer chez lui pour s'occuper de sa mère.

— Elle est morte récemment?

— Trois ans peut-être? Ou un peu plus de deux.

— Je vois.

— Elle ne vivait que pour lui. C'était bien le problème. Toutes les saloperies que ce petit con lui a fait endurer, vous le croiriez pas.

— Il a eu des problèmes ?

— Rien d'officiel, pour ce que j'en sais. (Le vieil homme fronça les sourcils.) Si vous voulez tout savoir, ce garçon croit qu'il mérite un château juste parce qu'il respire.

Leonard tourna la tête vers la construction délabrée. Le bas de la porte d'entrée en PVC était endommagé et éraflé à l'endroit où quelqu'un l'avait défoncée d'un coup de pied, la vitre était grise de crasse. Au deuxième étage, il manquait le coin d'un carreau à la fenêtre.

Leonard leva la tête.

— Il travaille avec qui ?

— Aucune idée. En tout cas, ils ne viennent pas le voir ici. Mais un jour c'est personne et puis, le lendemain, le voilà qui se pavane dans cette grosse voiture.

— Vous savez d'où il la tient ?

Suivant son regard, le vieil homme contempla de nouveau la maison.

— Je croyais qu'il faisait juste le chauffeur, mais on dirait bien qu'elle est à lui.

Scrutant le sol, il leva sa pelle et en fit retomber la tranche sur le ciment avec un grand bruit métallique, dont l'écho alla se répercuter sur les maisons voisines. Il venait de couper une limace en deux, répandant ses entrailles orange et opaques sur le vert translucide de sa peau. Il releva les yeux, content de lui.

— Je crois qu'il l'a achetée à crédit et qu'on va pas tarder à lui enlever.

Elle ne savait que répondre.

— Vous chassez les limaces ?

— Non, sourit-il. Je suis de garde.

Il désigna les décorations dans la rue.

— L'audace d'espérer, fit-il.

Leonard était conquise.

— Eh bien, merci pour votre aide en tout cas. Joyeux Noël à vous.

— Je m'appelle Patrick Gilchrist, dit-il avec un clin d'œil aimable. Et si je peux faire quoique ce soit pour vous, vous savez. Vous pouvez venir à ma porte à toute heure, de jour comme de nuit, et me demander ce que vous voulez.

Ce n'était pas à Tamsin qu'il offrait son soutien, c'était à la police.

Piteuse, elle traversa la rue sous le regard paniqué de Wilder côté passager. Chaque minute qui passait aggravait sa situation. Sans lui, elle serait déjà allée trouver la patronne, elle en était certaine.

Elle s'arrêta sur les dalles irrégulières et leva les yeux. La maison de Hugh Boyle était surélevée, on accédait à la porte d'entrée par un escalier raide en béton de cinq marches équipé d'une de ces rampes pour handicapés en plastique blanc fournies par la municipalité. Vu la patience qu'il fallait pour en obtenir une, sa mère avait dû être longtemps malade.

L'étroite construction présentait une fenêtre au rez-de-chaussée et une plus petite à l'étage. Boyle ne l'entretenait pas : Tamsin apercevait les plafonds tatoués de crasse.

À contrecœur, elle retourna à la voiture, et aussitôt Wilder l'assaillit de questions.

— Alors ? Qu'est-ce qu'il a dit ?

Elle ne savait pas si elle pourrait lui répondre sans s'énerver. Cramponnée au volant, les yeux sur le pare-brise, elle regardait dehors.

— Tu as l'air à bout. Dis-moi ce que tu comptes faire, gémit-il.

— Je réfléchis.

Elle mit le contact, libéra doucement le frein à main et déboîta.

— Où est-ce qu'on va ?

Tamsin prit à gauche et s'engagea sur une longue route déserte qui longeait un pâté de hauts immeubles. Elle l'avait fait, elle avait mis la main dans le coffre et elle avait pris l'argent. Ce n'était pas la faute de Wilder ; c'était sa faute à elle.

Il n'y avait pas d'autre voiture que la leur. Même au pied des immeubles, pas une seule voiture n'était garée, à part le squelette calciné d'une fourgonnette.

Luttant pour garder son calme, Leonard regardait tout autour, exécutant les gestes policiers de routine. Un homme à vélo bifurqua dans une rue secondaire, les mains dans les poches pour se réchauffer. La route sur laquelle ils se trouvaient décrivait des virages puis grimpait le long d'une colline sur environ huit cents mètres, soudain bordée d'un côté par une décharge.

Levant les yeux, elle avisa au sommet de la colline l'énorme Audi beige de Hugh Boyle qui s'avançait vers eux.

— Regarde! s'écria Wilder en se penchant soudain vers le pare-brise, affichant son visage aux regards extérieurs.

— Recule! lui ordonna Leonard.

— C'est lui!

— RECULE OU C'EST MOI QUI VAIS TE FAIRE RECULER.

Un silence de mort s'abattit sur la voiture. Elle ne se connaissait pas un tel coffre.

Elle laissa Hugh Boyle passer à leur hauteur, sans même tourner la tête pour apercevoir son visage, avant de décrire un demi-tour parfait pour le prendre en filature, se rapprochant peu à peu alors qu'ils arrivaient dans les virages. Jetant un regard rapide dans le rétroviseur, Hugh nota la présence de la voiture mais sans s'apercevoir qu'il s'agissait de la police. Quand elle donna un coup de sirène, il baissa la tête et se décala prudemment vers le bas-côté. Les feux de freinage s'allumèrent. Il s'arrêta. Puis, un instant plus tard, les feux de détresse. Elle fut alors certaine qu'il ne savait pas à qui il avait affaire.

— Qu'est-ce que tu fabriques? s'enquit Wilder.

Elle sortit, longea le flanc du véhicule en prenant soin de rester dans son angle mort. Arrivée à hauteur de la portière et croisant les doigts pour qu'elle ne soit pas verrouillée, elle l'ouvrit d'un coup sec.

Hugh était là, les mains passivement posées sur le cuir de son volant, les épaules basses, le visage tourné vers elle, un petit sourire aux lèvres. Même maintenant, il lui donnait envie de rire avec ses yeux de merlan frit. Son strabisme lui conférait un air penaud, et, comme il ne portait pas de bonnet, elle découvrit sa calvitie irrégulière. Il la reconnut – «Oh! Ah! Salut!» – et vit qu'elle était en colère.

— Oh! je suis dans la merde, c'est ça?

Il écarquilla les yeux, prit un air contrit.

— C'est *vous* qui l'avez pris, cela dit.

Il chercha les mains de Tamsin du regard, pour voir si elle tenait un flingue ou une matraque.

— Je vous ai simplement montré l'argent et je suis parti. C'est vous qui l'avez pris.

— Ça ne te donne pas le droit de me menacer ! rétorqua Leonard.

— Vous savez, maintenant que vous avez pris cet argent, n'importe quoi peut arriver. C'est pas moi qui vous ai menacés.

Il avait l'air sincère. Il se redressa sur son siège.

— C'est pas moi. Moi, je vous ai juste pris en photo.

— Pourquoi l'avoir envoyée ?

— C'est pas moi.

— Comment tu as eu mon numéro de portable ?

Il regarda droit devant lui.

— D'accord, écoutez, votre numéro, je l'ai pas. J'ai juste pris la photo.

Il se tourna vers elle et sourit.

— Vous voyez, il faut que vous compreniez que les affaires sont les affaires. Ces trucs ont une valeur de marché, l'occasion était trop belle pour la laisser filer, quoi. Y a pas de mal, hein ?

Elle vit l'étincelle qui l'animait, vit ses yeux parcourir la rue modeste, glissant de fenêtre en fenêtre, cherchant à savoir qui le regardait. S'il y avait quelques sous à en tirer, Hugh Boyle les aurait tous vendus en pièces détachées.

— La photo, je l'ai reçue ce matin.

— Pas de ma part.

— Alors de la part de qui ?

— Oh !

Il bâilla à moitié et leva les bras, faisant semblant de s'étirer avec nonchalance.

— À la fin, c'était juste une enchère. Je ne sais pas qui l'a emportée.

— Comment ça, une enchère ?

— Sur Internet. Une enchère.

— Comment tu as pu...

Elle ne savait même pas vraiment quoi lui demander.

— Des forums de discussion, expliqua Hugh, en se frottant le bout du nez. Personne n'utilise son vrai nom. On fait juste savoir qu'on a quelque chose. Vous savez...

Il fit un geste dans sa direction.

— Et puis voilà quoi, on lance une négo. S'il y a plusieurs personnes intéressées, ça devient une enchère, dit-il en haussant les épaules. Je cherchais pas à vous mettre en rogne ni rien, les affaires sont les affaires.

— Cet argent dans le coffre, il sortait d'où ?

Il écarquilla les yeux, amusé qu'elle lui pose la question aussi franchement.

— Je suis pas débile, dit-il.

— Tu nous as donné l'adresse de chez toi, Hugh.

Les yeux sur le volant, il fronça les sourcils.

— Ouais, O.K., si, je suis plutôt débile.

On ne l'y reprendrait pas. Le métier qui rentrait. Leonard réfléchit un instant.

— Donne-moi tes clés de voiture.

Hugh s'exécuta. Elle recula d'un pas.

— Pousse-toi, je vais conduire.

14

Martin avait couru une heure et demie. Il avait couru malgré ses jambes qui le brûlaient, traversé la pluie et le froid, couru jusqu'à trouver un rythme régulier, qui le réchauffait. Avec Rosie, un lien s'était créé, un lien authentique entre deux êtres humains ; et l'odeur de sa cigarette persista longtemps dans ses narines puis, peu à peu, lavée de sa peau par le vent et la pluie, elle se mua en souvenir. Il se sentait détendu, ragaillardi, humain.

Il ne prit pas le temps de marcher pour reprendre son souffle, par crainte de crampes aux mollets, mais sentit un nouveau regain d'énergie à l'approche de la côte menant à sa porte et s'y attaqua avec plaisir, conscient que ce n'était pas raisonnable mais sans en concevoir de l'inquiétude.

Au cœur de ce paradoxe, il aperçut sa mère dans l'encadrement de la fenêtre. Souriante, pleine d'espoir, elle se lissait les cheveux comme s'il était un amoureux dont elle attendait la venue et la confirmation qu'elle lui plaisait.

Martin s'arrêta net, l'effroi lui serra la gorge.

La porte lui fut ouverte par Philippe, un homme qui incarnait une dignité qu'eux-mêmes auraient dû posséder, comme s'il cherchait à montrer l'exemple. Philippe patientait, le regard baissé mais un sourire frémissant à ses joues.

— Philippe, lança Martin, le corps soudain en proie à un accès de sueur poisseuse.

— Monsieur Martin.

Martin franchit le seuil et sa mère accourut dans le vestibule.

— Oh! mon chéri.

Elle s'exprimait d'une voix traînante, pas à cause du Xanax, c'était autre chose.

— Mon chéri, mon chéri…

Elle se précipita vers lui, lui prit le visage à deux mains.

— Tu as une mine terrible. Qu'est-ce qui t'est arrivé?

Se dégageant de son étreinte, Martin aperçut ses deux pères debout dans la cuisine.

— Marty! fit son beau-père.

Il s'était remis à boire. Il n'était pas saoul mais affichait cet air amer, souvent annonciateur d'une violente dispute.

— Fiston, lui dit son père avec une sorte de sourire, contraint de dissimuler son bonheur de le voir sous une froideur de façade.

Ils voyageaient toujours accompagnés d'un million de bagages, pourtant le vestibule était vide. Ils les avaient sans doute déjà portés dans les chambres. Ils n'étaient pas censés avoir la clé de cette villa.

— Où sont vos bagages? s'enquit Martin, en s'essuyant le visage dans son T-shirt.

Sa mère fondit en larmes, c'en était trop pour elle.

— Mon chéri, on sait que tu ne souhaites pas nous voir débarquer sans cesse à l'improviste, alors nous sommes descendus à l'hôtel.

— Tu es sérieuse?

— Oui, chéri. Tu vois? On essaie de se plier à tes exigences.

Passant son bras dans le sien, elle l'entraîna vers la cuisine :

— Allons prendre le petit déjeuner tous ensemble!

Ils longèrent la salle du petit déjeuner, puis la deuxième salle à manger, jusqu'à la cuisine au bout du couloir. La pièce donnait sur une petite cour au fond de laquelle se trouvaient les bâtiments des communs : une écurie rénovée en appartement de luxe. La vue n'était pas fantastique : ni le Pacifique ni les Rocheuses.

Sa belle-mère était assise à la table. Même dans l'ingrate lumière bleutée d'un hiver écossais, elle était magnifique. Elle était la plus jeune, plus âgée que Martin de huit ans à peine, grecque et australienne. Martin s'efforçait toujours d'éviter de se retrouver seul dans une pièce en sa compagnie. Prenant sa gêne pour de l'antipathie, elle maintenait ses distances. Qu'on l'ait traînée ici ne la ravissait pas.

— Bonjour, Martin, comment vas-tu?

— Salut.

Il détourna le regard, troublé, et alla se chercher un verre dans le placard.

— Je vous avais demandé à tous de ne pas revenir, qu'est-ce que vous fichez là?

— Nous avons appris ce qui s'est passé hier, répondit-elle avant de se souvenir qu'elle n'était pas censée savoir, que cela indiquait à Martin qu'ils l'avaient mis sous surveillance.

— Tais-toi, bon Dieu! s'énerva le beau-père.

— Désolée, marmonna-t-elle.

Sans se presser, Martin prit un verre dans le placard et le posa sur le côté. Tous le fixaient, attendant qu'il le dise :

— Vous me faites suivre?

Son père toussa. Personne, sinon sa mère, ne put le regarder en face.

— Cette ville est dangereuse, chéri.

Martin sortit le jus d'orange du réfrigérateur et se servit. Il revissa le bouchon et replaça la brique dans la porte avant de la refermer.

— Pas plus dangereux qu'ailleurs, dit-il en plongeant les yeux dans son verre.

— Tu t'es retrouvé dans une fusillade, ce n'est pas dangereux ça?

— Ce qui s'est passé hier n'avait rien à voir avec moi. De toute façon, ce n'était pas une fusillade, mais un braquage.

— Marty, dit-elle, tu aurais pu te faire tuer. Imagine si quelqu'un apprend qui tu es? Cette porte d'entrée n'est même pas équipée de système d'alarme.

— Si, elle l'est.

— Mais les fenêtres, non, intervint son père.

Martin prit son verre et but d'un trait, sans reprendre sa respiration alors qu'il en avait besoin. Submergé. Il songea à Rosie Lyons, à la pluie tombant d'un ciel gris, aux friands à la saucisse et à Lallans Road.

Sa mère fit un geste vers l'extérieur.

— Tiens, cette fenêtre, par exemple, si quelqu'un franchit le mur d'enceinte, sans alarme…

Martin reposa violemment son verre et se retourna vers eux, les mains sur le plan de travail.

— Je reste.

Son beau-père lui jeta un regard mauvais.

— Nous savons que tu n'es pas inscrit à l'université, Martin.

Embarrassé de s'être fait prendre, Martin ne se démonta pas :

— Je vais assister à des cours magistraux.

Son père : Mais tu n'obtiendras aucun diplôme, si ?

Son beau-père : C'est un passe-temps, Martin. Ça ne t'apportera rien.

Martin baissa les yeux vers le sol.

— Un diplôme ne me servira à rien.

— Marty ! s'exclama sa mère.

— Qu'est-ce que tu nous racontes ? s'insurgea son père.

— Pour quoi faire ? dit Martin, mal à l'aise. Je n'aurai jamais de travail. Je veux apprendre, c'est tout.

— Qu'est-ce que tu veux apprendre ?

Tout ce qui sortait de la bouche de son beau-père sonnait comme un reproche.

Martin, pourtant, ne travaillerait jamais, il n'aurait jamais de poste, de collègues avec qui parler d'égal à égal, ne rêverait jamais de promotion, n'aurait pas à se battre. C'est de cela qu'on l'avait privé, de la capacité à désirer quelque chose, de la capacité à se battre. Et à présent, ils lui en voulaient. Se retournant, il leur hurla :

— Je suis censé faire quoi ?

Ses mots emplirent la pièce. Une erreur, que de montrer autant d'émotion. Il paraîtrait déséquilibré. Il avait l'impression que son père prenait des notes sur son état mental, les autres pour témoins.

— Chéri, lui dit sa mère, cela te tuerait d'obtenir un diplôme ?

Il était important qu'il réponde calmement maintenant, rationnellement.

— Pour quoi faire ? Pour que vous puissiez dire aux gens que je suis pas un pauvre type ?

— Martin ! gémit sa mère.

En fait, leur comportement semblait dingue. Il pouvait facilement défendre l'idée qu'ils étaient fous eux aussi :

— Pourquoi vous me faites suivre ?

— Pourquoi est-ce que tu nous mens ? dit-elle. Tout ce qu'on veut, c'est faire partie de ta vie.

Ils avaient eu cette discussion des centaines de fois.

— Je veux que vous partiez.

— Cette grosse fille, la fumeuse, c'est ta petite amie ? demanda sa belle-mère avec un sourire narquois.

On lui avait montré le dossier, une photo de Rosie envoyée par e-mail avant même que Martin ait franchi la porte d'entrée.

— C'est la fille avec qui tu passes Noël ? ajouta-t-elle.

Martin voulait le chaos, ici, tout de suite ; il voulait l'arme, sentir le poids de l'arme contre l'os de sa hanche et la détente lui embrasser le doigt ; il voulait les arroser de balles, les arroser et regarder la brume sanglante se déposer partout sur la cuisine d'un blanc fade. Il comprit alors que c'était ça qu'il avait vu dans le chaos, une sortie du piège dans lequel ils le maintenaient, une issue à cette histoire qui le submergeait.

Il dit calmement :

— Si vous disparaissez tous sur-le-champ et si vous me fichez la paix jusqu'après les fêtes, je transfère un million de dollars sur votre compte.

— On ne veut pas de cet argent, répondit sa mère d'une voix hésitante.

Martin la dévisagea. Elle lui ressemblait, elle avait été belle jadis. À présent, elle s'était sclérosée, comme si elle avait entraperçu Sodome et se changeait en pierre, terriblement, terriblement lentement ; seuls ses yeux demeuraient expressifs, et ils étaient au supplice. Il était son seul fils, et jadis ils avaient été proches.

— Tu veux dire un million chacun, ou… ?

Quand tout le monde se retourna vers lui, son beau-père eut un sourire cruel, comme s'il s'agissait juste d'une blague.

— Quoi ? Je plaisantais !

Ils détournèrent tous le regard.

— C'est une blague, insista-t-il à mi-voix.

Martin connaissait ce genre d'humeur chez son beau-père. Dans une minute, il se mettrait à hurler, furieux.

— Alors, vous comptez passer les fêtes où ? demanda-t-il.

— Ici, dit sa mère, l'implorant d'un regard vide.

— Je ne veux pas, répondit Martin d'une voix blanche.

Sans rien ajouter ni les menacer, il laissa courir son regard de l'un à l'autre et comprit qu'avant le soir ils seraient partis. Chacun se trouverait des excuses pour ne pas perdre la face vis-à-vis des autres, diraient qu'ils respectaient sa vie privée ou qu'il était adulte maintenant. Puis son beau-père proférerait une grossièreté, la vérité sortirait de sa bouche, il dirait vouloir l'argent ou quelque chose de cet ordre, et tous mettraient cela sur le compte de l'alcool.

— Je vais prendre une douche.

En passant devant Philippe dans le couloir, il lui marmonna :

— Comment va votre neveu, Philippe ?

— Beaucoup mieux, merci. J'ai envoyé les résultats de ses derniers examens médicaux à votre avocat.

— Je les ai reçus, merci. Ainsi qu'une lettre adorable de votre sœur.

Un court instant, Philippe soutint son regard, humilié, diminué par la gratitude.

Martin bafouilla.

— Ce n'est rien, Philippe, rien, j'essaie juste de compenser ce qu'il perd.

— Non, monsieur Martin, ce n'est pas rien. C'est tout.

Le pouvoir de vie et de mort. La responsabilité l'horrifia de nouveau.

— Pour moi, ça n'est rien, je vous assure.

Philippe s'écarta pour le laisser passer. Comme s'il obéissait à un ordre, Martin monta à sa chambre, jetant un regard derrière lui pour voir si Philippe avait toujours la tête baissée, comme le grand-père la veille.

Grimpant quatre à quatre les vingt dernières marches, il ferma doucement la porte derrière lui. Il la bloqua avec une chaise. Recula et regarda le résultat. Eux quatre et Philippe. Il enleva la chaise et la remplaça par une petite commode, qu'il coinça sous la poignée, pour la bloquer.

Sans quitter la porte des yeux, il recula jusqu'aux toilettes, entra, ferma la porte et la verrouilla.

Il s'assit par terre. Le froid des carreaux de marbre lui envahissait les fesses, les cuisses; les muscles de ses jambes, en refroidissant, se mirent à palpiter, et il essaya de se concentrer là-dessus. Il resta là, dressant la carte de ses douleurs, jusqu'à ce qu'il entende claquer la porte d'entrée et démarrer les voitures.

15

Les Lyons habitaient dans une petite rue, une maisonnette aux fenêtres éclairées par les lueurs vives des décorations de Noël.

Harris se gara en face, et ils observèrent les lieux, remarquèrent la tache noire carbonisée sur le côté de la boîte aux lettres et la texture lustrée du goudron à cet endroit-là. Une voiture y avait flambé, pas récemment à en juger par l'apparence de la boîte aux lettres : on avait poncé par endroits la peinture rouge qui s'était écaillée pour la repeindre d'une sous-couche grise.

Quand ils sortirent de la voiture, Morrow jeta un regard vers la route derrière elle. Pas de caméra de surveillance en vue, ce qui était logique : un voleur brûlait le plus souvent les voitures dans des quartiers qui n'étaient pas le sien mais qu'il connaissait assez pour les savoir sans risque.

— Je veux les détails de l'incident, dit-elle en désignant le bitume carbonisé.

Harris le nota dans son carnet.

— Faites aussi venir quelqu'un pour interroger les voisins.

— Je vais mettre McCarthy sur le coup.

La haie d'un mètre cinquante environ qui bordait le jardin devant chez les Lyons avait elle aussi brûlé. On l'avait largement élaguée, mettant les branches à nu. Elle commençait à reprendre du poil de la bête : de petits bourgeons de feuilles jaunes hivernales essayaient tant bien que mal d'habiller la plante. À travers le feuillage clairsemé, ils aperçurent un carré de ciment, un tricycle garé derrière un bac à sable en plastique vert en forme de tortue.

Des guirlandes électriques rouges et blanches clignotaient autour des grandes fenêtres. Dedans, un sapin de Noël en fibre optique changeait doucement de couleur dans l'obscurité : bleu, puis vert, puis orange.

Morrow le contempla.

— Ils habitent tous ici ?

Harris confirma d'un signe de la tête.

— La mère, la fille, le petit-fils, ils vivaient tous avec Brendan.

Morrow le suivit jusqu'au portail et traversa en trois pas le jardinet jusqu'au perron. Harris sonna.

Une très vieille femme, toute petite dans sa longue chemise de nuit, vint leur ouvrir aussitôt. Pliée en deux au niveau de la taille, peut-être à cause de vertèbres soudées, elle était contrainte de lever la tête pour les voir.

— Oui ?

La fille de Rita Lyons apparut au bout du couloir.

— Bonjour, Rosie, votre mère est là ? demanda Harris.

La vieille femme les considéra tour à tour avec un sourire aimable.

En les voyant, Rosie pâlit.

— Je vous ai vus tous les deux à l'hôpital quand je suis venue chercher Joseph.

— Exact, répondit Morrow en présentant son insigne. Votre mère est là ?

— *Aye.*

Elle se tenait derrière la vieille femme, qui souriait toujours.

— C'est ma grand-mère, dit-elle.

— Je vois…, fit Morrow, avant de s'adresser à la vieille femme qui semblait ne lui prêter aucune attention. Vous vivez tous ici ?

— Je suis en chemise de nuit, répondit-elle d'une voix flûtée et perçante, alors à votre avis ?

Rosie sourit avant de suivre des yeux sa grand-mère qui repartait lentement vers la cuisine.

— C'est la mère de votre père ?

— De ma mère.

D'un geste de la main vers le paillasson, elle les invita à entrer.

Morrow et Harris s'essuyèrent les pieds et firent un pas à l'intérieur. C'était la maison des parents de Rosie, leur style. Un vestibule rose saumon avec un grand miroir au cadre en laiton équipé d'une tablette. Par la porte entrebâillée de la cuisine, ils apercevaient des meubles marron sur des murs bleu turquoise. Une odeur de sucre chaud flottait dans le couloir.

— J'ai rencontré ce type, raconta Rosie. Celui qui était à l'hôpital avec Joe. Je l'ai croisé ce matin.

— Martin Pavel ? Le tatoué ?

— Ouais. Je suis tombée sur lui chez le marchand de journaux là-bas. (D'un geste de la tête, elle désigna la rue.) Il attendait…

— Il vous attendait ? s'enquit Morrow, d'une voix qu'elle espérait nonchalante.

Rosie parut troublée.

— Je ne sais pas. Non, je ne crois pas. Pas moi en tout cas.

Elle semblait plutôt sûre d'elle.

— Que vous a-t-il dit ?

— Eh ben, en fait, je lui ai proposé qu'on aille s'asseoir pour fumer une cigarette et discuter un peu.

— Ah oui ?

D'un ton neutre, Morrow essaya de la pousser à en dire plus.

— Que racontait-il ?

— Que les histoires conditionnent les obligations sociales, fit-elle, visiblement un peu perdue. Les récits… Des trucs…

— A-t-il mentionné quelque chose à propos d'hier ?

— Non.

Mal à l'aise, elle chassa cette pensée, se racla la gorge et appela sa mère d'une voix forte :

— Maman ? Des, euh, gens sont là pour te voir.

Rita sortit de la cuisine, mains dressées devant elle comme un chirurgien, les doigts pleins de farine. Elle paraissait épuisée, comme si elle avait passé la nuit à cuisiner après leur rencontre de la veille. Elle avait les yeux rouges, enfoncés dans leurs orbites, les cheveux en bataille et rendus cassants par la teinture.

— Oui, bonjour, dit-elle d'une voix pesante, sans enthousiasme, résignée à devoir leur parler. Allez m'attendre dans le salon, si vous le voulez bien, je suis à vous dans une minute.

— Bien sûr.

Une voix de petit garçon s'éleva dans la cuisine.

— J'ai fini !

Rita se tourna vers la porte, redressa les épaules et haussa le ton d'une demi-octave.

— C'est très bien, maintenant, le suivant !

Elle tourna les talons pour le rejoindre.

Rosie leur ouvrit la porte du salon.

— Thé ? Café ?

Harris refusa. Ils entrèrent dans une pièce à la décoration démodée mais confortable : un gros canapé d'angle rembourré en cuir beige. Une table basse hexagonale en verre noir, qui reflétait les couleurs changeantes du sapin de Noël.

— Martin Pavel, qu'est-ce qu'il attendait ?

— Il faisait son jogging, répondit Rosie, les joues adoucies par le bleu, le vert et le jaune que diffusait le sapin. Il est blessé, il ne devrait pas courir. C'est bizarre, en fait, parce qu'il habite plutôt loin mais il courait vers ici. Il m'a demandé des nouvelles de Joe.

Observant le visage de Rosie, Morrow lut qu'elle venait de se rendre compte que l'intérêt de Martin n'était peut-être pas si innocent.

— A-t-il demandé à revoir Joe ?

— Non.

— A-t-il demandé comment il allait ?

— Ouais.

— Eh bien, parfois, remarqua Morrow, quand des gens traversent des événements aussi traumatisants que celui-là, un lien se crée.

Le mot « Bête » tatoué dans le cou de Pavel lui revint à l'esprit, elle surprit dans son reflet sur la vitre son expression étonnée.

— Joe a-t-il mentionné Martin Pavel ?

— Non. Je ne lui ai pas dit que je l'avais rencontré, mais Joe est en train de faire des biscuits et il veut en donner quelques-uns à « ce monsieur d'hier ».

Les larmes aux yeux, elle désigna de la tête le mur qui les séparait de la cuisine.

— J'espère que vous ne m'en voulez pas que je ne mentionne pas le mot «police». On essaie de le préserver au maximum de tout ça. Je ne sais pas si on s'y prend comme il faut.

— C'est probablement le mieux que vous ayez à faire, la rassura Harris.

Elle tourna le regard vers la porte.

— Difficile de savoir ce qui est bon. Il a l'air plus fatigué qu'au bord des larmes. Il veut juste savoir où son papy est allé maintenant qu'il est mort. Je ne peux pas vraiment lui dire qu'il est au ciel, mon père a toujours été communiste.

Harris eut un hochement de tête.

— Vous lui parlez du Père Noël?

— *Aye.*

— Et vous n'avez pas peur qu'il y croie toujours en grandissant, si? Alors pourquoi ne pas lui dire qu'il est au ciel? Si ça le réconforte. Aidez-le à digérer l'information.

Elle considéra la remarque, acquiesça d'un signe et sembla rassérénée.

— J'espère juste que mon père ne me hantera pas. Enfin, bref...

Elle désigna le canapé.

— Asseyez-vous donc.

Morrow et Harris prirent place l'un à côté de l'autre, et Rosie avança un repose-pieds sur lequel elle s'assit.

Harris se pencha vers elle.

— Vous avez toujours vécu ici? Avec votre mère, votre père et votre grand-mère?

— *Aye*, je n'ai jamais pu me résoudre à déménager. J'étais jeune quand je suis tombée enceinte de Joe. Ça c'est bien passé. C'est super d'avoir quelqu'un qui m'aide avec le petit gars, et maman et papa avaient besoin d'aide avec mamie. Elle n'est pas bien leste, elle ne sort jamais, et on ne peut pas vraiment la laisser seule. Et maintenant... (Elle hocha tristement la tête.) Je suis contente d'être avec maman.

— Le père de Joe n'est pas dans les parages?

— Non, répondit-elle, les yeux baissés. Non, il n'est pas dans les parages.

— Vous êtes en contact ?

Elle vit Rosie se souvenir qu'ils étaient de la police et qu'ils n'étaient pas venus pour bavarder.

— Il s'appelle Lawrence, il est de Lyon. Je l'ai rencontré pendant les vacances et on s'est perdus de vue.

Elle eut un geste impuissant.

— Pas vraiment mon choix.

Elle plissa les yeux, mal à l'aise. Elle aurait préféré ne pas aborder le sujet.

— Vous n'êtes pas venu vous renseigner sur mon père ?

Elle regarda Morrow, comme si elle s'attendait à ce qu'elle se montre froide et distante.

— Si, fit Morrow, glaciale pour lui donner raison. On se posait des questions sur votre père, s'il avait reconnu le tireur et si oui, d'où il le connaissait.

Les yeux sur le sapin de Noël, Rosie réfléchit à la remarque.

— Il ne connaît pas de voyous, de gangsters…, fit-elle en se frottant les paupières. Ce que je veux dire, c'est que je ne sais pas comment il aurait pu le connaître.

Apercevant son reflet dans la vitre, elle se retint d'aller plus loin.

— Je ne sais pas, c'est tout.

— Et dans le quartier ? Est-ce qu'il fréquentait les pubs ?

— Non. Mes parents ne sortent pas beaucoup.

Elle avait le regard fuyant.

— Pourquoi ? demanda Morrow.

— Ils économisent toujours pour retourner à Majorque, fit-elle avec un petit sourire gêné, puis elle baissa la voix. Ils louent toujours la même maison là-bas. C'est comme une caravane. C'est carrément horrible.

— Donc, il n'a jamais trop traîné dans le quartier ?

— Il aurait pu le rencontrer devant le jardin d'enfants. C'est lui qui emmène Joseph le matin.

— Le jardin d'enfants ?

Elle fronça les sourcils.

190

— Un jardin d'enfants municipal, beaucoup de gosses sont envoyés là-bas par leur assistante sociale quand ils ont à peine quelques mois. Une façon de s'assurer qu'ils vont manger et qu'ils ne passent pas leur vie devant la télé.

— Vous ne pensez pas qu'il aurait pu le rencontrer quelque part dans le cadre de son travail ?

— Je dirais qu'il y a plus de chances que ce soit à la halte-garderie.

Elle leva les yeux, afin de voir si elle avait réussi à les envoyer dans la mauvaise direction, puis se ravisa :

— Mais ils ne sont sans doute pas capables de ça. Des dingos junkies pour la plupart.

— Des dingos junkies ?

— Oui, vous savez : un jour ils se marrent, le lendemain ils pleurnichent, capuche relevée, yeux baissés. Vraiment triste. Triste pour les gamins. Des petits bouts dans des T-shirts sales et des chaussures trop petites. Un garçon là-bas, il a quatre ans, et un mot sur deux qu'il prononce, c'est le mot qui commence par c... Espèce de... Ça fait rire sa mère, elle trouve ça drôle. Le gamin arrive couvert de bleus mais le ventre vide, vous voyez le genre.

Après sa première victoire, Harris semblait avoir pris à cœur son rôle de conseiller parental.

— Cela coûterait trop cher d'inscrire Joe dans un autre établissement ?

Rosie le regarda avec le même port altier que sa mère.

— On ne peut pas juste se retirer et abandonner ces enfants à leur triste sort, si ? C'est irresponsable. Il faut s'investir dans sa communauté.

Morrow songea à ses fils.

— La plupart des gens n'ont plus les mêmes principes une fois qu'ils ont des enfants. Qui refuserait un compromis pour le bien de sa progéniture ?

Rosie sourit, mélancolique, comme s'il s'agissait d'une discussion qu'elle avait eue un grand nombre de fois.

— Sauf que cet argument permettrait de justifier n'importe quoi, non ? Le meurtre par exemple – ce braqueur d'hier soir avait peut-être besoin de l'argent pour ses gosses. Ça n'excuse pas son comportement.

— Non...

— Et ça ne devrait pas, continua Rosie. Les enfants ont besoin de grandir dans un environnement qui soit sain aussi bien moralement que physiquement.

Morrow scruta son visage. Il rayonnait de la béatitude des croyants. Elle essaya de se fondre dans sa logique : Rosie approuverait peut-être de la part de son père une arnaque à l'assurance, mais pas qu'il se fasse assassiner. Ce serait « malsain », probablement.

La porte s'ouvrit et Rita Lyons marqua un temps d'arrêt avant d'en franchir le seuil.

— Les biscuits sont au four, annonça-t-elle solennellement. Laissons-leur juste dix minutes.

— Bien sûr, fit Rosie en se levant. Si je pense à autre chose, je vous le ferai savoir.

Elle adressa un signe de tête à Harris, se disant peut-être qu'il s'était senti mouché.

— Votre conseil concernant le Père Noël, c'est chouette. Merci.

Tandis qu'elle sortait, Harris se pinça modestement les lèvres. Elle prit soin de bien refermer la porte derrière elle.

Rita se montra beaucoup moins chaleureuse que sa fille. Debout, les mains serrées devant elle, elle dévisageait Harris.

— De quel conseil s'agissait-il ?

Harris lui rendit son regard.

— Nous avons évoqué la manière d'expliquer la mort à un enfant. J'en ai quatre de mon côté.

— Je vois.

Rita prit place sur le repose-pieds délaissé par Rosie et croisa les jambes loin d'eux.

— Et donc, cet entretien est-il la suite de notre conversation d'hier ?

Morrow s'avança sur son siège.

— J'imagine, dit-elle.

— D'accord.

Elle croisa les bras, sur la défensive mais ajouta :

— Vous pouvez me demander ce que vous voulez.

Quand Morrow la regarda droit dans les yeux, Rita cilla. Un tic nerveux éloquent. Rita cachait quelque chose.

— Eh bien, comme je le disais hier soir, nous pensons que Brendan et le tireur se sont reconnus. Nous essayons de réfléchir à des endroits où il aurait pu croiser ce genre de personnage.

— Le jardin d'enfants? fit Rita, sûre d'elle. Rosie vous l'a suggéré?

— Oui, confirma Morrow.

— En discutant de tout ça toutes les deux ce matin, nous nous sommes dit que c'était peut-être là. Vous devriez vous y rendre.

— Nous allons étudier la question. Une autre idée?

— Comme quoi?

— Brendan est retraité?

— Il était chauffeur de bus. Des bus qui conduisaient les enfants dans les centres de loisirs et les écoles…, c'est peut-être une autre piste.

Inutile aussi de creuser dans cette direction, conclut Morrow.

— Mais vous savez, continua Rita, nous passons beaucoup de temps de Majorque, il n'a travaillé que très occasionnellement depuis à peu près un an. Cela aurait pu être vraiment n'importe où, je veux dire.

— Peut-être l'avez-vous rencontré à Majorque?

— Il était espagnol?

— Il reste des Espagnols à Majorque?

Rita n'apprécia pas l'humour.

— Il n'a pas l'air de ressembler à un homme de Majorque, dit-elle. Peut-être plutôt un homme de la Costa del Sol?

Morrow et Harris avaient tous les deux conscience de l'ironie qu'il y avait à entendre la veuve d'un communiste faire étalage de son snobisme.

— Bref, ce n'est pas la bonne piste.

— Vous semblez en être certaine. Quel dommage, on comptait tous les deux s'offrir un petit voyage.

Comme Harris lui décochait un grand sourire, Rita lui en concéda un petit, digne d'une reine de l'île.

— Oui, c'est vraiment charmant. Même en cette saison, le climat est agréable.

— Bon, continua Morrow, peut-être se connaissaient-ils depuis longtemps ? À l'époque où Brendan militait ?

— C'est vrai, Brendan se montrait très actif auprès des mouvements de jeunesse, mais, honnêtement, ça remonte à des lustres – ces types ont la trentaine à présent et la plupart étaient vraiment débrouillards. Ces gens-là n'ont rien de hooligans.

— Brendan n'est jamais allé à Greenock ?

Rita cligna des paupières.

— Non.

— Vous êtes sûre ?

— Oui. (Un autre clignement de paupières.) Pourquoi ?

— Comme ça.

Le téléphone de Harris sonna. Il le sortit de sa poche, jeta un regard sur l'écran et haussa les sourcils vers Morrow avant de s'excuser auprès de Rita. Il se leva, répondit et gagna sans bruit le coin de la pièce, en marmonnant dans sa barbe des réponses laconiques, tourné vers la fenêtre.

Morrow vit le regard de Rita glisser sur le côté, elle tendait l'oreille.

— Brendan était-il tracassé par quelque chose ? demanda-t-elle.

— Comme quoi ?

— Des dettes ?

— Non. Brendan réglait toujours ses dettes.

— La location d'une maison à Majorque doit coûter cher.

— Pas vraiment. On prend EasyJet, on réserve bien à l'avance. On connaît la famille qui nous la loue. Ils nous la font à cinquante livres par semaine. En réalité, cela revient moins cher que d'habiter ici. On rêvait d'acheter cette maison. Le plus ironique, c'est que maintenant, on pourrait se le permettre, avec son assurance sur la vie.

— Il avait souscrit une assurance sur la vie ?

— Oui, fit Rita sans avoir conscience de la portée de ce qu'elle venait de dire. Soixante mille, soixante-dix mille livres environ, je crois. Je n'ai plus vraiment envie d'acheter quelque chose là-bas maintenant, pas sans Bren. On ne touchera rien avant des mois, de toute façon.

Rita leva les yeux vers le plafond, grimaça soudain de chagrin. Elle lutta pour retenir ses larmes et y parvint à deux reprises, avant de perdre de nouveau le contrôle. Se couvrant le visage, elle fit signe à Morrow de continuer.

— Demandez-moi, marmonna-t-elle. Allez-y, *demandez-moi*.

— Hum… Ce chauffeur de taxi qui est venu vous chercher hier soir travaille pour Abbi Cabs ? Il paraissait bien vous connaître.

Rita renifla et redressa le dos :

— Donald ? Oui.

— Brendan et vous semblez l'impressionner.

— Il est gentil. Un fan de Bren.

— Un fan ?

— Brendan était célèbre. Il a prononcé un discours célèbre au TUC.

— Le congrès des syndicats ?

— Oui, confirma Rita en sortant un mouchoir en coton pour sécher ses larmes. C'est passé aux informations.

— Qu'a-t-il dit ?

— Il parlait du partage des pouvoirs de représentation dans l'industrie de l'acier. « Si nos méthodes divergent, nos objectifs convergent », c'était son expression. Ça leur a remis les pendules à l'heure.

Elle passa le mouchoir sous ses yeux.

— L'éloquence, c'est un talent qui ne fait plus recette, j'imagine. Comme bien d'autres choses, toucher une salle pleine de monde n'est plus vraiment nécessaire de nos jours. J'espère néanmoins que les gens s'en souviennent, j'espère qu'il y aura du monde à ses obsèques. Ça lui ferait plaisir… Il aimait bien faire la fête, même les fêtes d'enfants.

Elle eut soudain l'air épuisé, Morrow y vit une chance de régler quelques détails pratiques.

— On vous a dit que le corps ne vous serait pas rendu tout de suite ?

— Oui, c'est ce que m'a appris l'homme hier soir.

— J'en suis navrée, mais c'est notre meilleure chance de trouver le coupable.

— Cela va durer combien de temps ?

Harris raccrocha et quand il se retourna vers elle, Morrow comprit à ses yeux grands ouverts et à ses lèvres pincées qu'il avait besoin de s'entretenir avec elle sur-le-champ.

— C'est difficile à dire, Rita, répondit Morrow en se levant. Nous allons devoir partir, mais nous reviendrons et je reste en contact.

Se levant à son tour, Rita se passa la main sur les cuisses pour lisser le tissu de son pantalon.

— Je vous raccompagne.

Elle suivit Morrow jusqu'au vestibule et leur ouvrit la porte d'entrée, penchée dans l'encadrement, prête pour de longs au revoir mais Harris, à l'autre bout de l'allée, avait déjà ouvert le portail.

— Merci, Rita.

Morrow lui tendit la main pour un au revoir formel et Rita fit de même, paume vers le bas, comme si elle s'attendait à ce qu'on la lui baise.

Morrow lui prit les doigts.

— Au revoir.

Rita acquiesça d'un signe. Si Brendan Lyons était mêlé à une arnaque à l'assurance, Rita n'en savait rien.

Morrow rejoignit Harris à la voiture.

— C'était Gobby au téléphone. Ils étaient en planque à Barrowfield, et un môme de douze ans est venu cogner à la porte de la fourgonnette. Quand ils lui ont ouvert, il leur a jeté un sac en plastique plein de billets de vingt avant de se tirer.

— Ils sont où maintenant?

— Toujours à suer dans la fourgonnette avec environ deux cent mille livres en liquide.

16

Annie Gallagher tira sur le frein à main et leva les yeux vers le bunker aux rares fenêtres. Un ancien pub, fermé depuis des lustres, où la section locale de Hillhead avait récemment établi ses quartiers. Au moment de la bulle immobilière, ils s'étaient vus contraints à des déménagements successifs, cherchant sans cesse des locaux plus abordables. Et ils se trouvaient maintenant à l'extrême limite de la circonscription, sur la rive nord du fleuve Clyde, au cœur d'une zone qui avait hébergé jadis silos à grain et entrepôts. Le quartier avait le vent en poupe. On y avait bâti un nouveau musée des transports, dessiné par un architecte de renommée internationale, et le tracé des routes avait été revu en conséquence. Il allait bientôt falloir déménager de nouveau.

— Les voici, fit Annie, le regard sur l'angle du bâtiment.

Kenny les vit aussi, deux femmes d'âge moyen, marchant au pas, la même moue pincée sur les lèvres. C'étaient elles les instigatrices, il en était certain, elles et l'Émoticône qui avaient exigé la tenue de ce meeting. Il comprenait, vraiment. Marion, la plus âgée, aurait le cœur brisé. Si elle décédait brutalement et si la police trouvait dans son salon une poupée de Kenny Gallagher grandeur nature qu'elle habillait tous les matins et à qui elle donnait le bain le soir, Kenneth n'en aurait pas été surpris. Elle caressait les tasses dont il s'était servi. Il l'avait surprise en flagrant délit. Et aujourd'hui, elle était là, avec son apôtre, membre du parti depuis l'âge de treize ans, une dévotion née du besoin d'avoir un but. Sans jamais prendre position sur rien, elle était prête à tuer pour défendre les opinions des autres.

Toutes deux remontaient la chaussée d'un bon pas, déterminées à sauver la situation et à lui gâcher sa journée. Leur gros copain blond devait déjà être arrivé. Toujours dans tous ses états, à fleur de peau, atrocement sincère. Pete l'appelait l'Émoticône à cause de son visage grassouillet si expressif, mais Kenny trouvait cela méchant. Il savait, cependant, ce que Pete voulait dire. L'Émoticône en pinçait lui aussi pour Kenny. Tout au début, dans une interview à Radio Écosse, il avait affirmé pouvoir littéralement sentir la présence de Kenny où qu'il se trouve dans le bâtiment, grâce à l'incroyable charisme de ce dernier. Kenny prétendait ne l'avoir pas entendue.

De la vingtaine de syndicalistes qui avaient suivi Gallagher à la section locale de Hillhead du parti travailliste, il ne restait plus que les femmes. Il avait été décidé dès avant leur adhésion qu'ils travailleraient ensemble, pour faire pencher le parti vers la gauche et se poser en hérauts de la classe ouvrière, avec Kenny Gallagher comme porte-drapeau. À présent, ces femmes essayaient de se débarrasser de lui, mais il savait que cela n'avait rien à voir avec Jill Bowman. Elles voulaient prendre le pouvoir dans la section.

Il regarda Marion et l'Apôtre franchir le seuil.

— Tu les hais, n'est-ce pas ? fit Annie d'une voix douce.

— À cause de la façon dont elles te traitent, cracha-t-il. Le féminisme, c'est bien, mais ayez la décence de traiter les autres femmes avec un brin de respect ! Tu milites au parti depuis aussi longtemps qu'elles. Vois la façon dont elles t'ont tout bonnement mise sur la touche !

— C'est vrai, mais elles avaient peut-être raison, tu sais, peut-être que ce n'était pas pour moi...

— Non, elles t'ont mise sur la touche d'emblée, l'interrompit Kenny, parce que tu es ma femme. Et devant tout le monde.

— Elles n'avaient pas complètement tort. C'était déplacé. Il n'y a aucune raison que je prenne la tête de la section juste parce que je suis ta femme. Surtout depuis que Malcolm gère ce comité chargé de lever des fonds. Ça ressemble à du népotisme.

— Tu étais parfaite pour le poste. Et ils t'ont écartée à l'unanimité dès le premier tour de scrutin.

Elle lui prit la main et serra ses doigts.

— Ne te mets pas en colère avant d'entrer.

Elle avait raison. Kenny aurait voulu rester là, sous son regard indulgent. Il ne pouvait pas. C'était la deuxième réunion qu'ils avaient demandée pour discuter de cette controverse au sujet de McFall. Il avait trouvé une excuse pour se soustraire à la première, mais Pete, Mikey, Hank l'avaient mis au courant des rumeurs : le parti était furieux et allait tenter de l'écarter pour les prochaines élections. Il jouait son avenir en politique.

— À bientôt.

Il tenta de lui sourire mais il avait les traits si tendus qu'il eut surtout l'air cruel.

Annie lui sourit en retour.

— Bonne chance.

Il sortit, attendit sur la chaussée le temps qu'elle s'éloigne, lui adressant un geste d'au revoir avant qu'elle disparaisse au bout dans une rue latérale.

Kenny ne bougea pas, les yeux sur le carrefour désert. Annie savait. Elle le savait forcément, mais elle lui pardonnerait, pour sauver la face et pour le saigner. De nouveau, elle le décevait.

Il traversa la tête basse, pénétra dans le bâtiment comme une tornade. Sans prêter attention à la poignée de gens à la réception, il poussa la porte de son bureau, comme on remonte à la surface pour reprendre son souffle.

À l'intérieur, un fatras de dossiers et partout des piles de documents. En temps normal, il adorait, mais aujourd'hui il n'y voyait que négligence et amateurisme. Il lui arrivait souvent de se dire que si les électeurs apprenaient à quel point tout était bancal et mesquin, c'en serait fini de la démocratie.

Son secrétaire particulier, Peter, était assis au beau milieu de toute cette pagaille. Un type bien bâti qui s'habillait comme un chanteur de country, pantalon et chemise en jean, une somptueuse chevelure blonde semée de cheveux blancs lui descendant jusque dans le cou ; seules juraient avec l'ensemble les lunettes en demi-lune cerclées d'or qui pendaient au bout d'un cordon aux couleurs rastas.

— Pete ! fit Kenny en lâchant son sac avant de s'avancer vers son bureau. Qu'est-ce qui se passe ?

Pete jeta un regard derrière lui afin de s'assurer que la porte était fermée.

— La motion vise à t'écarter parce que tu as eu une liaison avec Jill Bowman. Si tu ne joues pas tes cartes comme il faut, ils risquent de te radier pour avoir nui à la réputation du parti.

— D'accord.

— À quoi tu joues avec ces déclarations inopinées à des journaleux comme Meehan ?

— Une liaison ? protesta Kenny. Bon sang, ce n'est pas la première fois qu'ils racontent ce genre de salades sur moi, si ?

— Tu te vends comme un bon père de famille, Kenny, c'est le prix à payer en cas de liaison.

— Je n'ai pas eu de *liaison*.

— Kenny, trois membres du bureau t'ont vu remonter avec elle dans ta chambre dans ce bed & breakfast à Inverness.

Il était scandalisé.

— Foutaises !

— Ils affirment t'avoir vu.

— Qui ?

— Pour l'instant, j'ai les noms de Marion et de l'Apôtre. La Tueuse est forcément dans le coup aussi. Et peut-être l'Émoticône, mais il était bourré et son neveu était à l'hosto, alors il n'est pas sûr.

— Ils mentent.

Kenny convoqua ses souvenirs. Jill avait quitté le bar en même temps que lui et ils avaient traversé la route pour rejoindre le bed & breakfast, mais Hank se trouvait avec eux. Hank qui les avait vus partir vers deux chambres distinctes.

— Depuis quand on fourre notre nez de la sorte dans des affaires privées ? On ne s'amusait jamais à ça. Qui a décidé qu'il fallait que ça change ?

— Kenny…

— Quand est-ce que ça a été voté ? C'est une vendetta personnelle, ils essaient de détruire ma famille et se servent de McFall, nom de Dieu !

— Kenny...

— Ils insultent ma femme, mes enfants...

— Non. C'est toi qui as insulté ta femme.

Kenny et Pete se dévisagèrent. Kenny venait soudain de comprendre que Pete en pinçait pour Annie. Il n'en revenait pas de ne pas s'en être aperçu plus tôt. Pete et Annie se connaissaient sans doute déjà avant que Kenny la rencontre.

— Enfin, bref, les fuites, on les doit à qui ? Je vais te dire un truc, Pete, c'est un coup des féministes radicales, elles ont mis McFall dans la boucle.

— Non.

Peter le dévisageait par-dessus ses lunettes, tel le prof de fac qu'il avait été jadis. Il manquait de chaleur, ce regard. Pete était loyal, toujours, mais il avait de l'ambition à présent. Ils s'étaient tous les deux lancés en politique lors de l'Affrontement de Bath Street, mais leur jeunesse était loin désormais.

— Il ne faut pas perdre l'objectif de vue, continua Kenny. On a besoin d'unité...

— Kenny.

Pete ôta ses lunettes, ferma les yeux et se pinça les ailes du nez.

— Tu as sauté Jill Bowman.

Kenny déglutit.

— D'accord. Mais pas à Inverness. Ils mentent. Hank était à Inverness, il sait qu'il ne s'est rien passé. Il témoignera.

— Mais tu l'as sautée et elle n'a que dix-sept ans.

— C'est légal.

— C'est vrai, concéda Pete, c'est légal.

— C'était entièrement consenti, Pete. J'ai toujours demandé, avant et après. «Tu es sûre ?» Toujours, quelle que soit la situation. Et jamais quand elle avait bu. Je ne suis pas un violeur.

— Personne ne te traite de violeur. Personne ne l'a même suggéré. Ce n'est pas une histoire de consentement.

— Parce qu'elle a presque dix-huit ans...

— Écoute, ne perdons pas de vue l'essentiel : tu as sauté Jill Bowman. Elle sort à peine de l'enfance, et toi, tu es un homme marié qui a bâti sa réputation sur l'image du bon père de famille. Et maintenant, tu vas raconter à un quotidien national que tu les traînes en justice parce que tu ne l'as pas sautée.

— Je n'ai jamais dit au *Globe* que j'allais porter plainte. J'ai dit au *News* que j'allais attaquer le *Globe*, nuance.

Pete rechaussa ses lunettes et arrangea la pile de documents devant lui.

— Continue à chicaner sur les détails et ils te démoliront sur l'essentiel.

Un conseil avisé. Kenny se calma. Le conseil était sage, en effet. Pete se montrait toujours d'une grande franchise.

Pete jeta un regard sur sa montre.

— C'est l'heure, dit-il tristement en se levant.

— Pete.

Pete ne pouvait pas poser les yeux sur lui.

— Pete, dis-moi comment faire.

Les épaules de Pete flanchèrent. Une porte claqua dans le couloir. Peter le regarda. Pete ne mentait jamais.

— Laisse-les t'écarter.

— Non.

— Laisse-les faire, Kenny, et ne porte pas plainte.

— Non !

Kenny s'était levé d'un bond, rouge de colère. Pete lui présentait la fin de sa carrière comme une éventualité. Ce siège, c'était l'aboutissement de toute une vie ; jamais il n'avait dérogé à ses responsabilités ou ne s'était lié d'amitié avec des entreprises pour se mettre au chaud une fois sa carrière terminée. Il ne savait rien faire d'autre, ne connaissait pas d'autre façon de gagner sa vie. Pas d'autre manière d'être Kenny Gallagher.

— Kenny, mon vieux, si tu déclares la guerre aux journaux, ils vont trouver les autres femmes.

Les cernes sous les yeux de Pete s'assombrirent.

— Il existe des photos, tu le sais, ajouta-t-il. Je les ai vues.

À cette idée, tous deux se raidirent. Toutes ces femmes, ces souvenirs qui revenaient par bribes : dans les voitures, les hôtels, avec des amis, dans des boîtes de nuit, des toilettes. Il y en avait qu'il connaissait, certaines étaient des amies, et d'autres qu'il ne connaissait ni d'Ève ni d'Adam.

Une femme nue, une femme mince, pas jeune, la quarantaine peut-être, roulant sur le côté pour se détacher d'un homme dans un lit défait, son sein suivant le mouvement, voyant Kenny étendu là, qui l'attendait, et la lueur sur son visage quand elle l'avait reconnu. Pendant qu'il la baisait, elle n'arrêtait pas de lever les yeux sur lui. Mais tout était consenti, tout se faisait entre adultes. Ils ne pouvaient l'accuser de rien sinon de tout ce que tout le monde rêvait de faire. Il n'avait pas honte et n'était pas un prédateur. Il avait toujours vécu sa vie avec intégrité.

Attrapant sa veste sur le dossier de sa chaise, Pete mit un terme à la conversation.

— Accepte d'être écarté. On parlera de la conférence de presse plus tard.

Il ouvrit la porte et la tint pour inviter Kenny à le suivre.

Et Kenny le suivit. Ils traversèrent le hall d'accueil, désert à présent, et franchirent la double porte vitrée qui menait à la salle de bar principale.

On avait disposé des chaises le long des murs et tout le monde était là, attendant, des tasses de thé entre leurs mains. Il faisait sombre.

Debout dans l'encadrement de la porte, Kenny promena son regard autour de lui pour voir qui tenait la planchette à pince : Hank présidait, Dieu merci.

Marion devant, à côté de l'Apôtre. L'Émoticône déjà presque en larmes, assis à côté d'elles, mains coincées entre ses genoux. Une poignée de gens sans intérêt, des retraités, des adhérents qu'ils avaient réussi à enrôler pour l'après-midi afin de s'assurer un quorum, et les Cinq Lesbiennes. Un poing. Assises ensemble, calmes. Bien sûr qu'elles étaient là : elles étaient toutes profs de fac ou à leur compte, trois étaient des artistes. Et leur candidate pour ce siège : Alison Collins, la Tueuse. Assise sur le rebord de la fenêtre comme dans un cadre, baignée par la lumière provenant de l'extérieur. Elle le voulait, ce poste. Malgré l'obscurité, il la vit qui le dévisageait avec insistance, les seins à l'étroit dans un fin chemisier. D'abord, il avait cru qu'elle était prête à s'offrir à lui. Il lui avait dit quelques mots un jour lors d'une fête, mais d'un regard elle l'avait remis à sa place. Le soutien-gorge pigeonnant ne constituait en rien une invitation, c'était une tactique froide, pour distraire le regard pendant qu'elle vous poignardait.

L'Émoticône se leva pour l'accueillir, esquissant par habitude un sourire avant de se reprendre. Il tira une chaise vers le centre de la pièce.

— Kenny, dit-il en se tenant derrière, pétrissant nerveusement le dossier.

— Comment va votre mère, Garry?

Son visage s'illumina.

— Mieux, Kenny, c'est gentil à vous de demander. Ils lui ont retiré le tube.

— Génial!

Kenny s'empara de la chaise, qu'il fit pivoter pour faire face à Hank qui tenait son bloc-notes bien serré entre ses doigts. Pete était resté près de la porte, debout.

Assis au milieu du cercle, Kenny se sentait comme une souris dans une assemblée de chouettes.

— Kenny, fit Hank, des excuses plein les yeux. Merci d'être venu.

— Je t'en prie.

Kenny s'apprêtait à croiser les bras mais se rendit compte que la posture pourrait suggérer qu'il était sur la défensive. Il posa donc les mains sur ses genoux, les deux pieds à plat sur le sol.

— C'est le point numéro deux, annonça Hank à l'assistance. Il aurait dû y avoir un point numéro un mais…

Il jeta un regard vers Kenny qui était arrivé en retard.

— Les circonstances nous ont imposé un changement de planning.

Hank baissa les yeux sur sa planchette pour se donner du courage.

— Kenny…, hésita-t-il.

— Oui? fit Kenny, se permettant un ton légèrement sarcastique.

Hank grogna, prit une grande inspiration.

— Contente-toi de lire, Hank, lança la Tueuse. Elle avait replié un genou devant elle, qu'elle tenait entre ses bras, un sein plantureux de chaque côté de sa jambe tandis qu'elle dévisageait Kenny,

204

déterminée à lui faire baisser les yeux. Elle savait, putain, elle savait ce que ça lui faisait.

Hank lut la feuille sur son bloc.

— Kenny, cette réunion a été requise afin de discuter des informations publiées par la presse concernant le différend t'opposant à Tom McFall sur le remboursement des dépenses de Jill Bowman dans le…

— Ce n'est pas le sujet!

La Tueuse, de nouveau.

— Je ne fais que lire ce qui est écrit, gémit Hank.

— Juste pour que tout soit clair : qui préside cette réunion? demanda Kenny.

La Tueuse éleva encore la voix.

— Hank. J'ai manqué le vote de désignation du président de séance parce que j'ai dû déposer les enfants à la halte-garderie.

Kenny s'efforça de ne pas rouler des yeux : elle se servait toujours de ses problèmes de garde d'enfant pour exiger des traitements de faveur.

— Ce que Hank veut dire, continua-t-elle, c'est que ton comportement sexuel met en péril la campagne dans la circonscription de…

— Minute, l'interrompit Hank. Minute. C'est moi qui préside, ici. Laissons-le s'exprimer.

Un marmonnement d'approbation parcourut l'assistance.

— Kenny, qu'as-tu à nous dire à ce sujet? continua Hank.

Kenny baissa les yeux vers ses genoux. Surtout ne pas s'enliser dans les détails.

— D'accord, dit-il en se mordant la joue. D'accord. Il m'est difficile d'évoquer cela avec vous, car il s'agit d'une affaire privée. Et même un homme politique ou une femme politique (il adressa aux femmes un hochement de tête respectueux) a droit à sa vie privée. Thomas McFall est un rival de longue date de mon beau-père…

La Tueuse ne put retenir sa langue.

— Tu as baisé avec Jill Bowman!

— TAIS-TOI, ALISON! hurla quelqu'un.

Une trouble-fête compatissante, une femme. La Tueuse commençait à perdre le soutien de l'auditoire. La Gestapo lesbienne se tourna vers la trouble-fête pour la fusiller du regard.

Kenny poursuivit.

— Ce mouvement, c'est toute ma vie. Nous avons offert de l'espoir aux désespérés...

— Ne nous sers pas ton discours électoral ! s'énerva la Tueuse.

Kenny tourna la tête vers elle, seulement la tête, un mouvement qui paraissait à la fois gauche et douloureux. Elle ne cilla pas.

— Beaucoup de gens dans cette salle, fit-il sans la quitter des yeux, s'exprimant lentement pour que le sous-entendu ne lui échappe pas, ont eu des relations sexuelles avec d'autres camarades. Il n'existe aucune loi contre ça.

Choquée, la Tueuse détourna le regard. Kenny se souvenait de cette fois-là. C'était il y a huit ans, et tous débutaient en politique, ils n'en revenaient pas de la facilité avec laquelle ils avaient remporté une circonscription et s'attendaient à ce qu'il en aille de même avec le parti à l'échelle nationale. Ils avaient tort. Et depuis, ils n'avaient rien fait d'autre que dériver. Mais à l'époque ils étaient euphoriques de s'être tous trouvés, à moitié amoureux de l'esprit collectif. Alison avait couché avec Hank une seule fois, mais Hank l'avait aussitôt raconté à Kenny. Elle n'en avait jamais rien su et s'en trouva décontenancée.

Maintenant qu'il l'avait remise à sa place, Kenny se retourna vers Hank :

— J'aimerais savoir depuis quand le parti a décidé de s'intéresser à nos vies privées. S'il en est ainsi maintenant, nous allons devoir demander à chacun la plus grande transparence sur ses liaisons, pas seulement à moi.

Le silence tomba dans la salle, tous examinaient leur conscience.

La Tueuse s'exprima avec moins d'animosité cette fois :

— Ne te défile pas.

— Alison, dit-il en essayant d'avoir l'air chaleureux, c'est la presse. Ils essaient de nous diviser et de semer la discorde au sein du parti en répandant des mensonges. Nous les laissons prendre la main ici. Depuis quand on leur fait confiance ?

— Kenny, mon gars – une voix aimable venue du fond de la salle –, ça a déjà déclenché une tempête sur Twitter !

C'était Pete qui gérait les comptes Twitter de Kenny, lequel n'y comprenait pas grand-chose.

Il orienta la conversation vers quelque chose qu'en revanche il maîtrisait :

— Et cette réunion, qui a pour sujet la vie privée d'un militant, n'aurait jamais dû avoir lieu. La presse ne peut rien prouver, pas une seule allégation. Je n'étais même pas à Inverness ce jour-là. Je me trouvais à un meeting sur le logement des handicapés en compagnie de trente autres personnes. Jill Bowman a toute légitimité pour représenter la section jeunesse, elle avait tout à fait le droit de voir ses dépenses remboursées. Comment peut-on demander aux jeunes de s'investir pleinement s'ils doivent y mettre de leur poche? Les médias essaient de priver la classe ouvrière d'une participation pleine et entière au processus démocratique.

Il éleva la voix quand arriva le point culminant de son discours, leva son poing fermé, contrebalançant l'agressivité de la posture en pointant le pouce vers Hank.

— On se doit de résister!

Un applaudissement. Marion, qui avait oublié qu'elle ne l'aimait plus. L'Apôtre applaudit une fois à son tour parce que Marion avait applaudi. Un applaudissement lent, pire que le silence, puis le silence absolu. Kenny était choqué. Son discours était bon, il espérait au moins un encouragement, un « oui! » prononcé à mi-voix.

— On ne peut pas, poursuivit-il d'une voix hésitante, demeurer les bras ballants.

— Mieux vaut des mains baladeuses, siffla la Tueuse, sarcastique.

— À quoi ça rime d'essayer de damer le pion à un journal moribond, quand les travailleurs et les travailleuses doivent encore et toujours payer pour les erreurs des riches? lança un vieil homme qui s'était levé au fond de la salle, agitant vers tous un journal roulé.

Mais parce qu'il était vieux, personne ne l'écoutait. Même si tout le monde faisait semblant, justement parce qu'il était vieux.

Tremblant d'émotion, Kenny continua :

— C'est moi qui vais les traîner en justice…

— Non!

C'était l'Émoticône. Se levant, il vint se poster face à Alison la Tueuse, agitant les bras en tous sens.

— Tu ne peux pas les poursuivre, Kenny ! Kenny ? Ils vont te mettre en pièces !

— J'ai le droit, le droit humain élémentaire, de me défendre. J'ai le droit de défendre ma famille, puisqu'on met en doute ma parole ici. Ma femme et mes enfants...

— Mon Dieu, murmura la Tueuse, ça y est, c'est parti...

Kenny était debout, à trois pas de l'Émoticône. Déroulant ses longues jambes au ralenti, la Tueuse se laissa glisser du rebord de la fenêtre pour venir à sa rencontre, seins dressés devant elle.

— Toi, dit-il d'une voix forte, tu organises un putsch pour faire de ce parti une plateforme de tes ambitions.

Il avait conscience de l'ironie de la chose : c'était exactement ce qu'ils avaient commencé par faire ensemble.

— Il nous faut un nouveau candidat, dit-elle. Quelqu'un qui ait soif de changement. Qui comprenne les problèmes des gens et soit en mesure de les prendre à bras le corps. Qui ne se contente pas de faire les yeux doux à tout le monde.

— Tout ça pour faire avancer ton programme à toi, Alison.

— Qui est ? fit-elle d'une voix blanche, sans émotion. Et ce programme imaginaire, quel est-il, Kenny ?

Pétasse. Il prit une grande inspiration.

— On ne laissera pas des infiltrés trotskistes obsédés par le genre et l'orientation sexuelle prendre le contrôle de ce mouvement, de ce parti.

— L'orientation sexuelle ? fit-elle, balayant la salle d'un geste de la main. Qui est homo ici ?

Toutes les lesbiennes affichèrent un sourire narquois. Il ne pouvait pas pointer le doigt sur elles. À moins qu'elles ne se lèvent et ne le reconnaissent elles-mêmes, il ne pouvait rien dire sans donner l'impression de les attaquer.

Un sanglot soudain, étouffé : la main sur la bouche, l'Émoticône fondit en larmes. Jusqu'ici, Kenny n'avait jamais vraiment su si l'Émoticône savait qu'il était gay, il était toujours seul. Sa sexualité enveloppée à jamais dans un linceul de tristesse.

La Tueuse continua :

— Nous ne parlons pas au nom du peuple, nous ne parlons pas au nom des femmes ou des homosexuels. Nous parlons pour les petites gens qui aiment le foot, la bière et tirer leur coup.

— Alison, surveille ton langage, l'interpella quelqu'un.

Elle l'ignora :

— Et cela n'a rien d'une quête pour la justice sociale. Ce n'est que de l'intérêt personnel qui se fait passer pour de la noblesse d'esprit. Ton comportement sexuel nous importe. Si tu te souviens, Lénine disait qu'il ne peut y avoir de véritable mouvement de masse sans les femmes. Or ton comportement est prédateur, il exclut, il fait de la femme un objet.

Kenny leva les bras au ciel.

— Eh bien, si Alison n'est pas contente, laissons tous tomber et rentrons chez nous.

— Où sont les femmes ? Qui a préparé le thé aujourd'hui ? lança-t-elle.

Même Hank grogna :

— Non, pas encore cette putain de question sur le thé !

— Qui a préparé le thé ? insista-t-elle.

— J'ai apporté du jus de fruits, s'écria un plaisantin au fond de la salle.

— On fait tout le boulot ingrat pendant que vous récoltez les lauriers.

Même s'il n'avait pas le droit de s'exprimer, Pete s'avança. Tous les regards se tournèrent vers lui.

— C'est un moment crucial de la campagne, dit-il d'une voix forte, saccadée, comme il le faisait toujours lorsqu'il avait besoin d'être entendu. Nous ne pouvons pas nous permettre de perdre cette élection à cause des mesquineries de féministes qui cherchent à marquer des points.

La salle se mit à rugir ; depuis les coins sombres, on brailla de vieux ressentiments déguisés en points de doctrine, d'autres demandaient le calme en hurlant, ajoutant au chahut.

Kenny se rassit au centre du cercle et attendit. Au milieu du tumulte, quelqu'un jeta une tasse contre le mur. C'était le chaos. Il n'y avait pas de chef, pas de discipline, pas de direction. Ils goûtaient à ce que ce serait sans Kenny, lequel comprit que cela irait de mal en pis : Alison prendrait le pouvoir quelque temps, mais personne ne l'appréciait, si bien qu'elle perdrait le vote suivant. Puis viendrait le pantin, Marion peut-être, ou un candidat de compromis, sans doute Hank, mais eux aussi finiraient par perdre. Le désordre serait épuisant. Ils perdraient courage, finiraient par le regretter.

S'il laissait les choses se faire ainsi puis revenait, son pouvoir n'en serait que plus fort, mais tout serait question de timing. Il faudrait revenir juste après le second candidat. Le plus important demeurait de ne pas être exclu du parti. Il essaya de ne pas sourire.

Voyant que la dispute montrait des signes d'essoufflement, Kenny se mit debout et leva la main. Le chahut se calma, puis cessa. Tout le monde tendait l'oreille, et, d'une voix posée, il prit la parole.

— Je vais porter plainte pour diffamation.

Avant même de leur laisser le temps de souffler, il ajouta :

— Je vais perdre. Et je prononcerai un discours dénonçant les injustices d'une plainte en diffamation, qui empêche les gens ordinaires de...

— Kenny, c'est la tempête sur Twitter, ça fait le tour du Web..., l'interrompit quelqu'un, qui fut aussitôt sommé de se taire.

Laborieusement, Kenny continua :

— Qui empêche les gens ordinaires de pouvoir se défendre contre les monstres que sont les médias. Mais je sauverai mon image et ma réputation. Dans cet objectif (il jeta un regard vers Pete), en tant que candidat sortant, j'accepte votre choix de ne pas me désigner de nouveau et je me désiste.

17

Alors que Harris s'engageait sur le parking de London Road, Morrow entreprit de défaire sa ceinture de sécurité. Mais il écrasa soudain la pédale de frein, et Morrow se sentit projetée vers l'avant, son épaule contre le tableau de bord.

— Bon Dieu de merde! s'exclama-t-il.

Devant eux, au centre du parking du poste de police en briques, trônait une imposante voiture : des pneus énormes, le châssis à un mètre cinquante du sol. Une Audi Q7, la risée de la police, garée là, chez eux.

À côté, Tamsin Leonard et George Wilder, immobiles sous la pluie, montaient la garde. Leonard soutint le regard de Morrow et s'avança vers elle d'un air implorant. Épaules voûtées, tête basse, Wilder la suivait. Ça n'annonçait rien qui vaille.

Ils s'arrêtèrent à hauteur de la portière de Morrow et attendirent, les mains derrière le dos comme à l'exercice, la pluie dégoulinant en perles d'argent sur la toile imperméable du blouson de Leonard.

Morrow ouvrit sa portière et sortit sous la pluie battante.

— Madame, dit Leonard solennellement, des gouttes suspendues à son nez proéminent, il faut que nous...

— Qu'est-ce que ce truc fiche là ?

Morrow désigna la voiture.

— C'est l'Audi que nous avons arrêtée la nuit dernière sur l'autoroute, lâcha Leonard d'un trait.

— Qu'est-ce qu'elle fiche ici ?

— Le coffre était bourré d'argent liquide, madame. Et on l'a pris.

— Vous l'avez *pris*?

— On l'a pris. Le chauffeur est en cellule, si vous voulez lui poser des questions. Il s'appelle Hugh Boyle.

— Vous l'avez emmené au poste?

— Oui, madame. Ainsi que le véhicule.

— Vous lui avez parlé depuis que c'est arrivé? s'enquit Morrow à mi-voix

Comprenant sa bourde, Tamsin perdit contenance.

– Pour le faire venir, c'est tout.

Morrow regarda la voiture, envisagea la possibilité que Leonard ait pu orienter les déclarations du témoin. Elle lui avait parlé, peut-être pour le pousser à mentir, à dire à tort que c'était la première fois qu'elle s'était approprié de l'argent, à déclarer un montant bien en-deçà de la somme véritablement dérobée. Morrow ne voulait pas croire Leonard capable d'une telle chose, mais il avait fallu douze heures à l'agent pour signaler une tentative de corruption. Les gouttes uniformes roulaient sur le capot comme des perles folles.

Morrow parvenait à peine à regarder les deux agents.

— Et maintenant, où est l'argent?

— On l'a emballé, il est là-bas, dans le coffre de la voiture de patrouille, murmura Leonard.

— Donnez-moi les clés.

Leonard plongea la main dans sa poche et les lui tendit.

Morrow désigna le mastodonte beige.

— Et celles de ce véhicule-là.

Leonard plongea la main dans son autre poche et les lui tendit aussi.

Morrow jeta un coup d'œil sur sa montre : 14 h 30. Elle s'obligea à regarder Leonard, puis Wilder, qui n'en menait pas large derrière sa coéquipière. Elle n'avait jamais aimé ce type.

— Rentrez, séchez-vous et montez à l'étage.

L'étage, c'étaient là que se trouvaient les salles d'interrogatoire. Elle allait les interroger comme des criminels, enregistrer leur propos, en les ayant au préalable informés de leurs droits. Wilder la dévisagea, sa bouche grimaça une objection silencieuse.

— N'essayez même pas, grommela Morrow.

Leonard fit volte-face et s'éloigna, la tête si basse que la pluie butait contre sa nuque, et Wilder la suivit.

Ils restèrent dans le bureau, laissant Leonard et Wilder se ronger les sangs à l'étage, laissant Hugh Boyle au plaisir d'être en cellule. En traversant le poste, ils l'avaient observé sur l'écran du brigadier-chef de permanence : un gangster de pacotille à la calvitie naissante qui se grattait les couilles, ignorant qu'il était filmé. C'était l'heure du déjeuner. Tout en avalant leur sandwich, ils tentèrent d'analyser la situation sous tous les angles.

— Ce n'est pas sa voiture, impossible.

— Il affirme que si. Il se pavane au volant en plein jour, la gare devant chez lui. Elle n'est pas déclarée volée.

— Ça ne signifie pas grand-chose. Benny Mullen ne la lui a pas prêtée ?

— Apparemment, ça l'indigne qu'on suggère une chose pareille. Il n'est attaché à personne. Son nom apparaît de droite et de gauche.

— Un livreur qui bosse pour son propre compte ?

— On dirait.

— Lucratif, apparemment. Belle peinture.

— Je me suis dit la même chose.

Elle esquissa un sourire.

— Cette peinture a l'air neuve, mais la carte grise date d'un an.

Harris sourit à son tour.

— On tente une petite rayure pour voir ce qu'il y a en dessous ?

— Bonne idée, ouais.

Quand leurs regards se croisèrent, leur sourire disparut. Morrow formula ce qu'ils savaient tous les deux :

— Il va falloir les appeler. Leur raconter ce qui s'est passé. Ils vont devoir rappliquer.

Elle faisait référence aux Plaintes. Ils étaient despotiques, accusateurs, la bête noire.

— Ils ne vont pas nous envoyer Bannerman, si ? demanda Harris, l'air sincère.

— Ici ? Ne soyez pas idiot ! (Elle lui décocha un regard plein de reproches.) Ils ne tiennent pas à voir tout ça sortir en appel.

Harris, sans le moindre embarras, soutint son regard. Il ne regrettait pas ce qu'il avait fait à Bannerman, aussi injuste et sans-cœur que ç'ait été. Il avait orchestré une campagne de déclarations anonymes où plusieurs membres de l'équipe avaient accusé Bannerman de harcèlement moral. Mis sur la touche, Bannerman s'était vu muter au service des affaires internes et des plaintes. Et maintenant, les flics des Plaintes allaient rappliquer. Depuis le coup de fil qu'ils avaient reçu chez Rosie et Rita Lyons, tous deux savaient qu'ils n'avaient pas d'autre choix que de les faire venir : toutes les grosses tentatives de corruption exigeaient une enquête en bonne et due forme.

Harris la regarda.

— Vous croyez que Wilder et Leonard ont avoué parce qu'ils ont entendu parler de Gobby ?

Morrow aussi se posait la question. S'ils avaient entendu dire qu'un sac de fric avait atterri dans la fourgonnette de Gobby, ils avaient forcément compris que les Plaintes seraient appelées, qu'ils se feraient prendre. C'était étrange, cependant, d'entendre Harris le formuler à voix haute. Il n'énonçait pas une évidence, cela allait plus loin. Le laissant poursuivre, Morrow se contenta de marmonner et croqua de nouveau dans son sandwich, tout en l'observant du coin de l'œil. Il sortit un Kit Kat de sa poche et le rompit d'un coup d'ongle.

— Ça expliquerait pourquoi ils se sont dénoncés, dit-il.

Il la regarda tout en retirant l'emballage, qu'il froissa pour en faire une petite boule compacte avant de croquer dans le biscuit. Quand ses dents s'enfoncèrent dans le chocolat, il plissa les yeux.

— On devrait demander qui est au courant, continua-t-il. Qui en a été informé ? Est-ce que ça aurait pu fuiter ? Difficile de garder un truc pareil sous silence.

Morrow marmonna de nouveau évasivement, se demandant s'il essayait juste de changer de conversation pour ne plus parler de Bannerman ou s'il détestait Tamsin Leonard, ou Wilder. Elle n'avait pas souvenir de l'avoir jamais entendu s'en prendre particulièrement à eux. Il avait souvent dit de Leonard qu'elle était un agent exceptionnel.

— Ils avaient l'air paniqué, ajouta-t-il, non ? À la voiture, quand ils sont venus à notre rencontre, ils avaient l'air d'avoir peur.

Il essayait à présent de lui remettre Wilder et Leonard dans la tête, de la ramener aux émotions ressenties sur le parking ; il voulait détourner son attention.

Elle mangeait en silence. C'était étrange d'être là, dans cette pièce, dans la tiédeur de son bureau mal éclairé, confrontée à cette double perspective, contrainte d'évaluer le gouffre entre les paroles prononcées et leur sens véritable.

Harris en remit une couche :

— En tout cas, moi, j'ai eu l'impression qu'ils étaient paniqués.

Ils étaient paniqués, oui. Évidemment qu'ils étaient paniqués. Ils avaient commis une chose affreuse. Même s'ils échappaient tous les deux aux poursuites, ce qu'ils avaient fait les hanterait à jamais. Ils seraient bien idiots de ne pas paniquer. Mais Harris la dévisageait avec insistance, essayant de lui arracher un acquiescement.

— Vous avez raison, dit-elle. Ils avaient l'air paniqué.

Harris termina son Kit Kat. Il se montrait un peu cruel. La plupart des flics avec son ancienneté parvenaient au moins à aborder leur situation avec empathie. C'était dur, une semaine avant la paie, de se trouver confrontés à des merdeux rois de la glande au volant de grosses cylindrées, avec des valises pleines de billets. Ça avait quelque chose d'injuste, et Morrow savait que la menace des licenciements venait miner le fort sentiment d'appartenance à la maison que beaucoup de flics partageaient. Personne ne savait où le couperet allait tomber, et tous en étaient à présent à s'imaginer un avenir ailleurs, une autre identité que celle de flic.

Elle dévisagea Harris. Les yeux baissés, la mine renfrognée, il songeait à Bannerman. Même lors de ses messes basses à la cantine, lorsqu'il écoutait les plaintes des uns et des autres et expliquait alentour que le comportement de Bannerman constituait du harcèlement, lorsqu'il voulait les convaincre d'appeler la hotline, il ne pouvait pas ne pas savoir que personne ne disparaissait vraiment pour toujours. Ils n'étaient pas nombreux dans la police du Strathclyde. Son venin envers Leonard et Wilder avait en réalité une autre cible : comme une femme qu'on bat à cause de l'impudence d'un patron, un petit qu'on frappe pour se venger de l'affront d'un géant.

Elle termina son sandwich et se leva en se frottant les mains pour se débarrasser des miettes.

— On ferait bien d'y aller.

Il se leva à son tour, une expression intense sur le visage, comme si la bagarre avait déjà commencé.

— Appelez les Plaintes et racontez-leur ce qui s'est passé, dit-elle. Et trouvez-moi quelqu'un pour vérifier le numéro d'identification sur le moteur de l'Audi, histoire de voir si elle est vraiment à lui.

La joue de Harris se contracta légèrement. Il se tenait trop près, ne s'était pas écarté quand elle avait quitté sa chaise et se trouvait maintenant entre la porte et elle. Il traînait les pieds pour obéir à ses ordres, parce qu'il voulait l'accompagner aux interrogatoires.

Elle se pencha vers lui.

— Agent Harris ? fit-elle d'une voix qui ne laissait pas de place à la contradiction.

Rabroué, il recula. Morrow attendit qu'il l'ait rejointe dans le couloir et ferma la porte derrière eux.

— Après votre compte rendu au service des affaires internes et des plaintes, allez me chercher Routher et conduisez-le en haut à la salle d'observation.

— Je me renseigne sur Gobby et la fourgonnette ? demanda-t-il. Pour savoir qui en aurait entendu parler et quand ?

Elle faillit éclater de rire mais lut sur son visage qu'il n'allait pas lâcher le morceau.

— Si vous voulez. Allez voir si vous trouvez quelque chose sur le numéro d'identification du véhicule dans le réseau. Et allez gratter la peinture, pour savoir s'il y a une autre couleur en dessous.

Elle monta à l'étage, heureuse de se débarrasser de lui. La période de Noël était tendue pour bon nombre de gens : trop d'obligations familiales, des dettes, de sales affaires. À Noël, même un meurtre familial ordinaire, avec une enquête propre et facile, pouvait revêtir une dimension sinistre. Mais il avait essayé de la distraire, pour éviter qu'elle ne parle de Grant Bannerman. Elle se demandait s'il savait sur ce dernier quelque chose qu'elle ignorait.

216

En haut, dans la salle d'observation, elle étudia Wilder sur l'écran de surveillance. Il sanglotait doucement en salle d'interrogatoire numéro 2, levant de temps à autres un regard vers la caméra, se demandant qui le regardait. Dans la salle numéro 3, assise sur sa chaise, épaules basses, l'air épuisé, Leonard fixait d'un regard vide le plateau de la table. Elle avait moins à perdre que Wilder, elle avait bien moins d'ancienneté dans le service que lui. Morrow décida de commencer par elle.

Routher entra, Harris sur ses talons.

— Alors, Harris, les Plaintes ?

— J'ai appelé. Ils seront là demain matin à dix heures.

D'un hochement de tête, il lui fit comprendre qu'il voulait s'entretenir seul à seul avec elle, à distance de Routher. Précaution inutile : les yeux rivés sur les écrans, Routher était bouche bée de consternation.

— C'est Erskine qui nous a appelés chez les Lyons, murmura Harris. Il était dans la fourgonnette avec Gobby et s'est adressé directement à nous. Il m'a dit qu'il n'en avait parlé ni à Leonard, ni à Wilder, ni à personne d'autre, mais vous savez comment il est...

— Il a du mal à tenir sa langue ?

— Il s'emballe vite, murmura Harris avec réticence.

Elle n'avait jamais vu Erskine se montrer particulièrement excité par quoi que ce soit, à part lorsqu'il feuilletait des magazines automobiles, mais même dans ces cas-là, il s'agissait plus de bonheur que d'excitation. Elle aimait bien le bonhomme : un bosseur.

— Pour le numéro d'identification, c'est fait ?

— Je m'en occupe tout de suite.

— D'accord.

Il en aurait pour une vingtaine de minutes puis occuperait le reste de son temps à se renseigner sur Wilder et Leonard.

— Et je veux le rapport sur la voiture carbonisée devant chez les Lyons, ajouta-t-elle.

Elle se tourna vers Routher, qui lui rendit son regard, tristement. Irritée, elle le menaça du doigt.

— Arrêtez de faire cette tête, tout de suite !

Rappelant Harris qui s'éloignait, elle lui cria :

— Harris! Dites à McCarthy d'approfondir l'enquête sur la FUV, qu'il trouve qui loue la villa de Cleveland Road. Je n'aime pas trop savoir que Pavel va traîner du côté de chez les Lyons.

Il acquiesça d'un bref hochement de tête et partit. Elle attendit qu'il disparaisse et demanda à Routher d'éteindre les écrans de surveillance. Si elle avait besoin des enregistrements, elle ne voulait pas, par décence, que quelqu'un puisse suivre à distance l'interrogatoire de deux flics comme s'ils étaient l'ennemi.

— Vous vous êtes renseigné sur le chauffeur de taxi de l'aéroport qui a reçu l'appel au sujet de l'alarme? Un casier?

— Mère de deux enfants, ne travaille qu'en semaine, blanche comme neige.

— Qu'est-ce qui vous fait dire ça?

— Ben, hésita-t-il, l'air vague, c'est juste une mère de famille…

Il faisait de la lèche. Morrow s'énerva.

— Renseignez-vous sur elle comme il faut, bon sang! Cherchez du côté des petits amis, du père, des voisins, ce genre de choses, pour voir s'il n'y en a pas un de suspect.

— Désolé…

— Attelez-vous à la tâche dès qu'on en aura terminé ici. Cette femme est la seule qui connaissait l'adresse. Allez, Routher, ne bâclez pas le boulot!

Elle se montrait agressive, s'en prenait à lui alors que c'était Harris qui lui tapait sur le système. Encore quelqu'un qui morflait pour un autre.

Morrow sortit dans le couloir la première. Quand ils passèrent à hauteur de la salle d'interrogatoire dans laquelle Wilder était assis, elle se pencha dans l'encadrement de la porte ouverte.

— Ne bougez pas d'ici, dit-elle fermement, quelqu'un arrive.

Une phrase pour la forme, quelque chose qu'ils disaient à tous les suspects. Qui ne signifiait rien d'autre que, ne vous suicidez pas, ne mettez pas la pièce à sac, parce qu'on risque de vous prendre sur le fait. Wilder l'avait sans doute prononcée des centaines de fois mais il acquiesça d'un signe de tête obséquieux et redressa le dos.

Leonard se trouvait dans la pièce voisine. Morrow contourna sa chaise et laissa Routher refermer la porte avec soin. Sans un mot,

Morrow s'assit et prit le temps de bien disposer ses documents devant elle. Tamsin demeurait immobile, les yeux rivés sur le plateau de la table, sans même la regarder. Morrow alluma la machine à écrire et lui lut lentement ses droits inscrits sur la feuille plastifiée. Elle la posa ensuite et leva les yeux vers Leonard, qui rencontra son regard.

C'était pour ça qu'elle appréciait Tamsin Leonard : elle ne cherchait jamais à prendre Morrow par les sentiments, elle était presque la seule dans ce cas parmi les agents de la division. Elle ne cherchait pas à devenir son amie. Ne demandait pas de traitement de faveur. Ne cherchait même pas à croiser son regard plus que ne le demandait la routine d'une journée de boulot. Consciente de ce petit faible qu'elle avait pour elle, Morrow s'arma de courage.

— Vous avez droit à la présence d'un avocat, dit-elle d'une voix éteinte. Vous en voulez un ?

— Non, madame.

— Vous êtes sûre ?

— Oui. On est filmées ?

Tamsin jeta un coup d'œil nerveux vers la caméra.

— Oui. Mais personne ne pourra assister à distance à l'interrogatoire, en revanche les enregistrements seront peut-être utilisés plus tard. Nous avons contacté le service des affaires internes et des plaintes.

Leonard hocha la tête en signe d'assentiment.

— J'ai besoin de savoir quoi leur dire au sujet d'hier soir, poursuivit Morrow. Je veux les faits, bruts.

— D'accord.

Elles se regardèrent.

— Maintenant ?

— Maintenant, confirma Morrow.

Alors Leonard lui rapporta comment ils avaient intercepté la voiture, la bretelle de sortie de l'autoroute, Hugh Boyle qui les avait incités à fouiller le coffre, même si l'idée n'était sans doute pas de lui. Puis elle parla à Morrow du sac de billets et de la façon dont ils avaient procédé au partage dans une rue voisine, à la louche, une moitié chacun. Elle lui raconta ensuite la photo compromettante envoyée par texto d'abord à Wilder, puis à elle. Elle avait un téléphone neuf, un nouveau numéro, que peu de gens connaissaient, qu'elle n'avait pas encore communiqué au poste. Elle ne savait pas comment ils se l'étaient procuré.

— Ils?

Boyle disait avoir vendu la photo aux enchères sur Internet. Il l'avait cédée au plus offrant. Il ne savait pas entre les mains de qui elle se trouvait. Wilder avait reçu le texto le matin même, avant le début de son service.

— C'est la raison de son départ?

— Ouais.

— Où est-il allé?

— Chez lui, je crois. C'est là que je l'ai trouvé.

— Et vous, à quelle heure avez-vous reçu le texto?

— Vers 10 heures.

Elle plongea la main dans sa poche et en sortit son téléphone, qu'elle fit glisser sur la table.

— Il est là-dedans. J'étais avec Routher.

Elle adressa un signe de tête à Routher, assis à côté de Morrow, la mâchoire pendante.

— Vous étiez malade, dit-il.

— Ouais.

Apparemment, cela la rendait honteuse, plus que d'avoir pris l'argent.

— Elle a reçu un texto sur son téléphone personnel, expliqua Routher, dans la voiture, avant qu'on entre chez TSF Ingénierie électrique, et puis elle a vomi.

Morrow contempla le téléphone de Tamsin quelques instants. Elle hésitait à le toucher.

— Montrez-nous la photo.

Leonard le tourna vers elle, pianota et ouvrit l'image. Elle manipula l'appareil de façon à ce que la photo apparaisse en format paysage avant de le tendre à Morrow.

Rien de compromettant. Morrow distinguait quelque chose dans le sac, mais si personne ne le lui avait dit, elle n'aurait pas pu deviner qu'il s'agissait d'argent.

— Qu'est-ce qui vous a convaincus de venir l'avouer?

— Ça.

Du menton, Leonard désigna le téléphone.

— Parce que vous vous êtes fait prendre?

— Pas prendre, menacer, dit-elle doucement.

— Ils vous ont également menacés?

Leonard tapota le dessus de son téléphone de l'extrémité de l'ongle.

— La menace, c'est ça. Ils s'apprêtaient à nous demander de faire quelque chose pour eux.

— Est-ce qu'ils l'ont fait?

— Non. Ils nous faisaient savoir que ça nous pendait au nez.

Morrow opina.

— À quelle heure vous êtes vous séparée de Routher?

Tamsin adressa un signe de tête à Routher.

— Il m'a déposée ici à 11 h 35. J'ai pris ma voiture et je me suis rendue chez Wilder. J'y suis restée dix minutes. Puis on est allés au Milton. On a parlé à un voisin. On a embarqué Boyle et on est revenus.

— Quelle heure était-il?

Leonard haussa les épaules et regarda le plafond.

— Chais pas trop. On a conduit Boyle directement en cellule. Le sergent de garde a dit que vous étiez en route, alors on est retournés vous attendre au parking.

Tout ça serait confirmé par la vidéosurveillance de la cellule.

— Quelqu'un vous a dit pour Gobby?

Elle baissa la tête.

— Gobby?

— Gobby.

— Il va bien?

Morrow nota de demander les enregistrements de la vidéosurveillance et de s'adresser au sergent de garde pour savoir à qui ils avaient parlé. Quand elle releva la tête, Tamsin scrutait le visage de Routher, essayant d'y deviner ce qui était arrivé à Gobby. Routher refusait de lui rendre son regard.

— À propos de cette photo : ils vous ont donné une idée de ce qu'ils attendaient de vous?

— Non, madame.

221

— Et à votre avis ?

Leonard retint sa respiration et rougit.

— Rendre des preuves inutilisables ?

— Pourquoi rougissez-vous ?

— Je suis gênée.

Morrow apprécia sa réponse. La crainte de se faire prendre était une raison indigne. Par comparaison, celle d'être corrompu apparaissait plutôt noble.

— Vous avez pris combien ?

— Cent soixante-trois mille chacun.

Morrow fit en sorte que tout le monde remarque qu'elle en prenait note.

— Vous voulez bien me répéter ?

— Cent soixante-trois mille chacun.

— Et c'était la moitié du total ?

— Plus ou moins. Que des billets de vingt. On n'a pas compté, on a juste partagé à la louche.

— Qui, de vous ou de Wilder, a eu l'idée de le prendre ?

Leonard haussa tristement les épaules et réfléchit un instant.

— On l'a pris, dit-elle finalement. On l'a fait, c'est tout.

Wilder pleurait, essuyant sans ménagement de fines larmes sur ses joues.

— Leonard a dit « on le prend ». Je savais que c'était une erreur...

Morrow ne le regardait pas.

— Mot pour mot, qu'a-t-elle dit ?

— Elle a dit « on le prend ». On contemplait l'argent dans le coffre et j'ai dit « c'est beaucoup d'argent », et là, elle a dit « on le prend ».

Morrow le dévisagea avec insistance. Son visage agité de spasmes racontait la longue et assommante histoire du pleurnichard, qui geignait de s'être fourré dans cette situation, qui ne voulait pas endosser la responsabilité de son geste, prêt à vendre père et mère. Elle sentit qu'il aurait nié avoir eu un nez, si cela pouvait lui permettre de conserver ses droits à la retraite.

— Vous avez votre portable sur vous ?

Il le sortit et le lui tendit en essayant d'accrocher son regard. Morrow extirpa un sachet plastique de sa poche et glissa l'appareil dedans à l'aide d'un crayon.

— Qu'avez-vous fait de l'argent?

— J'en ai pris une partie, elle en a pris une partie, on l'a juste fourré dans des sacs, on était pressés. On ne l'a pas compté.

— Combien avez-vous rendu?

— La totalité.

Elle se renversa sur sa chaise et le dévisagea.

— Ce n'est pas ce que j'ai demandé : combien avez-vous rendu?

— Quatre-vingt mille livres.

Elle saisit son stylo.

— Répétez.

— Quatre-vingt mille livres.

Morrow nota.

— On travaille ensemble depuis longtemps, hein, madame? ajouta Wilder pendant ce temps.

— On vous avait déjà proposé de l'argent?

— Non.

Sur ce point au moins il ne mentait pas, elle perçut une nette différence entre l'histoire selon laquelle Leonard l'avait forcé à le prendre et ce « non » clair et franc.

Elle se leva pour partir.

— Vous n'avez pas d'autres questions?

— Que pensez-vous de Gobby?

Il laissa errer son regard sur la table.

— C'est… un type bien?

Il leva les yeux pour voir s'il avait répondu ce qu'il fallait.

— Il va avoir une promotion? demanda-t-il.

— Ne bougez pas, dit-elle à Wilder tout en adressant à Routher un signe de tête pour lui indiquer de la suivre.

Routher referma la porte derrière eux. Elle se retourna pour s'assurer que personne ne pouvait entendre.

— Trouvez-moi les bandes de la caméra de surveillance de la cellule pour la matinée. Le passage où lui et Boyle apparaissent. Et obtenez-moi un mandat pour aller perquisitionner chez Wilder.

Elle n'aimait pas Wilder. Elle ne l'avait jamais aimé.

Assise en face de Hugh Boyle, Alex Morrow tenta de rassembler ses esprits. Lorsque Harris lui avait appris à qui menait le numéro d'identification de l'Audi de Boyle, l'histoire leur donna à tous les deux envie d'éclater de rire. D'habitude, lorsqu'elle interrogeait un suspect, elle voulait savoir si celui-ci dirait ou pas la vérité. Cette fois, peu importe ce que Boyle aurait à raconter, elle avait hâte de l'entendre.

Hugh Boyle était un type comme elle en voyait plein, mais avec quelque chose en plus : une petite merde qui affichait dans ses tenues vestimentaires le peu d'argent qu'il avait, qui faisait le coq dans ses Adidas et son Ted Baker parce qu'il était parti de rien. Des types de son acabit, elle en avait vu des tonnes, mais Boyle avait un charme : le léger strabisme et les grandes lunettes lui donnaient l'air d'un petit garçon, et il avait une aptitude inhabituelle à l'autodérision. Une calvitie naissante dans ses cheveux blonds tirant sur le roux découvrait un grand front, carré, qui rappelait celui d'un bébé.

— Monsieur Boyle, vous vous êtes déjà fait arrêter plusieurs fois pour des affaires de vol, commenta-t-elle en parcourant les formulaires.

— J'essaie juste de gagner ma croûte, répondit-il.

Il se retourna vers Routher, grimaçant un sourire coupable.

— Le chômage des jeunes étant ce qu'il est...

Elle feuilleta ses documents.

— Voitures, arnaques aux allocs, un brin de cannabis çà et là, vous êtes toujours dans la zone grise.

— Je suis pas très sociable, sourit-il. Même si je suis en fait très sociable, c'est ça l'ironie.

Morrow réfréna un sourire. Il n'avait jamais passé beaucoup de temps derrière les barreaux et c'était tout à son honneur : il avait dû se montrer malin, se dit-elle. Hugh Boyle lui souriait toujours.

— Je ne suis rien de bien sérieux. Je suis juste un petit gars qui bosse en free-lance.

— Vous êtes quelqu'un à présent, Hugh.

— Ah ouais ?

Il semblait flatté.

— Une nouvelle loi a été votée l'an passé : pour corruption, vous prenez dix ans.

Les traits de Boyle s'affaissèrent. Morrow baissa les yeux vers ses notes.

— C'est peut-être pour ça qu'ils ont fait appel à un free-lance. Ils n'auraient pas voulu mettre un des leurs dans ce genre de pétrin.

À son tour, elle lui décocha un grand sourire, auquel il ne répondit pas.

— Comment avez-vous obtenu les numéros de portable des agents ?

— Ah ! Mais vous voyez, ce n'est pas moi qui ai envoyé ces textos.

— Qui alors ?

— Euh, ben...

Il n'avait pas encore commencé qu'elle savait déjà qu'il mentait. Hugh sentit que la sauce ne prenait pas mais continua malgré tout, grimaçant : il avait pris cette photo d'eux, Ben ouais (sourire de guingois). Avant d'aller dans un forum de discussion sur Internet, eh ouais (sourire narquois), et dans ces endroits, voilà ce qu'on pouvait faire (gloussement nerveux) : on mettait les photos en vente, ouais, et si quelqu'un accrochait dessus, un de ces bandits anonymes, on lançait une enchère.

Morrow ne prit pas la peine d'écouter la suite. C'était du grand n'importe quoi. Il affirma avoir été réglé en bons d'achat de super-marché et le truc cool avec les bons d'achat, c'était qu'on avait le droit de tout acheter avec, fringues, électronique, clopes, bouffe, tout ce qu'on voulait.

— C'est une histoire bien compliquée, remarqua Morrow.

Hugh hésita un instant, puis son visage s'éclaira d'un grand sourire.

— J'en ai trop fait, c'est ça ?

— Vous n'avez pas l'air inquiet à l'idée de perdre l'argent. Ce qui me fait dire qu'il ne vous appartient pas.

Énorme sourire.

— Vous êtes maligne. Je comprends pourquoi vous êtes passée chef.

— Il est à qui, cet argent ?

— Ah! fit Hugh sur un ton de regret, ça je peux pas vous le dire.

— Ah non?

— Sinon, j'aurai sacrément des ennuis.

— Allez. Vous pouvez me le dire.

Benny Mullen. Ils le savaient l'un comme l'autre. Hugh leva les bras en signe d'impuissance.

— Ils me feraient la peau, putain.

— Comme ce serait triste...

Souriant de nouveau, il tendit les mains vers elle :

— Allez, vous le savez bien.

Morrow se renversa sur sa chaise et le considéra.

— D'accord, laissez-moi deviner comment ça marche : quelqu'un vous appelle pour vous demander de venir, ils remplissent votre coffre de liquide. Ils savent qu'on surveille. Ils vous appellent d'un certain numéro, sachant que ça va nous mettre la puce à l'oreille. Vous prenez le volant. On envoie une voiture de patrouille à vos trousses.

À la façon dont les yeux de Hugh s'agrandirent, elle sut qu'elle était dans le juste. Mais jamais il n'admettrait qu'il s'agissait de la mafia de Barrowfield. Ils ne parvenaient jamais à convaincre personne de témoigner contre eux parce que Benny Mullen était un barjo. Il se débarrassait des gens comme on se débarrasse d'emballages de bonbons. Les corps ne refaisaient même jamais surface. Une enquête précédente avait conduit à les soupçonner de trimballer les cadavres dans les mêmes conteneurs que ceux qu'ils utilisaient pour leurs cargaisons. C'était pour ça que Mullen courait toujours. Personne ne survivait pour témoigner.

Hugh se redressa sur son siège et se passa la langue sur les lèvres.

— Écoutez, je suis du menu fretin dans cette histoire, dit-il aussi vite qu'il le put. Je n'ai rencontré... personne d'important.

Il eut un sourire gêné.

— Dix ans, c'est long, ajouta-t-il, mais je me donne pas plus de dix semaines si je prononce un mot de travers.

Morrow lui sourit. Elle savourait ce moment :

— J'ai vérifié le numéro d'identification de votre véhicule.

— Le numéro de quoi?

226

— Le numéro d'identification de votre véhicule. Celui qui est imprimé dans le châssis. Chaque voiture a le sien qui lui est propre. Impossible de l'effacer des registres.

Hugh Boyle pâlit si vite qu'elle craignit de le voir perdre connaissance, et, par réflexe, elle se pencha vers lui, prête à le retenir.

Hugh ouvrit la bouche. Hugh ferma la bouche. Elle entendait sa langue bouger et râper son palais. Très sèche, manifestement. Elle espérait que la caméra ne manquait rien des détails de Hugh tourneboulé, en train de perdre contenance, parce qu'elle savait qu'elle aurait envie de revoir la scène.

— Vous voulez un verre d'eau ?

Boyle fit signe que oui. D'un geste de la tête à l'attention de Routher, elle désigna les gobelets en carton, et Routher servit un verre au mourant. Boyle, tout tremblant, le porta à ses lèvres. Il le but d'un trait et en demanda un deuxième. Ils le lui servirent.

— Alors, fit Morrow, qu'est-ce qui vous a pris de faucher la voiture de Benny Mullen ?

Hugh s'effondra sur la table.

— Je savais pas que c'était la sienne ! murmura-t-il. Je l'ai pas su jusqu'à ce que je sois parti avec. Je l'ai fait repeindre fissa. J'ai même piqué trois autres Audi le même soir pour couvrir mon cul.

— Il va vous descendre, Hugh.

— Je sais. Je sais qu'il va me descendre !

— En même temps, il y a toujours l'espoir qu'il n'apprenne jamais.

Hugh posa sur elle un regard vide. De petites perles de sueur commencèrent à se former sur son large front.

— J'ai besoin d'un témoin et nous pouvons vous protéger.

— Non, vous pouvez pas, pas de lui. Personne ne peut protéger qui que soit contre lui. Il est partout.

Morrow le dévisagea. C'était de la panique aveugle. Ils le protégeraient. S'il obéissait à leurs ordres, ils pouvaient le mettre à l'abri, lui faire quitter la ville. Les chefs les adoreraient pour ça. Les chefs pourraient peut-être même accepter de fermer les yeux sur les douze heures d'égarement de Tamsin et Wilder parce qu'ils leur auraient livré Benny Mullen.

Boyle lui adressa un regard plein de larmes.

227

— Sale vache.

— Oh! minute, dit-elle, refrénant un sourire et maîtrisant son enthousiasme, vous vous êtes fourré tout seul là-dedans, Hugh. Vous le savez bien.

Il le savait. D'un timide signe de tête, il le reconnut. Il la dévisagea d'un œil mauvais. S'il voulait être encore vivant en janvier, elle était devenue son seul espoir et il le savait.

— Je vous donnerai ce que vous voudrez, dit-il calmement avant d'ajouter à mi-voix : Et la voiture, je peux la garder?

Consciente de la présence des caméras, Morrow ne l'envoya pas se faire foutre. Elle se contenta d'un « non » calme et posé et referma son dossier.

18

Laissant derrière lui les bourrasques glaciales d'une fin d'après-midi hivernal, Kenny Gallagher pénétra dans la chaleur douce du bar à cocktails. Sur une estrade surélevée, un pianiste jouait du jazz d'ascenseur, tendant langoureusement les doigts vers l'extrémité du clavier, trop jeune pour prendre la mesure du plaisir intemporel qu'il offrait aux quadragénaires et aux quinquagénaires en train de siroter leur verre. Au comptoir, un groupe d'employés de bureau coiffés de bonnets de Noël, des guirlandes autour du cou en guise d'écharpe, remarqua son arrivée. Tandis que Kenny se dirigeait vers les ascenseurs, trop saouls et enjoués pour se souvenir de la disgrâce dans laquelle il était tombé, ils lui chantèrent «Il n'y a qu'un seul Kenny Gallagher».

Souriant, Kenny les salua d'un geste, leur souhaita un joyeux Noël et appuya sur le bouton.

Pendant qu'il attendait, le volume de leurs vocalises augmenta. Il leur adressa un hochement de tête en signe de remerciement avant de se tourner vers les portes en acier, le sourire aux lèvres. Il aimait cet esprit de camaraderie unique qui se tissait lors d'après-midi passés à s'enivrer. Les portes de l'ascenseur s'ouvrirent et il monta dans la cabine vide.

Elles se refermèrent sur la chorale qui changeait de registre, passant d'un chant de supporters de football à une interprétation de *Oh, Little Town of Betlehem* tout aussi joyeusement tapageuse. Kenny appuya sur le bouton du septième étage.

C'était un ascenseur à l'ancienne. Il s'ébranla dans un sursaut avant de se hisser vers les étages. Un sursaut dans lequel Kenny eut la sensation d'abandonner quelque chose, comme s'il se débarrassait de ses soucis, passés et à venir. Annie et Moira, McFall et Bath Street, la Tueuse et Pete, tous disparurent. L'ascenseur l'entraînait vers le haut, il se sentait de plus en plus léger, présent, honnête et vrai. Il en avait besoin.

« Septième étage », annonça la voix désincarnée. Les portes s'ouvrirent sur l'obscurité intemporelle et cafardeuse d'un couloir d'hôtel. Kenny s'y engagea, laissant traîner le bout de ses doigts contre la toile bleue des murs, le bruit de ses pas étouffé par l'épaisse moquette de même couleur. Il longea des portes qui ouvraient sur d'autres mondes, d'autres vies, d'autres possibilités. Il contourna un plateau abandonné à l'extérieur d'une chambre, une assiette disparaissant sous une serviette de table en lin, une bouteille de ketchup, une fourchette tachée de jaune d'œuf séché et un verre de lait vide. Il passa devant un journal posé devant une porte tel un paillasson. Arrivé au bout, il tourna.

Ici, la lumière était encore plus chiche, ou du moins en avait-il l'impression. Tout était silencieux, sinon pour le léger couinement des fibres de la moquette écrasées sous ses pas. Il salivait, le souffle court, son rythme cardiaque s'élevant lentement.

Chambre 723. Il frappa deux fois, puis se retint de frapper un troisième coup un peu désespéré et laissa sa main retomber le long de son corps. Il attendit, concentré sur son souffle court. L'air pénétrait dans son nez avec un petit sifflement, entre les poils, à travers le léger étranglement des fosses nasales gonflées par la climatisation, puis ressortait par sa bouche ouverte, en un souffle léger, comme si sa cage thoracique était sur le point de flancher. Un souffle léger, un sifflement puis un souffle.

La porte s'ouvrit sur un inconnu paranoïaque, une trace de poudre blanche sous ses narines. Le corps en retrait de la porte, il ne laissait apparaître dans l'embrasure que son cou et son visage hagard, ses yeux courant nerveusement d'un bout à l'autre du couloir. Derek apparut dans son champ de vision, nu à l'exception de ses chaussettes, exhibant son érection sans gêne. Avisant Kenny, il haussa les épaules d'un air désarmé, et tous deux éclatèrent de rire au moment où Kenny se glissait dans la pièce, refermant derrière lui.

Le paranoïaque derrière la porte, en caleçon, tourna la tête tour à tour vers Kenny puis vers Derek, agité, à la recherche d'une explication.

— Vas-y mollo sur la coke, lui conseilla gentiment Kenny. Prends plutôt un whisky ou quelque chose.

L'homme se dirigea vers le bar de fortune dressé sur la table basse, une bouteille de whisky bas de gamme, une autre de vodka, une brique de jus d'orange dont le coin déchiré ne tenait plus que par un fil. Fauteuils et verres sales faisaient face à la télévision. Ils avaient regardé un film, et Kenny regretta de ne pas avoir été là.

— Mec.

Derek n'avait pas bougé, il se tenait là, sans honte, nu comme un ver.

Derrière lui un mur de verre teinté surplombait la ville, changeant l'après-midi pluvieux en un minuit scintillant. Ils dominaient le fleuve, une vue jusque-là inconnue. Ils auraient pu se trouver dans n'importe quelle ville, à n'importe quelle heure, n'importe où dans le monde.

— Je te sers un verre ?

— J'ai des trucs à faire, après, répondit Kenny, en regrettant aussitôt d'avoir laissé cet autre pan de sa vie s'inviter dans celui-ci.

Derek désigna la porte de la chambre d'un signe de tête.

— Viens voir un peu ce qu'on a.

Kenny le suivit, laissant tomber sa veste sur le sol et débouclant sa ceinture. Il allait baiser ce qu'il y avait là derrière, peu importe ce que c'était. Il allait baiser cette chose à des endroits où elle n'avait jamais été baisée et il allait la baiser plus de deux fois, trois fois, quatre fois, la baiser partout, se perdre dans sa peau, la lécher et la baiser.

Derek lui chuchotant par-dessus son épaule :

— Mets-la-lui bien profond, mec.

Parfois, comme à ce moment-là, dans la pénombre d'un taxi, par un après-midi pluvieux, Kenny voyait Annie dans le visage d'Andy.

C'était davantage dû à son expression qu'à ses traits. Empreints tout à la fois de tristesse et de colère. Le garçon feignait des maux de ventre et sanglotait pour rentrer chez lui. Un garçon de neuf ans ne devrait pas pleurnicher autant; il attirait l'attention sur lui, devenait une cible pour les caïds de cour d'école. Pas de veine pour lui, l'infirmière était présente ce jour-là pour une histoire de poux, elle avait pris sa température, tâté son ventre et conclu qu'à son avis, très franchement, il n'avait rien.

Andy continua à mentir en se tenant le ventre, à pleurnicher quand ils quittèrent l'enceinte de l'école, avant de mettre un terme à son petit numéro dès qu'ils furent dans le taxi.

— Laisse-moi t'attacher.

En attrapant la ceinture de sécurité d'Andy au-dessus de la vitre de la portière, Kenny sentit lui monter aux narines l'odeur de son après-midi : parfum, cigarette, transpiration féminine, notes piquantes d'éthanol provenant de la vodka bue par d'autres.

— Et voilà!

En tirait sur la ceinture pour la boucler, il vit son cadet l'observer, les yeux baissés, menton tassé dans un pli grassouillet de son cou. Sa lèvre supérieure était gercée, rouge et sèche, ses cils collés par les larmes. Entre Kenny et Andy, le courant passait mal. C'était un enfant en retrait, tout l'inverse de lui, si populaire au même âge. Le petit Kenneth était un peu plus son genre. À l'école, ils auraient été copains. Marie, l'enfant du milieu, était très proche de sa mère.

— Tu te sens mieux, mon chéri?

Andy fit signe que oui avant de poser la tête contre la vitre de la portière.

— Allez, on te ramène à la maison.

Il se pencha vers le chauffeur pour lui communiquer l'adresse.

Le taxi démarra dans un grondement et s'engagea sur la chaussée. Un vieux modèle, bruyant, qui avançait avec un bruit de ferraille. Une aubaine pour Gallagher, qui ne tenait pas particulièrement à faire la conversation à son fils. Il craignait qu'Andy ne lui pose des questions sur ce qui se disait dans les journaux. Le chauffeur écoutait la radio, une émission sur les maux de tête qui laissait la parole aux auditeurs, sans quoi Kenny lui aurait tapé un brin de causette.

— J'ai pas vraiment mal au ventre, avoua Andy à mi-voix.

— Oh! répondit Kenny, tant mieux. Quand on sera à la maison, on mangera une glace et on regardera des dessins animés. Ça te remontera le moral, tu crois?

Andy acquiesça du menton, un faible sourire aux lèvres.

— Papa?

Oh! mince, c'est pour maintenant, se dit Kenny.

— Oui, mon chéri?

— Les garçons à l'école, ils disent que t'as une copine.

— C'est des sottises.

Andy lui jeta un regard en coin, le regard de sa mère; il ne le croyait pas mais voulait entendre la suite.

— Écoute, Andy, fit-il en prenant la main de son fils, encore dodue et informe. Maman m'a demandé d'aller te chercher pour que je puisse t'en parler …

— Maman est à la gym.

— Oui, je sais, maman est sans doute à la gym, et c'est pour ça qu'elle ne répondait pas quand tu l'as appelée. Ce que je veux dire, c'est qu'elle m'a demandé de t'en parler. De te parler des trucs qu'on raconte dans les journaux. C'est bien de ça qu'il s'agit, hein?

Andy confirma d'un signe de tête.

— De ce que les journaux racontent sur moi?

Il guetta une nouvelle confirmation, mais Henry passa simplement la langue sur sa lèvre gercée.

— Eh bien, Andy, ton père est célèbre, tu le savais?

Andy se léchait toujours la lèvre, méditant la question. Il eut l'air triste, puis sembla laisser tomber la conversation et se tourna de nouveau vers la vitre.

— Quand on est célèbre, les journaux pensent avoir le droit de raconter ce qu'ils veulent sur nous. Ils inventent des choses, continua Gallagher. Andy?

Andy laissait glisser son regard sur les voitures en stationnement, secouant brièvement la tête tous les deux ou trois mètres.

— Andy, écoute-moi. Écoute-moi, Andy.

Le garçon se tourna vers lui, de tout son corps, mais il refusait de croiser le regard de son père.

233

— Ils pensent qu'ils peuvent raconter n'importe quoi, mais ce n'est pas vrai. Je vais les poursuivre en justice pour qu'ils le reconnaissent. Je vais leur demander de reconnaître qu'ils ont menti. Qu'est-ce que tu en dis, hein ? Maman et moi, on va les forcer à l'admettre devant tout le monde, comme ça les garçons de ta classe sauront que c'étaient des mensonges. Comment tu crois qu'ils se sentiront après ça, hein ?

En virant brusquement dans leur rue, la voiture pencha, faisant basculer Andy tête la première vers Kenny. Leurs deux visages n'étaient plus qu'à quelques centimètres, mais Andy refusait toujours de lever les yeux. Cent mètres plus loin, le chauffeur freina, arrêta le compteur et se tourna vers eux.

Kenny fut soulagé de voir la voiture d'Annie dans l'allée. Il fallait qu'il retourne au bureau, mais être allé chercher Andy à l'école lui vaudrait des bons points.

— On va les forcer à reconnaître devant tout le monde que c'est un mensonge, d'accord ?

Andy renifla, acquiesça du menton et se lécha les lèvres.

— C'est un mensonge, reprit-il.

— Exactement, mon chéri, c'est un mensonge.

Pendant qu'Andy se débarrassait de sa ceinture de sécurité, Kenny régla le taxi, lui dit de garder la monnaie et demanda une facture. Il se glissa dehors et se retourna pour tendre la main à son fils.

Andy la prit et regarda le sol. En mettant un pied dehors, il bascula soudain de tout son poids vers l'avant, se retenant à Kenny qui sentit aussitôt son coude se dérober. Dans le regard qu'Andy lui jeta alors qu'ils tombaient l'un vers l'autre, Kenneth entrevit une lueur fugace de colère, Andy en train de lui reprocher son poids, sa chute, toutes les erreurs qu'il commettrait.

Quand le garçon, en retrouvant son équilibre, leva de nouveau les yeux, il avait le visage d'un enfant ; mais Gallagher eut la sensation qu'il venait d'assister à la naissance d'une ombre terrible qui planerait sur eux pour le restant de leurs jours.

Faisant comme si de rien n'était, ils se dirigèrent vers la porte d'entrée. Kenny se tâta les poches à la recherche de ses clés.

— Papa ?

— Oui mon chéri?

Son trousseau était coincé. Pendant qu'ils étaient dans le taxi, une petite clé s'était prise dans la doublure de son pantalon.

— Tu as déjà eu une petite amie, non?

— Non!

Kenny se mit à rire, comme si l'idée était ridicule, sa putain de clé coincée dans sa poche.

— Non, jamais de la vie, qu'est-ce qui te prend de dire une chose pareille?

— C'est maman qui l'a dit.

— Maman était en colère, mais après elle a compris que ce n'était pas vrai.

Impossible de sortir ses clés, il tira et tira encore. Il était en train de déchirer la doublure à présent, il en était sûr. Il réussit enfin à les libérer, s'égratignant la cuisse au passage.

— Tu peux en discuter avec ta mère, mon chéri, elle te racontera.

Annie avait dû les voir approcher, ou elle avait enfin eu les messages laissés sur son téléphone, parce qu'elle ouvrit la porte en grand.

— Oh! Andy, tu es malade?

Andy s'était figé. Annie se s'était pas rendue à la salle de sport. Elle avait les cheveux secs. Elle se pencha et posa la main sur la joue de son fils.

— Tu es malade? L'infirmière a dit que tu avais mal au ventre. C'est vrai?

— Oui, répondit doucement Andy. J'ai mal au ventre.

19

En s'engageant dans Lallans Road, Martin Pavel se sentait étrangement euphorique. Il marchait du mauvais côté de la route, conscient des flaques de lumière projetées par les réverbères, qu'il évitait afin que Rosie ou, pire, Joseph ne puisse pas l'apercevoir par la fenêtre.

Il s'arrêta une minute dans la portion la plus sombre de la rue. Le jardinet devant la maison était propret et bien entretenu, et il sentait la chaleur derrière les fenêtres. Par terre, à côté du perron en béton, on apercevait un cendrier dans lequel était alignées avec soin quatre cigarettes à demi fumées, l'extrémité carbonisée pliée en accordéon. Comme les plans des bateaux négriers, songea-t-il.

Il sonna et attendit, aussi nerveux qu'un prétendant.

— Qu'est-ce que tu fais là ?

Rosie avait ouvert sans hésitation.

— Je, euh, suis venu vous rendre visite.

Impassible, elle regarda derrière lui, vers le magasin.

— Tu passais dans le coin ?

— Non, je, euh, suis juste venu vous voir. Pour m'assurer que tout allait bien.

Elle le dévisagea, scrutant son visage, et demanda de nouveau :

— Qu'est-ce que tu fais là ?

Il ne savait que répondre.

— Je suis venu voir si je pouvais aider ?

— Aider qui ?

Il ne savait pas trop. Le vestibule derrière elle était en désordre. La radio de la cuisine réglée sur Radio 3, une station qu'il adorait lui aussi.

— Je sais pas trop.

Basculant sur une hanche, elle inclina la tête vers lui. Sa main sur la poignée se détendit légèrement, mais elle semblait exaspérée.

— Et si on n'a pas besoin d'aide? Ce n'est pas plutôt mon aide que tu cherches?

— Non.

— Tu sais, dit-elle le regard vide, au bord des larmes, je suis sous l'eau en ce moment.

— J'essaie de t'aider, dit-il.

Elle le regarda, presque avec pitié.

— Pourquoi?

— J'essaie d'ajouter à la somme de...

Il cala. Jeta un coup d'œil derrière elle. Il n'avait vraiment pas beaucoup dormi.

— Je ne sais pas, je veux juste aider...

Elle souffla lentement entre ses lèvres, comme s'il lui avait demandé de soulever une charge incroyablement lourde, avant d'ouvrir la porte en grand.

— Je ne vais pas te faire entrer. Attrape mon manteau, je vais sortir fumer.

Laissant la porte ouverte, elle se dirigea vers la cuisine et en émergea les mains dans un torchon. Elle paraissait décontenancée.

— Je sais que ça peut faire froid dans le dos de me voir ici, lui cria Martin. Mais je ne cherche pas à te harceler, je ne suis pas un tordu, ni rien.

Elle attrapa ses cigarettes et son briquet sur le plan de travail et revint vers lui.

— Je te dis ça pour que ce soit clair entre nous : t'es pas mon genre.

— Je ne suis pas venu pour ça.

Il s'en tint là car il ne trouvait rien qui n'aurait pas été blessant ou hostile : tu es grosse, je déteste ta coiffure.

Ils se dévisagèrent, et elle se mit à rire, en se couvrant la bouche d'embarras. Martin sourit à son tour. C'était bien d'avoir réglé cela, une bonne fois pour toutes. Pour éviter toute gêne inutile.

Elle attrapa son anorak rouge suspendu à une patère.

— Je crois qu'on a plutôt bien géré ça, non ? fit-elle.

Martin sourit. Elle était franche.

— C'est vrai, dit-il, s'attendant à ce qu'elle lui demande de nouveau ce qu'il cherchait, si ce n'était pas ça.

Rosie ne dit rien. Elle enfila son anorak, le même blouson trois quarts de marque Puffa que celui qu'il lui avait vu à l'hôpital, et le rejoignit sur le perron.

Fermant la porte, elle sortit ses cigarettes et lui tendit le paquet ouvert.

— Tu fumes ?

— Non, merci.

— Tant mieux.

Elle en sortit une, la porta à sa bouche et la coinça entre ses lèvres pincées, ce qui la rendit soudain plus vieille.

— C'est tellement cher dans ce pays qu'on a toujours peur de s'en faire taxer.

Elle craqua une allumette et la tint devant sa cigarette.

Quand la flamme mourut, elle la jeta dans le cendrier, et tous deux restèrent là, debout dans le noir, le regard perdu droit devant eux telles des sentinelles. Rosie cracha un nuage de fumée glacée.

Lallans Road descendait en pente raide. À droite, en montant, il y avait la lueur vive des réverbères et les phares des voitures et des bus sur l'artère passante. À gauche, trois maisons plus bas, la petite rue disparaissait dans les ténèbres au-delà du canal, une vaste étendue de friches industrielles. Un paysage qui n'avait pas été modelé par le vent et la pluie mais par l'absence de bon sens et l'industrie : une décharge sauvage, des gravats et de l'électroménager recouverts d'une épaisseur de terre. De l'herbe, qui poussait en touffes provocatrices, des arbres décharnés, effeuillés par l'hiver, qui survivaient comme ils pouvaient. Un paysage criblé de carcasses de voitures abandonnées.

— Ils trouvent des chevreuils là-bas, tu sais.

Elle sourit.

239

— Pour de vrai?

— Ouais. Il y a un couloir de terre vierge entre ici et les Trossachs. Des meutes de chevreuils viennent se balader jusqu'ici. Il n'y a pas grand-chose pour eux dans le coin. Au bout d'un moment, en général, ils se tirent.

— On ne dit pas « meutes ».

Elle prit la mouche et tira sur sa cigarette, énervée.

— C'est pour m'aider sur ça que tu es venu? Mon vocabulaire?

Il trouvait toujours cela difficile.

— D'accord, je n'attends rien de toi, dit-il. Je veux t'aider.

Elle lui jeta un regard suspicieux.

— M'aider à quoi?

— Chais pas, à trouver du boulot, peut-être.

Ça la fit sourire.

— Peut-être que je pourrais t'aider à démarrer dans quelque chose, ou un truc comme ça, ajouta-t-il.

Elle sourit, ne répondit rien et le dévisagea.

— Tu ne veux pas bosser? s'étonna-t-il.

— J'ai déjà un boulot. Je suis infirmière.

— Oh!

Comme elle était mère isolée, il s'était dit que...

— Oh! répéta-t-il, je ne...

Elle se tourna vers lui et le considéra.

— Et toi, Martin, tu fais quoi dans la vie?

Il haussa gauchement les épaules et détourna le regard.

— T'as un boulot?

Il n'aurait pas dû partir du principe qu'elle n'en avait pas, c'était condescendant.

— T'es plutôt taiseux quand il s'agit de parler de toi, hein?

Il ne savait que dire. Il se sentait rougir et savait qu'elle allait s'en rendre compte.

— Tu sors de taule?

Il eut un petit grognement de surprise.

— Pas de problème si c'est le cas, dit-elle doucement. Sauf si c'est à cause d'un truc lié aux gamins...

— Non.

240

— On a tous nos problèmes, mais je suis la mère de Joseph, tu sais.

— Ça n'a rien à voir avec les gamins, et je ne sors pas de taule. Je ne suis jamais allé en taule. Je te l'ai déjà dit, je ne suis pas un criminel.

— O.K., Martin, mais tu es quelque chose. Tu te caches de quelqu'un ?

Martin se laissa tomber contre le mur froid. Il s'était tellement planté sur son compte.

— À vingt et un ans (il sentit sa voix faiblir, ses lèvres se serrer), notre avocat m'a fait venir dans son bureau. J'avais hérité de… hum… beaucoup d'argent. Alors j'ai… disons… pris mes jambes à mon cou.

Il ne pouvait pas affronter le regard de Rosie. Il avait vu tellement de monde changer à l'annonce de son histoire qu'il se pensait incapable de l'endurer de nouveau. Elle porta sa main à son visage et le bout de sa cigarette brilla d'une lueur orange. Elle recracha la fumée vers le terrain vague.

— Pourquoi tu t'es enfui ?

— J'ai un peu pété les plombs. Mon grand-père, il a déshérité mes parents et m'a tout laissé à moi.

Il secoua la tête.

— Cet argent, ils l'attendaient, poursuivit-il, ils avaient organisé leur vie en fonction de ça. Ils étaient criblés de dettes. Sans aucun moyen d'en gagner… Il a pris un plaisir fou à les appeler pour leur dire ce qu'il avait fait.

— C'est un peu dégueulasse.

— Ouais, il est…

Martin se tut brusquement. Il ne savait pas quoi dire, comment expliquer à quel point son grand-père était rancunier, à quel point il haïssait son bon à rien de fils et tous les trucs sans intérêt qu'il avait entrepris. Mais Martin comprenait. Son grand-père s'était construit à la force du poignet. Il avait ensuite essayé d'épargner à son fils toutes les épreuves qu'il avait lui-même traversées, et pour finir en avait fait un homme avec qui il ne partageait rien. Martin, au moins, n'avait pas eu ses parents sur son dos, en tout cas jusqu'à ce que le grand-père leur apprenne à qui l'argent reviendrait.

De l'extrémité incandescente de sa cigarette, Rosie désigna le terrain défoncé plongé dans l'obscurité.

— L'été dernier, il y a eu des chevreuils là-bas. Un petit gars est allé essayer de les abattre à l'arbalète, juste histoire de. Et là, tous les pauvres types qui s'y rassemblent l'été, les poivrots maigres comme des clous avec leur bouteille de bibine, lui ont piqué son arbalète et l'ont mise en miettes avant de jeter les morceaux aux quatre vents.

Elle lui lança un regard bienveillant.

— Pour protéger les chevreuils, ajouta-t-elle avant de se tourner de nouveau vers la nuit. Il est revenu avec son chien. Il a lâché son chien sur eux, le petit con. En même temps, ils l'avaient bien cherché.

— Le chien les a mordus?

— Oh! *aye*. Ces putains de clébards peuvent tuer. Ils ont des mâchoires d'acier. (Elle poussa un profond soupir.) Tu disais que tu courais?

— Ouais. Mes parents… Ils ne s'intéressaient pas beaucoup à moi dans le temps, mais je les avais toujours sur le dos. Comme dans un film de zombies. Ils me forçaient à les accompagner partout, ils m'ont fait voir un psychiatre. J'étais à Boston, dans un dîner de bienfaisance, et à ma table, le grand sujet de conversation c'était de savoir où on allait tous passer l'hiver, où tous les Fiscaux allaient partir…

— Les Fiscaux?

— Les nomades fiscaux. Pas de lieu de résidence. Aucun impôt à payer nulle part. Et là (il leva les mains, essayant d'exprimer clairement la grande révélation qu'il avait eue soudain), disons que j'ai dessaoulé et je me suis dit : il faut que je sorte. C'est devenu une obsession, il faut que je sorte de cette histoire. Et je me suis barré.

— Pour venir ici?

— Non, j'ai beaucoup baroudé…

Ils se turent un moment, jusqu'à ce qu'elle ajoute :

— Dans d'autres histoires.

Elle ne le regardait pas, et c'était tant mieux, car il avait l'impression d'en avoir trop dit.

— Mes parents étaient chez moi quand je suis rentré ce matin. Ils me surveillent.

— C'est pas cool.

Elle le regardait à présent :

— Tu ne peux pas juste tout donner?

— Ils me feraient interner. J'ai déjà fait des dépressions.

— Tu m'étonnes. C'est pas pareil là-bas, hein, la psy pour ados? C'est un business.

— Ouais. Les tatouages aident pas, j'imagine.

— C'est sûr, ça te donne l'air un peu timbré. Tu sais ce que ça veut dire?

D'un doigt, elle désigna son cou à elle tout scrutant celui de Martin.

Martin porta la main à son cou.

— «Dieux et bêtes». C'est d'Aristote : «Ceux qui ne peuvent vivre dans la société des hommes ou n'en ont pas besoin sont soit des dieux, soit des bêtes.»

Elle eut un franc sourire.

— Mais, mon chou, on ne voit que le «bêtes», et par ici, bêtes, c'est comme ça qu'on appelle les pédophiles, tu sais?

Choqué, Martin le couvrit de sa main. Rosie aspira une bouffée de sa cigarette et éclata de rire.

— Voilà comment les choses se retournent contre toi.

— Je savais pas, dit-il doucement.

— Ouais, renifla-t-elle. Je m'en doutais.

— Putain, ça craint.

— Ouais, sourit-elle. Je soigne un gras du bide qui souffre de blennorragie récurrente, il a «Une vie de rêve» tatoué sur son avant-bras. Ça me fait marrer chaque fois.

Sa cigarette terminée, elle se pencha pour l'écraser et aligner le mégot à côté des autres.

— Maintenant je me demande si tu n'es pas mythomane, Martin, si tu ne viens pas de me raconter des salades.

Ça le fit sourire.

— Qui sait, hein?

— La plupart des gens qui ont du fric, ils font quoi?

— Ils le placent sur un fonds en fidéicommis et s'en vont se la couler douce quelque part. Ils s'en gardent juste assez sous la main pour gaspiller leur existence.

— Le rêve de la plupart des gens, non? De ne pas avoir à s'en soucier.

— Si on ne s'en soucie pas, c'est parce qu'on ne sait pas à quoi il sert. Tu vois ça?

Il lui montra le troisième point sur son poignet.

— Elle était en désintox. Une fille avec qui j'étais à la fac qui avait besoin d'une cure de désintox. Je l'ai financée. Là-bas, elle a rencontré un mec, un mec plein aux as. Ils sont tombés amoureux, ils ont mis les bouts et ils ont replongé. Ils sont morts tous les deux. Et ça...

Un point noir près de son coude.

— Haïti : deux cents centres d'hébergement d'urgence temporaire pour remplacer les tentes. Ils étaient en train de construire les conduits d'arrivée d'eau quand le choléra a fait son apparition dans le campement.

Elle s'adoucit et reposa les yeux sur son bras.

— Certains projets ont bien tourné, non?

— Oh! ouais, répondit-il en désignant un autre point sur son poignet. Regarde.

Souriante, elle fit mine de le lire.

— Génial. Bien joué, celle-là.

— Ceux-là, en fait, corrigea-t-il.

— *Aye*, acquiesça Rosie avec un grand sourire, bien joué, ceux-là.

— Et lui?

Il désignait un point situé vers la moitié de son bras.

— C'était top!

— Un type courageux, fit-il.

— Ça, pour sûr, il était courageux, hein?

— Tu vois, si tu confies ton argent à un fonds, tu n'apprends rien. Tu deviens mon grand-père. Il ne comprend pas pourquoi personne ne s'intéresse à lui. Il se sent seul. Il *est* seul. Investi dans rien. C'est le concret, les efforts, qui t'enseignent le courage, l'honnêteté, l'humilité, toutes ces vertus.

Elle le dévisagea d'un air méfiant.

— T'as l'air branché religion, avec ce que tu racontes là.

Il leva les mains au ciel.

— Tellement pas. Je parle de la vertu dans le sens aristotélicien.

Rosie éclata de rire et lui demanda de répéter «sens aristotélicien». Elle lui assura qu'elle essaierait de le placer dans la conversation à la première occasion. Levant les yeux vers lui, hors de tout contexte, elle déclara :

— Ils lui ont pris son arbalète, j'adore.

Elle sourit à part elle.

— Bon, monsieur Poches pleines, ça te dirait de découvrir un peu la vie locale?

Martin haussa les épaules.

— D'accord. Où tu m'emmènes?

— Chercher le petit bout au jardin d'enfants.

Elle descendit pesamment du perron et alla lui tenir le portail.

Martin lui emboîta le pas. Il jeta au passage un dernier regard vers le terrain vague plongé dans le noir, imaginant des troupeaux de chevreuils en néon en train de dévaler la colline au galop.

Ils empruntèrent le trottoir jusqu'à la route principale, longèrent le magasin et l'aire de jeu municipale de l'autre côté de la route.

Les voitures les doublaient moteur vrombissant, projetant dans la nuit leurs phares aveuglants, les bus grondaient, les fenêtres exhalaient une haleine humide et le froid sur son visage et ses mains était agréable. Tous les quelques pas, son odeur, celle de Rosie, mélange de parfum citronné et de fumée douce, lui parvenait aux narines. Il aurait voulu qu'elle fût sa sœur. Une sœur autoritaire. Et c'est alors qu'il se rendit compte qu'il lui faisait confiance. *Bien sûr*, les friands à la saucisse.

Ils bifurquèrent dans une rue secondaire et Rosie sembla rétrécir. Elle fit halte à hauteur d'une grille fermée où d'autres parents attendaient par groupes de deux ou trois, tous les regards tournés vers le bâtiment en brique de plain-pied qui se trouvait derrière. En les voyant, une femme de l'autre côté de la grille leur adressa un sourire, ses yeux s'attardèrent sur le visage de Rosie pour la saluer, mais Rosie refusa de lever la tête.

Martin eut la sensation qu'il devait dire quelque chose dont il ne serait pas le sujet.

— Une journée interminable aujourd'hui, tu ne trouves pas?

Rosie acquiesça d'un signe de tête.

— Ouais, marmonna-t-elle, comme tu dis.

— Tu crois que tu vas réussir à dormir ce soir ?

— Chais pas. Je l'ai amené tard, dit-elle avec un hochement de tête vers les fenêtres du bâtiment, encadrées d'une fausse neige de coton laineux et parsemées de flocons. Je voulais qu'il se dépense et se fatigue assez pour s'endormir à une heure normale.

Jetant un regard derrière lui, Martin aperçut un petit homme sur le trottoir d'en face. La tête rentrée dans les épaules, les mains dans les poches, il ne les quittait pas des yeux. Imaginant l'espace d'un instant qu'il s'agissait peut-être du détective privé que ses parents avaient collé à ses basques, il fit demi-tour pour lui faire face, mais l'homme ne réagit pas. Ce n'était pas Martin qui l'intéressait. Il fixait Rosie.

— Il y a un type qui t'observe là-bas.

Rosie posa la tête contre les barreaux.

— Laisse-tomber, Martin.

— Un ex ou quelque chose ?

— Retourne-toi, s'il te plaît.

Martin obéit.

— Il cherche à te faire peur ?

À cet instant, les portes du jardin d'enfants s'ouvrirent. Joseph et ses camarades sortirent l'un après l'autre dans la cour, précédés par la maîtresse qui ôta la chaîne du portail et contrôla les parents venant chercher leur progéniture. Se frayant un passage dans la mêlée, Rosie récupéra Joseph et s'éloigna sans un mot, le petit dans ses bras.

Elle marchait d'un pas vif. Martin la suivit et la rattrapa à hauteur du portillon devant chez elle.

— Rosie ?

Elle tourna la tête comme si elle avait oublié sa présence.

— Je peux t'aider ? demanda-t-il.

Porter Joseph l'avait essoufflée.

— Non, dit-elle.

Mais quand elle plongea la main dans sa poche pour y récupérer ses clés, l'enfant glissa de sa hanche, les jambes dans le vide et, tirant sur son cou, l'entraîna avec lui. Martin le rattrapa sans effort et Joe leva la tête.

— C'est toi! lança-t-il de sa petite voix en reconnaissant Martin.

— Salut mon vieux, répondit Martin.

Il n'aimait pas la compagnie des enfants. Il avait l'impression qu'ils lisaient en lui comme dans un livre ouvert.

— Chuis pas vieux, protesta Joe, sourcils froncés.

Il se laissa tomber sur le sol et se tint à côté de sa mère tandis qu'elle ouvrait la porte.

— Mon papy est mort et maintenant t'es là. Tu m'as mis du sang partout.

Par réflexe, Rosie lui asséna une petite tape derrière la tête.

— Et les bonnes manières! Ce n'est pas lui qui t'a fait ça.

Martin ne connaissait pas beaucoup d'enfants, il ne percevait pas la voix de l'adulte derrière ses propos. Il trouva Joe un brin étrange mais inoffensif.

Une version plus âgée, plus glamour de Rosie attendait dans le vestibule.

— Salut petit gars!

Joe courut jusqu'à elle, fourrant son nez contre l'aine de la femme à la manière d'un chien. Puis il laissa tomber son manteau par terre et courut dans la cuisine. Elle leva les yeux.

— Qui êtes-vous?

— Maman, voici Martin, celui qui s'est occupé de Joe au bureau de poste. Il y avait un drôle de type qui m'observait à la sortie du jardin d'enfants.

Effrayée, la femme jeta un regard dans la rue.

— Il t'a suivie? demanda-t-elle à mi-voix.

Le visage écarlate, au bord des larmes, Rosie secoua la tête :

— Il avait pas besoin.

— Va donc fumer une cigarette dehors, je m'occupe du petit.

Sur le perron, ils s'assirent cette fois, et Rosie fuma blottie dans son manteau, menton sur les genoux.

— C'était qui?

Elle refusait de le lui dire ou ne voulait pas l'énoncer à voix haute, il ne savait pas trop.

— Tu sais, je peux facilement te donner de quoi l'envoyer dans une école privée. L'Académie n'est pas loin d'ici…

Elle ne répondit pas tout de suite puis lança, sans égards :

— Mon père détestait cette putain d'école.

Elle redressa sa posture.

— Il crachait sur les grilles. La honte.

Il ne savait pas si elle sous-entendait qu'elle aussi la détestait.

— Tu veux aller y jeter un coup d'œil ? proposa-t-il.

Tirant sur sa cigarette, Rosie, une fois de plus, ne répondit d'abord rien. Puis elle se mit à pleurer, ou en tout cas il prit cela pour des pleurs, jusqu'à ce qu'il s'aperçoive, quand elle leva la tête, qu'en réalité elle riait.

— On pourrait. On pourrait aller jeter un coup d'œil, oui.

— Bien sûr, dit-il, un brin perplexe, on peut y aller.

Elle rit de nouveau, puis, quand elle tira sur sa cigarette, son humeur changea du tout au tout. Elle commença à pleurer, exhalant vers les collines, contemplant les hautes herbes qui oscillaient, noires puis argentées au gré du vent. Lorsqu'elle ouvrit la bouche, sa voix avait un timbre différent, grave, venu du tréfonds de ses entrailles.

— Ils ne savent pas ce qui se passe dans cette ville. À quel point c'est ancré

— Qui ?

— La police ?

— Qu'est-ce qui est ancré ?

— La corruption. À quel point elle est ancrée dans les pratiques. Ce type hier. C'est juste la partie émergée de l'iceberg. La ville en est polluée. Cet autre devant le jardin d'enfants ? Il me faisait comprendre que Joseph serait le suivant si je ne me tenais pas à carreau.

Pris au dépourvu, Martin se sentit soudain complètement incapable de réagir comme il l'aurait fallu. Une sensation qu'il avait déjà eue maintes fois et il savait quoi faire. Il se leva, s'épousseta le dos.

— Bon, je vais y aller maintenant, dit-il.

Rosie leva la tête vers lui.

— On pourrait aller jeter un coup d'œil à l'école demain ?

Martin haussa les épaules, zippa son blouson et mit sa capuche. Ça allait être une de ces histoires mal parties d'emblée. Une intervention ingrate, sans récompense ni pour l'un ni pour l'autre, rien au bout du compte, sinon le ressentiment de Rosie et sa culpabilité à lui.

— Bien sûr, dit-il. Je vais les appeler.

20

Tamsin Leonard intercepta Morrow dans le couloir, honteuse.

— George MacLish est en haut, madame. Salle 3.

— Très bien.

Morrow savait que Leonard serait toujours là, terrée quelque part dans un coin du commissariat. Elle comprit à son attitude que Tamsin n'avait pas eu vent de l'arrestation de Benny Mullen.

— Autre chose, glissa Tamsin, la tête basse, Gobby a reçu une photo par SMS.

Morrow s'arrêta.

— Une photo de quoi ?

Leonard n'en savait rien.

— Son téléphone est un vieux modèle, on n'arrive pas à ouvrir la photo.

— Il a un portable ? Même ça, ça me surprend, fit Morrow.

Gobby était un taiseux, on n'entendait que très rarement sa voix.

Leonard grimaça un sourire piteux.

— Apparemment, un cadeau de sa femme, elle veut pouvoir le joindre pour lui demander ce qu'il veut pour le thé. Il n'a que trois numéros dans son répertoire.

Poursuivant sa route, Morrow s'arrêta devant la porte du bureau de McKechnie.

— Restez à notre disposition, Leonard.

— Bien, madame.

Elle frappa un coup sec.

— Entrez !

Deux officiers supérieurs, son chef et le chef de son chef, se trouvaient avec McKechnie. Trois bons copains, qui s'appelaient par leur prénom, jouaient au golf ensemble, tous ravis de la voir.

Elle referma derrière elle avec un grand sourire. McKechnie se leva pour venir à sa rencontre. Elle sentait qu'il voulait la prendre dans ses bras.

— Alex, dit-il, les mains ouvertes dans sa direction, tête inclinée, plein d'une admiration mêlée de respect. Bon sang. Benny Mullen. *Bravo* !

Elle pencha modestement la tête.

— La chance y est pour moitié, monsieur, vous le savez.

Le chef de McKechnie se leva à son tour pour offrir sa place à Alex. McKechnie, pendant ce temps, répondit :

— Pour le reste, c'est quatre mois d'une solide et efficace enquête policière. Du très, très bon boulot !

Elle s'assit. Ils discutaient des détails de l'arrestation : quelles charges seraient retenues contre Benny Mullen, où ils le garderaient. McKechnie se passait sans cesse la langue sur les lèvres. Elle n'avait pas vraiment besoin d'être là, mais elle dut attendre que la conversation s'interrompe pour glisser :

— J'ai une autre affaire qui m'attend en haut, monsieur.

— Bien sûr, répondit McKechnie. D'accord. Les Plaintes seront là demain pour passer la division au peigne fin. Nous ne voulons pas que tout ça échoue en appel parce que quelqu'un a eu droit à une sucrerie. Vous êtes prêts ?

— Nous le sommes, monsieur. Il faut que le service des affaires internes et des plaintes sache que nous avons déjà demandé un mandat de perquisition pour aller fouiller le domicile de Wilder. Nous le leur transmettrons. Wilder est toujours en haut.

— Vous feriez bien de faire pareil pour Tamsin Leonard.

Morrow sentit son estomac se nouer. Ils voulaient la tête de Leonard. Ils allaient faire le ménage dans tout le service, du sol au plafond, régler de cette façon la question des licenciements, quitte à salir sa réputation, tout ça pour le prestige d'avoir bouclé Benny

252

Mullen. Elle avait eu tort d'affirmer qu'elle était prête pour les Plaintes. Elle ne l'était pas.

— Leonard n'est plus en salle d'interrogatoire, mais elle nous a remis les clés de chez elle et nous irons y faire un tour. Par ailleurs, continua-t-elle, ceux qui sont à l'origine de ces tentatives de corruption ont en leur possession les numéros de portable de plusieurs officiers de la bridage. Ils ont en tout cas ceux de Tamsin Leonard et de George Wilder. Je viens à l'instant d'apprendre qu'ils ont aussi contacté Gobby de la même façon.

McKechnie ne comprenait pas où elle voulait en venir.

— Les numéros de portable ne sont pas comme les numéros de fixe. Il n'existe pas de registre centralisé, expliqua-t-elle. Nous ne sommes pas en mesure de savoir comment ils les ont obtenus, mais cela laisse supposer qu'ils bénéficient d'un accès privilégié à l'information, peut-être d'un accès à nos dossiers.

— Je vois, fit-il, mais il était clair qu'il ne voyait pas. Je vais transmettre l'information. Bon, nous ne voulons pas vous retarder…

Après l'échange de poignées de main accompagnées de larges sourires, Morrow prit congé et retourna dans le monde de George MacLish et Francesca Costello. Un monde moralement moins compromettant que celui qu'elle venait de quitter.

De retour dans son bureau, elle ferma soigneusement la porte et appela chez elle.

— Allô? répondit Brian, essoufflé.

Il avait couru pour décrocher avant que le répondeur se déclenche.

— Ça va? demanda Morrow.

— Ça va, répondit-il.

Elle l'entendait sourire et se rendit compte qu'elle souriait aussi.

— Tout roule, continua Brian. Deux cacas, cent cinquante millilitres de lait chacun.

— Oh! c'est bien! Ils ont tout gardé?

— Danny a un peu régurgité avec un rot, mais Thomas grossit à vue d'œil.

— Tu dois être crevé, mon amour.

— En effet.

— Je t'ai regardé dormir ce matin et le contour de ton visage était tout ramollo. On vieillit.

— *Aye.*

Ils souriaient dans le combiné, échangeant à mi-voix comme s'ils se trouvaient côte à côte dans le lit.

— On a eu un coup de veine pas possible. Je risque de pouvoir prendre le jour de Noël.

Il ne fallait pas trop compter dessus, Brian le savait, mais la simple possibilité lui suffit à répondre :

— Génial. Un coup de veine pas possible, tu disais ?

— Un coup de veine de dingue.

Elle ne pouvait pas en dire plus par téléphone, si bien qu'il n'insista pas.

— Noël à la maison ? Ce serait chouette.

— Ouais, fit-elle en ayant l'impression de fondre dans le combiné. Ciao.

— Ciao.

Elle s'assit devant les rapports posés sur son bureau, occupation bien fade après l'excitation de la journée. Rien que de l'ordinaire, les impasses ennuyeuses que toute enquête générait : pas de piste sur l'arme, pas de piste sur les douilles, aucune empreinte de pas utilisable, rien sur la voiture calcinée devant chez les Lyons – un rapport signalait un adolescent qui l'aurait volée pour une virée, on avait de nouveau interrogé les voisins, qui avaient tous confirmé. Ils avaient vu la fourrière emporter le véhicule.

Leonard frappa et entra, l'air un peu craintif.

— Madame, l'avocat de MacLish demande combien de temps ça va prendre.

— Qui est l'avocat ?

— Personne que je connais.

— D'accord.

Morrow éloigna son fauteuil du bureau.

Leonard, visiblement nerveuse, battait frénétiquement des paupières.

— Madame, pourquoi George est-il toujours en garde à vue et pas moi ?

— Ce ne sont pas vos affaires. Ils vont aller perquisitionner chez vous, vous comprenez ?

Leonard fit signe que oui.

— On va ratisser le moindre centimètre carré. C'est clair ?

Elle acquiesça de nouveau d'un geste sec. Comprenant que Leonard n'avait rien à cacher, elle eut une réaction inconsidérée :

— Je monte. Vous m'accompagnez.

— Pour un interrogatoire ?

— Pour parler à MacLish.

Leonard semblait sidérée.

— Vous croyez que c'est une bonne idée ?

Morrow elle-même n'en était pas convaincue. Ce qu'elle savait, en revanche, c'est qu'ils ne voudraient pas voir une affaire aussi énorme capoter à cause d'un vice de forme lié à la valeur du témoignage de Leonard. Le service des plaintes aurait plus de chances de pencher en faveur de Leonard s'ils avaient une bonne raison pour le faire.

— Faites ce qu'on vous demande, répondit-elle simplement.

Elle rassembla ses papiers et, Leonard dans son sillage, gagna la salle d'observation du premier, afin de suivre à l'écran le déroulé des événements en salle numéro 2. Elles savaient l'une comme l'autre que la caméra de la salle 3 était toujours éteinte, que Wilder s'y trouvait, le trouillomètre à zéro.

MacLish était grand, mince, nerveux. Vêtu d'un T-shirt bleu, le logo jaune de la marque Superdry floqué sur le devant. Il avait les bras si musculeux qu'il semblait tendu, ou déshydraté, le regard braqué droit devant lui, vers nulle part, un soldat à l'exercice. Pas si difficile, sans doute, de garder la ligne quand on avait pris autant de repas en prison, songea Morrow.

Il avait le crâne rasé, mais, malgré le grain de l'image à l'écran, on devinait sans problème à quel type il appartenait : ses cils et sourcils étaient d'un roux tirant sur le blanc, très caractéristique, très écossais, et il avait la peau si pâle qu'elle semblait teintée de bleu.

Son avocat était beau comme un mannequin de catalogue, des cheveux noirs en bataille, le visage oblong – un physique à vous déconcentrer. Il portait un costume bleu marine, trop élégant pour cet interrogatoire. Peut-être avait-il ensuite rendez-vous quelque part. Morrow le regarda extraire un stylo d'une poche intérieure. Il le fit cliqueter pour remplir l'un des formulaires. Bizarrement, cela sembla vexer George MacLish, qui le dévisagea avec une telle intensité qu'en croisant son regard l'avocat tressaillit et rangea son stylo. Il n'était pas donné à n'importe quel tordu d'intimider comme ça son propre avocat. Ça promettait un beau combat de coqs.

— C'est pour ça que j'ai besoin de vous, commenta Morrow, vous voyez ?

— Merci, marmonna Tamsin Leonard dans sa barbe.

— Contentez-vous de faire votre boulot, répliqua Morrow, le ton volontairement sec.

Elles ouvrirent la porte et entrèrent, prenant place face à George MacLish et son bel avocat ; Morrow côté intérieur, Leonard côté extérieur. Deux femmes. Ce qui prit visiblement MacLish au dépourvu, et Morrow en fut ravie. Son regard passa de l'une à l'autre, du buste de matrone de Morrow à l'absence totale d'aura sexuelle de Leonard. Morrow devina qu'il n'aimait guère les femmes.

Leonard glissa les cassettes dans l'appareil et le mit en marche. Morrow attendit que l'enregistrement soit lancé avant de dire ses droits à George MacLish, de lui préciser qu'il était filmé et qu'ils aimeraient savoir où il se trouvait le mardi vingt et un décembre aux alentours de midi.

MacLish jeta un regard interrogateur à son avocat.

Redressant sa posture, l'avocat regarda les deux policières dans les yeux avant de prendre la parole.

— Bonjour, je ne pense pas que nous nous soyons déjà rencontrés.

Il avait une voix bourrue, un accent d'Édimbourg qu'ils avaient peu l'occasion d'entendre à Glasgow.

— Je me nomme Henry Donaldson. Je représente mon client, M. MacLish. Il a préparé une déclaration écrite qu'il souhaiterait que je vous lise en son nom. D'accord ?

Morrow acquiesça d'un signe.

Donaldson se munit d'un texte griffonné à la va-vite sur une feuille de papier, d'une écriture si illisible qu'il était difficile de dire si c'était de la sténo ou des mots entiers.

— Mon client, M. MacLish, souhaiterait reconnaître avoir commis les faits suivants : mardi 21 décembre, à midi, il a pénétré dans l'enceinte du bureau de poste, sis 189 Great Western Road, avec l'intention de s'emparer de l'argent liquide détenu par ledit bureau. Il s'était armé d'un pistolet AK-47. Il était en train de dérober l'argent quand, au cours du cambriolage, un homme a trouvé la mort, touché par des coups de feu partis accidentellement de l'arme de M. MacLish. Lequel n'avait l'intention de tuer personne. Mon client est conscient que la possession d'une arme à feu chargée à balles réelles le rend responsable du décès de cet homme, mais il tient à insister sur le fait qu'il n'est pas arrivé sur les lieux avec l'intention expresse d'ôter la vie à quiconque. Il voulait simplement l'argent.

Donaldson leva le nez et prononça sa dernière phrase comme un baiser de Noël :

— Et il m'a par ailleurs indiqué avoir l'intention de plaider coupable lors de la mise en accusation.

— Ah oui ?

Morrow s'adressait à MacLish mais Donaldson répondit à sa place :

— Oui.

— Monsieur MacLish, dit-elle en se penchant vers lui au-dessus de la table, plantant son regard dans le sien, qui jetait des éclairs. J'ai parcouru rapidement votre dossier.

Il se passa la langue au coin de la bouche, le sourire narquois. Sa mère l'avait mis à la porte à quatorze ans. Des onze années écoulées depuis, il en avait passé moins de trois hors de prison. Il habitait Greenock et était connu pour être un associé des McGregor, un clan violent spécialisé dans l'usure, le recel et le trafic de drogue, impliqué dans tous les trafics foireux des petites bourgades pittoresques de la côte ouest.

— Pas très joli joli, tout ça, hein ?

Haussant une épaule osseuse, MacLish lui décocha de nouveau un sourire narquois.

— Alors qu'est-ce qui vous a pris ? Juste envie de passer Noël à la maison ?

Il n'apprécia pas qu'elle sous-entende qu'il n'était chez lui que derrière les barreaux.

— J'ai des endroits où crécher, rétorqua-t-il.

— Où par exemple ?

— Hein ?

Il l'avait entendue, il essayait juste de gagner du temps. Elle le laissa mariner dans son jus et il finit par craquer.

— PUTAIN, DE TOUTE FAÇON, J'AI UNE MAISON !

Morrow baissa les yeux sur ses notes.

— Kyleburn Terrace ?

— *Aye.*

— C'est sympa là-bas ?

Elle avait déjà procédé à une petite recherche. Kyleburn Terrace était un coupe-gorge.

Derrière ses paupières mi-closes MacLish la dévisageait, un rictus menaçant figé sur les lèvres.

Elle changea de ton.

— L'arme, vous l'avez eue où ?

Il se renversa sur sa chaise.

— Je l'ai trouvée.

— Ah oui ? Et où ça ?

— Je me souviens plus.

— Sacré trou de mémoire. À moins bien sûr qu'il ne vous arrive souvent de trouver des armes, hein ?

Il ne répondit rien.

— Quand vous l'avez trouvée, elle était dans un sac ou quelque chose ?

— Je me souviens plus.

— Peut-être dans un sac à un arrêt de bus ?

— Je me souviens plus.

— À une fête…

— Je crois que nous avons établi que M. MacLish ne se souvient plus d'où il a trouvé l'arme, l'interrompit Donaldson d'une voix aimable, concluant par un petit haussement de sourcils plein d'optimisme.

Il voulait éviter que ça saigne, s'en tenir à un interrogatoire de routine qu'on bouclerait autour d'une tasse de thé. MacLish plaidait coupable. Ils pouvaient rentrer chez eux et ne plus y penser jusqu'au retour des vacances. De toute évidence, Donaldson était attendu à une soirée, songea Morrow.

— Je veux que vous vous souveniez qu'un vieil homme a été abattu devant son petit-fils de quatre ans, rappela-t-elle avant de se tourner vers MacLish. Aviez-vous déjà possédé une arme à feu?

— Je me souviens plus.

— Il y a huit ans, vous avez été appréhendé en possession d'un pistolet, vous vous souvenez de ça?

— Je me souviens plus.

— Vous vous souvenez comment épeler les mots « arme à feu » ?

MacLish grinça des dents, fou de rage à l'idée qu'on puisse le soupçonner d'être analphabète.

— Sérieusement, M. MacLish, vu les trous dans votre scolarité, vous savez lire et écrire?

Il se pencha vers elle.

— Qu'est-ce qui vous fait croire le contraire?

— Eh bien, de toute évidence, vous ne tenez pas un journal intime.

Elle examina ses notes, le fit attendre.

— Brendan Lyons. Qu'est-ce que ce nom signifie pour vous?

Il désigna Donaldson d'un hochement de tête.

— Il dit que c'est le type qu'est mort.

— L'homme que vous avez tué.

— Si vous le dites.

Elle fit mine de consulter ses notes :

— Brendan Lyons, à la poste avec son petit-fils, âgé de quatre ans, parti acheter des timbres pour ses cartes de vœux. Que vous sortez de la file et que vous descendez devant le petit bonhomme.

— Je n'ai jamais…

— Oh! l'interrompit-elle avant de se tourner vers Donaldson. Je croyais que vous plaidiez coupable?

— Il s'est proposé de m'aider, il croyait qu'il aurait sa part. Mais le flingue est parti tout seul.

— C'est donc l'argent qui l'intéressait?

— Ouais.

— Je me suis renseignée sur lui. Il n'avait pas besoin d'argent.

— Tout le monde a besoin d'argent.

— Qu'est-ce qui lui a laissé penser que vous lui donneriez de l'argent ? Vous aviez conclu un accord à l'avance ?

— Non.

Soudain fuyant, le regard de MacLish glissa vers le plateau de la table.

— Quand vous êtes-vous rencontrés pour la première fois ?

Il la dévisagea, sans ciller.

— Jamais.

— Juste ce jour-là ?

Le regard de MacLish en disait long : il essayait de lire dans ses yeux, passait de l'un à l'autre, à la recherche de détails, pour deviner ce qu'elle savait.

— Qui vous avait prévenu que l'alarme ne fonctionnait pas ?

Un éclair de panique.

— C'est pour ça que vous êtes allé là-bas, n'est-ce pas ? Parce que vous saviez pour l'alarme. Comment l'avez-vous su ?

Il fallait qu'il trouve une réponse et il savait laquelle :

— Dans un bar.

— Quel bar ?

— Le Hoops.

Un bar républicain, alors que MacLish arborait des tatouages loyalistes baveux, fanés par le temps. Elle pointa le doigt sur son avant-bras, un tatouage de l'UVF, la Force des volontaires de l'Ulster.

— Alors comme ça, vous laissez traîner vos oreilles dans des bars républicains, hein ? Courageux. Et vos compagnons de cellule, à quelle sauce ils vont vous manger, à votre avis, hein ? L'assassin d'un vieil homme devant son petit-fils ?

Donaldson se pencha vers elle, toujours aimable.

— En quoi cela se rapporte-t-il à l'affaire ?

— Le petit regardait ailleurs, fit MacLish.

— Il s'est retourné et a vu son grand-père coupé en deux, rétorqua Morrow.

Ils se dévisagèrent. En prison, un détenu qui s'en prenait aux enfants était une cible légitime. La plupart des taulards vouaient aux enfants une affection qui frisait les valeurs victoriennes.

Mais MacLish semblait convaincu de pouvoir se défendre : il roula nonchalamment des épaules.

— Vous avez entendu parler de ce qui est arrivé à Francesca Costello après que sa mère a été tuée ?

Il cessa un bref instant de respirer.

— Qui ?

— Francesca Costello.

— Connais pas.

— Elle avait quatorze ans quand sa mère a été assassinée, à Battlefield.

Donaldson se pencha vers elle.

— Nous n'avons pas discuté de ce sujet…

— Oh ! *aye*, l'interrompit MacLish qui s'animait soudain. J'ai entendu parler de la mère, *aye*. Battlefield, je me souviens.

— Eh bien, Francesca a été placée. Elle a fini à St Margaret.

— J'y étais.

— Je sais.

— Elle doit en être sortie, maintenant, non ? fit-il, comme si cela arrangeait tout.

Morrow eut un hochement de tête évasif.

— Ben quoi ? Elle est toujours vivante ! s'exclama-t-il.

— Mais tout le monde n'est pas fait pour ce genre d'endroit. Il y en a qui ne s'en remettent jamais vraiment.

Sans le quitter des yeux, Morrow songea à Francesca, à son odeur, à la crasse autour de ses poignets, et son visage devint un masque de tristesse et de dégoût. MacLish sut à quoi elle pensait, et, l'espace d'un instant, elle vit qu'il avait conscience de ce qu'il avait commis, de sa responsabilité. Puis rideau.

— Lors de votre première rencontre avec Brendan Lyons, vous étiez seul ?

Il ne répondit rien.

— Quand était-ce exactement ?

— Je l'ai jamais rencontré, répondit-il platement.

— Il vous connaissait.

Donaldson se pencha entre eux deux.

— Je crois que nous allons devoir en rester là. Je vais avoir besoin de m'entretenir avec mon client.

C'était bien d'arrêter là-dessus, avant que MacLish ait le temps de s'apercevoir qu'elle ne savait rien.

— D'accord, fit-elle.

Elle fit claquer son dossier et arrêta l'enregistrement, après avoir précisé sur la bande qu'ils faisaient une pause.

— Nous allons éteindre les caméras et vous pourrez discuter ici, si ça vous va.

MacLish ouvrit la bouche pour objecter, mais Donaldson n'en tint pas compte :

— C'est parfait. Merci.

Une fois dehors, Leonard arrêta Morrow dans le couloir :

— Madame, vous êtes sûre que c'était une bonne idée que je sois là ?

— Allez me trouver une liste complète de ses associés. Retrouvez-moi ici dans un quart d'heure.

Leonard s'éloigna.

Glissant un regard dans la salle d'observation, Morrow y trouva Routher.

— On se repose un peu ?

— Non, madame. McKechnie est venu regarder. Il demande à vous parler.

McKechnie était seul dans son bureau, apparemment absorbé par l'un des dossiers de la pile devant lui.

— Asseyez-vous.

Morrow obéit.

— George MacLish a avoué, monsieur.

— Je sais.

Il n'avait pas l'air enchanté.

— Faites-le inculper et bouclez l'affaire. Il faut qu'on se concentre sur le service des plaintes.

— Il a avoué pour le braquage, monsieur, mais ce n'est pas qu'un braquage, c'est un meurtre, qui mérite de...

— Il a avoué le meurtre, Morrow, la coupa-t-il, j'écoutais.

— Il a dit l'avoir commis mais il n'a pas dit pourquoi.

— Affaire close.

C'était sans espoir, mais elle protesta tout de même.

— Monsieur, cette affaire mérite une enquête en bonne et due forme.

— Faites-le inculper.

Ils se regardèrent. McKechnie avait raison, elle le savait, mais en plaidant coupable, George MacLish l'empêchait de pousser plus loin l'interrogatoire. On lui avait conseillé de plaider coupable. Jamais ils ne sauraient qui l'avait informé de la coupure du système d'alarme, comment il connaissait Brendan et pourquoi il était allé là-bas.

McKechnie essaya de sourire.

— N'importe qui se dirait que vous n'avez pas envie de prendre votre jour de Noël, Alex.

— Monsieur, on ne peut pas fermer des services entiers chaque fois que quelqu'un dépose un sac d'argent à une porte. Autant leur donner les clés du bâtiment. Il faut au moins qu'on fasse semblant.

McKechnie comprenait son point de vue.

— O.K. Mais demain matin à la première heure, on s'y met, fit-il en tapotant son dossier. Je serai là à 9 h 30.

Morrow se leva.

— À 9 h 30 ce n'est pas à la première heure, monsieur, c'est deux heures après le changement d'équipes.

Elle croisa son regard et, sans qu'elle parvienne vraiment à s'expliquer pourquoi, ils se sourirent.

— Ce sont des gens bien, monsieur.

— Je vous dis que je *regardais*.

Il faisait référence à Leonard et il n'était pas content.

— Ils sont allés chez Wilder, continua-t-il, et ils ont trouvé des sacs de supermarché plein de billets dans sa cheminée.

— Oh ! merde !

— Comme vous dites.

— Ils sont allés chez Leonard ?

— Ils s'y trouvent en ce moment même.

Morrow n'osa pas demander si la fouille avait donné quelque chose.

— Ils y sont depuis longtemps ? s'enquit-elle.

— Une demi-heure.

De toute évidence, ils n'avaient rien pour l'instant, sans quoi McKechnie serait déjà en train de l'engueuler.

— Vous êtes sacrément loyaux les uns envers les autres dans cette équipe, remarqua-t-il simplement. Mais ce n'est pas toujours la meilleure approche, vous comprenez ? Vous, on vous a passée au crible. Pas elle.

Morrow entendit sa remarque : ça n'est pas tout d'espérer, il faut savoir.

— Oui, monsieur, acquiesça Morrow. Bonsoir, monsieur.

— Bonsoir, Morrow. Une journée fructueuse, hein ?

— Oui, monsieur.

Elle trouva Leonard devant un ordinateur de la salle des opérations, en train de passer en revue une liste de noms, tous de Greenock ou de Gourock, sur laquelle certains patronymes apparaissaient plusieurs fois. Plus récemment, MacLish avait été associé aux McGregor, qui essayaient de grignoter des parts de marché dans la fange où ils baignaient tous.

Morrow observa les yeux de Leonard balayer l'écran à toute allure. Comment savoir avec certitude si Leonard était fiable ? Elle pouvait tout à fait être en train de laisser de côté les véritables associés. Elle l'avait peut-être déjà fait. Morrow n'en savait tout simplement rien.

— Imprimez-moi tout ça et déposez-le sur mon bureau, dit-elle.

En tournant les talons, elle comprit qu'elle allait devoir procéder aux vérifications elle-même, contrôler la liste. La recherche des associés de MacLish deviendrait une manière de s'assurer de la bonne foi de Leonard.

Elle vit Harris sur le pas de la porte et lui fit signe de l'attendre, avant de le rejoindre dans le couloir.

— Écoutez, hum, je suis un peu coincée, lui dit-elle. Après Noël, nous organisons un petit baptême. Vous seriez d'accord pour être le parrain ?

Soudain embarrassée, elle tempéra le compliment par un mensonge :

— J'avais demandé à quelqu'un, qui avait plus ou moins accepté mais qui a eu un empêchement.

Harris écarquilla les yeux de bonheur.

— J'en serais honoré, fit-il avant de se mordre les lèvres. Mais vous savez que je suis catholique, madame ?

— Oui, répondit-elle en balayant l'air d'un grand geste à hauteur de son visage. C'est… enfin… c'est surtout pour la mère de Brian qu'on fait ça.

Un autre mensonge.

— Alors l'aspect religieux n'est pas si… vous savez, quoi. Ne venez pas habillé aux couleurs du Celtic[1], c'est tout.

Harris secoua la tête et sourit.

— C'est un honneur, dit-il.

Elle accepta sa poignée de main et lui rendit son sourire.

---

1. À Glasgow, il y a deux équipes de football : le Celtic, soutenu surtout par les catholiques, et les Rangers, par les protestants.

21

Rosie Lyons sourit et alluma une cigarette. Elle tira longue-ment dessus et recracha un épais nuage de fumée dans l'air froid du matin. Elle avait tout fait pour en arriver là. Depuis le début, elle avait tiré les ficelles, c'est elle qui l'avait conduit à ça, et main-tenant elle se fichait de lui. Martin aurait voulu l'étrangler à deux mains jusqu'à lui ôter le souffle. Il voulait voir revenir l'honnêteté sauvage de ce chaos au bureau de poste et crever le ventre de Rosie d'une balle.

— T'es furax contre moi, hein? fit-elle.

— T'es une putain de garce, voilà ce que je crois.

À ces mots, elle gloussa et posa la main sur son bras.

— Oh! allez (elle parlait comme s'ils étaient tous les deux de connivence depuis le départ), sors-toi un peu le balai du cul!

— Ce qui veut dire?

— Ne prends pas les choses aussi sérieusement.

Derrière eux, la porte s'ouvrit, et le gardien apparut, lèvres pincées, visiblement en colère.

— Mademoiselle? Vous voulez bien éteindre votre cigarette? Il est interdit de fumer partout dans l'enceinte de l'établissement.

Rosie et Martin se retournèrent vers lui. Au bout du couloir baigné de lumière, la directrice adjointe de l'Académie que Rosie avait engueulée les observait bras croisés, hors d'elle. Une cloche matinale retentit au loin, sonnant comme le début d'un nouveau round.

Rosie fit un large sourire. Ce n'était pas que Martin aimait l'école, ni même la directrice adjointe, il la trouvait en fait vraiment conne, mais Rosie s'était servie de lui, comme s'il était l'un des leurs, l'un des ennemis, et elle lui avait fait perdre la face alors qu'il ne lui voulait que du bien.

— Éteignez-la, mademoiselle.

Le gardien craignait la directrice adjointe, et la peur le rendait agressif.

— Vous êtes syndiqué ? lui rétorqua Rosie sans quitter la femme des yeux.

— Éteignez la cigarette ou sortez de l'établissement, mademoiselle.

— Syndiquez-vous, rétorqua Rosie, parce que bientôt ça sera pire.

Elle aspira une bouffée de sa cigarette et tourna les talons.

— Viens, Martin.

Dévalant la volée de marches qui menait à la cour de récréation, elle avança vers le portail.

L'école accueillait peu d'élèves, triés sur le volet, une villa de style néoclassique à deux pas de chez les Lyons. La moitié des places du parking réservé aux parents étaient occupées pour le concert des écoliers. Alors qu'ils se dirigeaient vers les grosses voitures, Martin remarqua le sourire narquois de Rosie.

— C'était quoi ce délire, putain ? lança-t-il.

Elle lui décocha un grand sourire.

— C'était pour mon père.

— Tu as fait ça pour ton père ?

Les yeux voilés de larmes, elle acquiesça d'un signe.

— Bon Dieu, il aurait adoré.

Martin était fasciné par l'idée qu'une personne âgée puisse rêver de s'introduire dans le bureau d'une directrice adjointe collet monté, l'écouter calmement pendant dix minutes présenter l'école et le processus de sélection, avant de lui demander violemment comment elle pouvait employer des termes aussi antinomiques que « sélection » et « enseignement ». Rosie avait haussé le ton, accusé la femme d'être dénuée d'intégrité professionnelle. Elle pratiquait l'écrémage, avait soutenu Rosie d'une voix encore plus forte, un écrémage qui devrait leur faire honte, car ils attiraient dans leur giron les parents financièrement à l'aise susceptibles d'élever le niveau des établissements scolaires du quartier si on les obligeait à y envoyer leurs enfants.

Rosie avait persisté, elle vociférait, pointant un doigt accusateur au-dessus de la table.

Martin était sidéré. Il n'avait pas écouté ses propos et avait eu l'impression que l'enseignante non plus. Tous les deux attendaient simplement que Rosie cesse de se comporter comme une idiote.

Rosie était en train de développer un argumentaire complexe et d'un autre âge sur la fausse conscience quand, se ranimant soudain, la directrice adjointe avait décroché son téléphone et sommé le gardien de la jeter dehors.

Martin haussa le ton.

— Elle n'a rien entendu de ce que tu as dit, tu sais.

— Non, je sais. (Rosie souriait toujours.) J'avais juste envie de le dire.

Ils traversèrent la cour, puis le parking des parents, jusqu'au portail latéral. Rosie souriant, cigarette au bec, et Martin à la traîne derrière elle.

— J'essayais de rendre service. Tu m'as fait passer pour un con.

— Je suis désolée, c'était pas mon but.

— Pourquoi tu m'as emmené là ?

Rosie s'arrêta et aspira une bouffée de sa cigarette.

— Tu crois que je cherchais à te créer des ennuis, à toi aussi ? C'était pas le cas. C'est toi qui as insisté pour m'accompagner, tu te souviens ? Je t'ai dit de rester dans la salle d'attente, mais tu m'as suivie.

Martin se rappela les événements. Elle lui avait bien dit d'attendre. Il était en rogne parce qu'il avait l'impression qu'elle lui passait un savon.

— Tu sais ce que je faisais là-dedans ? éructa-t-il. J'essayais de mettre Joe à l'abri, de le sortir de cet environnement.

Elle lui asséna un coup de coude dans le bras.

— Tu ne peux pas, Martin, fit-elle en désignant un 4 × 4 blanc. Tu vois cette voiture, là ? Une chance sur dix qu'elle appartienne à un gangster. Cette Range Rover, là-bas ? Sans doute celle d'un dealer. La voiture d'à côté, son avocat. Joe serait moins à l'abri ici que dans une établissement de quartier. Tu vois ? Ils montent tous en grade. Cette prof participe à une révolution dont elle ne sait rien. Personne ne sait ce qui couve dans cette ville…

Elle dévala les quelques marches qui menaient à la rue.

— Tu sais pas ce qui se trame avant d'en faire partie. Et on est coincés dedans.

— Putain, ben alors je suis désolé pour ce que je t'ai fait, même si je n'ai pas la moindre idée de ce que c'est, dit-il quand ils furent tous les deux sur le trottoir. De toute évidence, je suis un enfoiré, moi aussi.

— Non, Martin. T'es un mec bien. C'était gentil, t'as voulu être gentil.

Il essayait. C'était ça qu'elle ne saisissait pas – il se tuait à essayer de faire les choses comme il faut. Les gens qu'il connaissait passaient leur journée à nager et à faire du yoga, à se payer des voitures et à traîner dans les casinos, à faire de la voile, à se ficher en l'air avec des rails de coke, avec du cul, et à se marier. Il était parti habiter dans des endroits merdiques, il avait traîné avec de la racaille comme elle et il les avait écoutés. Alors il lui cria :

— Je me casse le cul à essayer d'aider, putain !

— Mais tu n'aides pas. Tu te sens comme une merde parce que tu n'aides pas. Tu sélectionnes des gagnants au loto, Martin. Tu essaies de créer des liens avec les gens. Mais leur offrir des trucs ne peut pas compenser. Il faut que tu t'investisses toi, pas que tu offres *des trucs*. Ça (elle posa le doigt sur son avant-bras), ces points, ça revient à foncer droit dans le mur trente-trois fois.

Il regarda son bras. Il sentait les points le brûler, comme si l'échec l'imprégnait tout entier, le souillait, comme si elle lui disait qu'il était aussi hautain et creux que ses parents.

La tiédeur de la paume nue de Rosie sur sa joue lui fit comme un choc.

— Je sais ce que tu veux, lui dit-elle en le prenant par le bras pour l'entraîner le long de la rue.

Alors Martin, désarmé, au-delà de la colère, se laissa emporter par la grosse Rosie avec sa cigarette et ses vêtements bon marché.

22

En route pour Abbi Cabs, Harris était distrait. Des tas de questions le taraudaient au sujet de Bannerman : qui était son supérieur, qui serait responsable de l'enquête, quels étaient leurs liens hiérarchiques ?

— Laissez tomber, lui conseilla Morrow.

— Il va se renseigner sur mon compte pour les mettre sur mon dos, vous ne croyez pas ? Il me déteste. Il est rancunier.

— Vous savez pourquoi Bannerman vous déteste, rétorqua-t-elle. Il a raison de vous détester. Je vous détesterais moi aussi si vous m'aviez fait la même chose.

— C'est juste que je ne veux pas qu'ils perdent leur temps. Merde, s'il y a des sacs entiers de billets dans la nature, je ne veux pas qu'ils se laissent distraire par une prise de bec insignifiante avec moi. Vous savez ? (Il se tourna vers elle.) Vous savez bien ?

— Ouaip.

Il en faisait un peu trop.

— Il est vraiment rancunier. C'est un type rancunier.

Morrow n'était pas particulièrement de son avis et elle n'appréciait pas du tout le soudain changement d'humeur de Harris. Ça l'empêchait de savourer le bonheur éclatant d'avoir serré Hugh Boyle et Benny Mullen. Lors du briefing de ce matin, elle avait été chaudement applaudie par son équipe, et ils n'avaient rien trouvé chez Leonard au cours de la perquisition. Morrow n'avait aucune envie de subir les jérémiades de Harris toute la matinée.

273

Harris se rangea sur le bord de la route, tira sur le frein à main et jeta un coup d'œil vers les bureaux d'Abbi Cabs : un pavillon de plain-pied coiffé d'une toiture de tuiles en pente, l'un de ces petits pavillons ouvriers incongrus d'Anniesland, village de la périphérie de Glasgow dont l'agglomération n'avait fait qu'une bouchée à l'époque victorienne. Appartements de luxe flambant neufs et terrains de sport des écoles privées assiégeaient désormais les rues bordées de maisons des mineurs.

Abbi Cabs se dressait, seul, dans une mer de gravier rouge. Sans doute la voie de chemin de fer qu'on apercevait en arrière-plan rendait-elle les lieux suffisamment abordables pour qu'une société de taxis y établisse son siège. À peine arrivée, Morrow ne manqua pas de remarquer le système d'alarme neuf et les caméras de surveillance installées aux quatre coins du bâtiment.

Harris toussa. Ça sentait dangereusement le prélude à une autre salve anti-Bannerman. Morrow quitta la voiture en vitesse et claqua la portière derrière elle avec une vigueur éloquente. Harris sortit à son tour, lentement, et lui jeta un regard par-dessus le toit de la voiture.

Elle leva les mains au ciel.

— Son père est le sous-directeur de la police, bordel. Il ne risque pas de disparaître. Va falloir vous y faire.

Elle s'éloigna.

Harris ne bougea pas. Elle avait presque atteint le seuil quand elle entendit le crissement du gravier sous ses pas lents. Elle l'attendit.

— Vous allez voir, dit-il. Cette enquête des Plaintes va se focaliser sur moi.

Il n'y avait rien à ajouter. Morrow ouvrit la porte et entra.

Trois chaises en plastique orange alignées près d'une table basse sur laquelle était posée une pile bien nette de journaux. Un distributeur de Coca-Cola géant bourdonnait dans un coin. Une télévision sur une haute étagère, à côté d'une autre caméra de surveillance, braquée sur la porte d'entrée. Le visage d'un homme apparut dans l'encadrement d'un passe-plat bordé d'une guirlande rouge et dorée.

— Quelle est votre destination ?

Donald ne reconnut pas Morrow, mais elle savait qui il était.

— Bonjour, dit-elle, souriante. Nous nous sommes rencontrés au Southern General l'autre soir.

Il fronça les sourcils.

— Bien sûr.

— J'étais avec Rita Lyons, vous m'avez dit que je pourrais venir vous parler.

— *Aye.*

Il disparut. Le rideau du passe-plat se ferma. Des bruits de pas traînants. Puis une porte s'ouvrit au fond d'un couloir. Donald réapparut et leur fit signe de le suivre.

Elle passa la porte en métal et pénétra dans le bureau, Harris sur ses talons. Un livre de sudoku au papier grisâtre ouvert, avec un stylo posé entre les pages, trônait sur le dessus du modeste système radio.

— Vous aimez ce genre de puzzle? demanda Morrow.

— *Aye*, ça fait travailler les neurones, vous savez…

Donald les invita à prendre place sur un fauteuil et sur un tabouret de bar avant de s'asseoir lui aussi.

— Quelqu'un veut un café?

— Non merci, répondit Harris.

Il boudait encore un peu, mais pas au point que Donald puisse le remarquer. Toujours agacée, Morrow choisit le fauteuil et le laissa se débrouiller avec le tabouret. Elle attendit qu'il soit assis avant de demander : « Harris, vous pouvez sortir les formulaires? », le contraignant à redescendre pour récupérer la planchette à pince dans son sac. Une fois rassis, il nota le nom de Donald, son adresse et ses coordonnées.

— Bon, Donald, dit-elle, nous voulons simplement mieux connaître Brendan, nous en faire une meilleure idée, commença Morrow. Pourriez-vous raconter comment vous vous êtes rencontrés?

— Comme je l'ai dit, c'était il y a longtemps. On était tous les deux syndiqués au GMB, c'est là qu'on a fait connaissance.

— Lors d'un meeting?

— Lors d'un piquet de grève.

Ce souvenir illumina son visage.

— Seigneur, c'était il y a presque trente ans, dans les années 1980. Il y avait beaucoup de piquets de grève à l'époque, je ne me souviens plus duquel il s'agissait.

— Il était plus vieux que vous, non ?

— Oh ! *aye*, à peu près dix ans de plus. Trente ans, ça paraît très vieux quand on en a vingt.

— Mais vous avez accroché tout de suite ?

— Non, pas vraiment. En fait, pendant les quatre ou cinq premières années, je ne crois pas qu'il savait qui j'étais. Dans le mouvement, Bren était un peu une star ; c'était un grand orateur, il mettait sur pied des groupes d'étude pour les plus jeunes. Il nous communiquait des listes de lectures et organisait des discussions, un type vraiment à l'ancienne, il nous a appris à débattre. Ça ne sert plus à rien aujourd'hui, j'imagine.

Morrow sourit.

— Guère d'utilité dans les taxis ?

Donald eut un sourire triste.

— Eh bien, en fait si, savoir argumenter est utile dans les taxis de Glasgow, mais à l'époque c'était une façon de canaliser toute la colère que les jeunes avaient en eux, vous savez ?

En y repensant, son visage s'assombrit.

— On avait tellement de colère en nous. Le parti partait à vau-l'eau, des factions dissidentes dans tous les coins...

— Le parti communiste ?

— Non. Lui, il était au parti communiste, moi, j'étais au parti travailliste (il eut un hochement de tête), j'étais un membre de Militant, une frange issue du trotskisme, mais on appartenait tous au parti travailliste.

— Vous avez semé la zizanie un peu partout, non ? intervint Harris.

— On voulait forcer le parti travailliste à opérer un virage vers la gauche. Certains d'entre nous, en tout cas. D'autres étaient là pour des raisons différentes.

— Des gens vous ont reproché les défaites électorales du parti, non ? D'avoir offert aux conservateurs trois victoires d'affilée, remarqua Harris, visiblement mal à l'aise.

Donald confirma d'un signe de tête pesant :

276

— Vous êtes d'une vieille famille travailliste, dit-il.

— Oui, et alors? rougit Harris.

— Ce n'était pas à cause de nous.

Donald avait manifestement déjà eu cette conversation plusieurs fois. Basculant contre le dossier de sa chaise, il croisa les bras et reprit, d'une voix plus lente :

— Même si nous avions tous voté travailliste en Écosse, l'Angleterre ayant majoritairement voté conservateur, ça n'aurait rien changé.

En temps normal, Morrow n'aurait pas autorisé une discussion politique avec un témoin potentiel, mais Donald semblait apprécier. Elle vint y mettre son grain de sel :

— En formant une alliance solide avec le parti travailliste du Royaume-Uni, vous auriez pu vous poser en adversaire sérieux pour les conservateurs.

Donald pointa le doigt dans sa direction.

— Ah! ça c'est mieux! fit-il. Mais nous sortions d'une période de consensus mou, et tous les partis penchaient à droite. Les conservateurs avaient négocié leur virage et revu leur programme en conséquence, si bien que le parti, pour rattraper son retard, s'est aussi mis à dériver vers la droite.

— Ça, c'est autre chose, dit-elle. Répondez à ma première question.

Quand Donald éclata de rire, elle lui répondit par un sourire.

— C'est le genre de choses que Brendan vous a apprises?

— C'est exactement ça, oui. Si vous deviez prononcer un discours, il vous confiait des notes, y indiquait les pauses, les répétitions en trois temps, des trucs comme ça.

— Des répétitions en trois temps?

— L'éducation, l'éducation, l'éducation. Ce genre de truc. Comment utiliser des expressions qui renforçaient dans l'auditoire le sentiment d'appartenance à un mouvement, l'impression d'être plus fort à plusieurs qu'individuellement. Des trucs puissants.

— Pourquoi a-t-il laissé tomber la politique?

Donald sembla soudain un peu triste.

— Oh! les gens passent à autre chose. Les enfants, puis les petits-enfants. Ça vous sape l'énergie. On se laisse gagner par la fatigue, on vieillit, on perd le respect qu'on inspirait jadis.

Il baissa le regard vers ses doigts qui s'entrelacèrent un moment puis se séparèrent.

— Quelque chose de précis est arrivé qui serait venu saper l'énergie de Brendan ?

Élevant soudain la voix, Donald porta le regard par-dessus l'épaule de Morrow.

— Eh bien, la grossesse de Rosie, si jeune, tout ça, et puis sa belle-mère qui est tombée malade, les médecins et ainsi de suite. Ces choses vous mettent la tête sous l'eau, non ? C'est chronophage.

Si Morrow avait joué le rôle de Brendan dans la vie de Donald, elle lui aurait appris à s'exprimer avec calme, à ne pas changer le débit de sa voix, à cesser de cligner des yeux comme il le faisait.

— Donc, rien de particulier n'est arrivé à Brendan ?

Les lèvres pincées, Donald secoua la tête.

— Mais vous ne vous êtes pas perdus de vue ?

— Non. J'ai continué à le voir. J'ai eu la chance de lui dire ce qu'il représentait pour moi. C'était un honneur, vous savez, vraiment un honneur. Sans lui, je n'aurais jamais eu cette entreprise. Je ne serais jamais allé à la fac et je n'aurais jamais obtenu mon diplôme de comptable. Mon père est mort quand j'étais jeune, alors il comptait beaucoup pour moi.

— Une figure paternelle ?

— Une figure paternelle.

— Et vous connaissez Rita ?

— *Aye*. C'est toujours moi qu'elle appelle si elle a besoin d'un taxi et j'arrive aussitôt. Elle sait qu'elle peut compter sur moi.

Morrow appréciait sa loyauté, tout en se demandant si cela ne cachait pas autre chose, une relation amoureuse, peut-être.

— Vous connaissez Rosie ?

— Oui.

Réponse directe. Pas de faux-fuyants.

— Et Joseph aussi, précisa-t-il.

— Brendan avait-il des dettes ?

— Pas que je sache.

— Fréquentait-il des criminels ?

— Non, non, absolument pas, non.

Donald secoua la tête, changea de position sur sa chaise et détourna le regard. Il n'aimait pas lui mentir, c'était net. Lorsqu'il ouvrit de nouveau la bouche, sa voix était plus aiguë, plus anxieuse.

— Ce n'est pas comme si Brendan n'avait rien fait, vous savez…, dit-il d'une voix étranglée par l'idée qu'il essayait de la berner. Vous savez, il y a des élus qui, sans Bren, ne seraient même pas entrés en politique.

— Ah oui ?

— Comme Kenny Gallagher, par exemple, c'était un des petits protégés de Bren.

— Oh ! souffla Morrow, celui qui a sorti le « traître à sa classe ».

Donald soupira.

— *Aye*, ce coureur de jupons. Lui et Bren étaient proches à un moment donné. Même maintenant, neuf membres du conseil municipal doivent leur carrière à Bren, il y a des profs, des syndicalistes qu'il a mis sur les rails. Il a vraiment laissé sa marque, vous savez ?

Morrow lui tendit sa carte et le remercia, avant de se taire un court instant, au cas où il déciderait de lui dire la vérité. Il n'en fit rien, mais avait assez mauvaise conscience pour éviter de croiser son regard.

— Merci, Donald, dit-elle en se levant.

— À votre service, comme je vous l'ai dit, répondit-il, serrant la main qu'elle lui tendait.

Sur le seuil, devant la mer de gravier, il marmonna :

— C'est comme si mon père était mort deux fois, vous savez ?

Elle se tourna vers lui.

— Vous n'auriez pas autre chose à me dire, Donald ?

— Comme quoi ?

— Ce qui est arrivé à Brendan, pourquoi il a abandonné la politique ?

Donald secoua la tête, si discrètement qu'on aurait dit un frisson. Elle repensa soudain à la cigarette de Rita rougeoyant dans l'obscurité de son taxi devant l'hôpital.

— Je vois que vous êtes d'une grande loyauté, dit-elle en faisant un pas dehors. Mais si vous pensez à quoi que ce soit…

— Bien sûr.

Elle se retourna et pointa le doigt vers les caméras de surveillance sur le toit.

— Vous avez de l'argent liquide à l'intérieur?

— Non, mais les cambrioleurs n'en savent rien. C'est un bâtiment isolé, sans immeuble qui donne dessus. J'en ai besoin pour l'assurance.

Les saluant d'un geste formel, il disparut à l'intérieur et referma la porte derrière lui.

Elle ne doutait pas de l'honnêteté de Donald, elle croyait en sa sincérité, surtout au sujet de Brendan Lyons, mais en contemplant le bâtiment une dernière fois, elle sut qu'il mentait au sujet du système de sécurité. L'une des caméras sur le toit pivota vers elle alors qu'elle s'engouffrait dans sa voiture. Des caméras de surveillance à détecteur de mouvement. Cela avait dû lui coûter les yeux de la tête.

Elle était de retour dans la voiture, avec Harris, sa mauvaise humeur et sa paranoïa.

— Et si on se déridait un peu? suggéra-t-elle. Une virée de Noël, ça vous tente?

Harris démarra.

— Où ça?

— Allons rendre une petite visite à Pavel et Kenny Gallagher.

Il eut un grand sourire.

— Sans déconner?

— Pavel en premier. On n'aura pas le temps d'en faire beaucoup plus, si?

Harris sortit du parking, le gravier sautant sous ses roues. En se retournant, Morrow vit toutes les caméras suivre lentement leur trajectoire.

23

De la petite pièce derrière l'estrade, Kenny Gallagher les regardait arriver à travers un miroir sans tain. Pete avait réservé pour les journalistes une salle d'une capacité de cinquante personnes. Optimiste, même pour un bon jour, et ça n'était pas un bon jour. Un grand magasin en ville avait programmé l'apparition du Père Noël sur un toit. Le conseil municipal d'Édimbourg tenait une conférence de presse pour justifier du dépassement de budget grotesque dans la construction de la première moitié du réseau de tramway. En termes de relations publiques, l'informa Pete, c'était un désastre : Kenny avait insisté pour que le communiqué de presse ne traite que de McFall. Pourtant, Pete l'avait prévenu : le journal télévisé ne couvrirait pas deux conférences de presse sur des dissensions politiques dans une même demi-heure : trop similaire, trop aride.

La cadreuse de la STV, la chaîne d'infos écossaise, alluma les projecteurs, éblouissant Gallagher à travers le miroir. Craignant qu'elle ne l'ait rendu visible, il battit en retraite dans un coin obscur de la pièce. C'étaient de vieux projecteurs, à l'éclairage violent, juchés sur des pieds à l'ancienne. Et ils chauffaient aussi, il en sentait déjà la chaleur. La chaîne possédait un jeu de spots plus récents qui ne dégageaient pas autant de chaleur, il les avait vus, mais ceux-là avaient sans doute été envoyés à la déclaration d'Édimbourg. La chaleur de ces projecteurs allait le faire transpirer, lui donner l'air aussi louche que Nixon.

L'important, se dit-il, c'était de paraître sincère. Il allait perdre son procès, mais il était là aujourd'hui pour semer le doute dans l'esprit du public, et il devait se montrer crédible, déclarer quelque chose qu'ils pourraient exploiter, quelque chose sur quoi s'appuyer quand il perdrait.

Je suis quelqu'un de bien. Je suis un homme seul face à une gigantesque machine. Je fais ça pour les autres, pour la dignité d'Annie, pour la confiance qu'ils ont placée en moi.

Il voyait Pete dans la salle, près de la porte, accueillant les journalistes à leur arrivée, plaisantant avec untel, écoutant tel autre la mine grave, adaptant son jeu à son public et les invitant tous à s'asseoir aux premiers rangs. La plupart suivaient son conseil, Kenny l'avait entendu si souvent qu'il pouvait presque lire sur ses lèvres – je vous ai réservé une place juste là, Michael, ouais, premier rang, allez-y, c'est là-bas. Tout ça pour donner l'impression d'une salle pleine face à la caméra. Trop de chaises vides et le message qu'ils avaient à communiquer devenait insignifiant.

Il était presque l'heure, et, jusqu'ici, ils avaient trois visages inconnus, une vieille femme munie d'un cahier (un cahier!), Paddy Meehan et Buchan, leurs dictaphones prêts, l'équipe de la STV et la journaliste poupée Barbie, avec une épaisseur de maquillage qui semblait parfaitement normale à l'écran mais qui dans la réalité avait quelque chose de clownesque.

Pete jeta un coup d'œil à sa montre. Un jeune homme apparut à la porte. Kenny ne l'avait jamais vu. Bien que très jeune, il était vêtu d'une veste en tweed marron clair et portait en guise de sac un cartable d'écolier élimé, vieux mais cher. Sans croiser le regard de Pete, sans tenir compte de son invitation à venir s'asseoir devant, il s'installa à mi-distance de l'estrade, pile au milieu de deux rangées inoccupées.

Gardant les yeux sur lui, Pete s'éloigna de la porte. Il alla le trouver, prononça quelques mots, désigna le premier rang. Levant aimablement la main, le type insista pour rester là. De nouveau, Pete lui parla. Ils se regardèrent. Le type se leva, son nez à quelques centimètres de celui de Pete, il était plus grand que Pete, plus méchant. Pete ferma le poing et avec un sourire plein de mépris, le type le bouscula presque en partant, renversant des chaises sur son passage. Au premier rang toutes les têtes pivotèrent pour le regarder quitter la pièce en jetant sa sacoche sur son épaule et en renversant une dernière chaise en chemin.

Pete se tourna vers eux et leur dit quelque chose qui les fit rire. Quand ils se retournèrent de concert vers l'estrade, Gallagher surprit le regard narquois et satisfait que Meehan et Buchan échangèrent. Odieux. C'était inutile.

Il était l'heure. Pete ferma la porte et remonta l'allée jusqu'à l'avant de la salle. À travers le miroir, Kenny l'observait qui avançait vers lui. Il fallait qu'il se rende à l'évidence : Pete voulait peut-être voir la conférence de presse échouer, Pete cherchait peut-être un autre poste ailleurs.

Quand Pete ouvrit la porte, la lueur blanche des projecteurs de télévision envahit la pénombre.

— C'est le moment, annonça-t-il en refermant derrière lui.

— Le type que tu as fichu dehors, c'était qui ?

— Un journaliste du *Globe*, dans le sud. Venu semer la zizanie. On l'avait briefé : choisis une rangée de sièges vide. Sans doute le stagiaire. Tellement débutant qu'il avait écrit ses questions tout entières : « Derek Geller, comment le connaissez-vous ? »

Kenny sentit son cœur battre dans sa gorge. Des femmes sur des lits, des canapés, deux hommes, un homme, des bites, des mains sur des nibards, caressant des chattes, des nibards et des chattes, des doigts qui entrent, sortent et les projecteurs de la STV, Buchan et Meehan, le journaliste du *Globe* prenant des notes.

Il avait le doigt de Pete sous le nez.

— Tu transpires.

Gallagher fit volte-face, porta un verre d'eau à ses lèvres et, d'une gorgée, tenta de faire disparaître la boule dans sa gorge. Le premier verre terminé, il s'en servit un autre dont il but la moitié. Maintenant, il allait avoir envie de pisser, presque tout de suite il allait avoir envie de pisser, et ça chasserait ces idées de sa tête. Il ne pouvait pas avoir l'air honnête avec ces trucs qui nageaient dans ses pensées.

— C'est qui, ce Derek Geller ?

— Aucune idée.

— Ils ont d'autres trucs sur toi ?

— Ils ne peuvent plus rien écrire d'autre, répondit Kenny en se détendant. Dès que la plainte aura été déposée, ils ne pourront plus rien publier.

— Une solution de court terme…

— Puis je perdrai, et tout ce qu'ils publieront ensuite aura l'air vindicatif.

Quand il la formulait ainsi à haute voix, la stratégie lui semblait cohérente. Les images avaient disparu de son esprit et il ressentit le besoin urgent de sortir, de se lancer avant qu'elles reviennent.

— Allez, fit-il en s'engouffrant dehors devant Pete, grimpant les trois marches qui menaient à l'estrade d'une seule grande enjambée. Il salua chaque journaliste présent d'un signe de tête.

— Meehan ! (Un signe de tête.) Buchan ! Comment ça va aujourd'hui ?

Buchan n'en revenait pas.

— Ça va.

Gallagher s'en voulut : il aurait dû brosser Buchan dans le sens du poil dès le départ. Cette animosité était inutile. Levant la tête, il sourit à l'équipe de la STV.

— Où voulez-vous que je me mette ? Cette chaise ? Ou…

— On vous a éclairé pour celle-ci, répondit la cadreuse.

Kenny s'installa sur le dernier siège, tira le micro vers sa bouche et ajusta sa veste de façon à ce qu'elle ne présente aucun pli sur le devant.

— C'est bon ? demanda-t-il.

— Ouaip, lança la cadreuse.

— Je brille ?

— Vous êtes parfait, Kenny.

La présentatrice se tenait assise au premier rang, les fesses sur le bord de la chaise. Elle aussi était éclairée et, bien qu'il n'ait pas encore pris la parole, elle faisait déjà mine d'écouter tandis qu'on la filmait, sans doute pour des changements de plan.

Pete gravit la volée de marches et vint s'asseoir lentement à côté de lui, posant sur la table une liasse de documents, puis son iPhone en mode silencieux.

— O.K., Pete ? fit Kenny comme s'ils venaient à peine de se rencontrer.

Pete lui adressa un sourire amical, un sourire feint mais plus crédible que ce à quoi Kenny s'attendait.

— Très bien, dit Kenny, les yeux plantés au-dessus de leurs têtes comme s'il s'adressait à une salle pleine. Laissez-moi d'abord vous remercier tous pour votre présence ici. J'ai une annonce importante à faire aujourd'hui concernant les allégations du *Globe* à mon encontre, une attaque contre moi et contre ma famille.

— Allez-vous porter plainte ? demanda Paddy Meehan, son dictaphone braqué sur Kenny comme un pistolet.

Pete tira le micro vers lui par le socle.

— Les questions viendront ensuite, Paddy. Laissez-le parler.

Kenny se sentait harcelé et il avait besoin d'uriner, mais sa combativité d'antan reprenait le dessus.

— Par le passé, dit-il, j'ai été accusé de beaucoup de choses : d'être un carriériste, un homme de la discorde, un fasciste, de détourner de l'argent, de fréquenter des parties fines, d'entretenir des liaisons, d'encourager le crime, de vendre de la drogue. Rien de tout cela n'est vrai.

La mine à la fois triste et compréhensive, Gallagher savait qu'il faisait bonne figure, parce que ceux qui l'écoutaient assis sur leurs chaises semblaient s'identifier à lui, le cou légèrement penché dans sa direction. Il les regarda pour un impact maximal.

— À présent, en pleine période préélectorale, me voilà accusé d'une liaison et d'un détournement de fonds visant les dépenses de ma…

Le seul mot qui lui venait était salope. C'était tout ce qu'il avait à l'esprit – ma salope, la salope, salope, salope.

— … *partenaire extraconjugale.*

L'expression les fit sourire. Kenny sourit aussi, maladroitement, et tendit la main d'un geste implorant.

— Je suis désolé, je ne sais pas vraiment comment on nomme ces choses. Bref, le nom que vous donneriez à quelqu'un avec qui vous auriez une liaison…

— Une maîtresse, souffla Buchan avec un clin d'œil appuyé.

— Oh! bien sûr, merci. Une «maîtresse». On m'accuse maintenant de me servir de mes frais parlementaires afin que ma *maîtresse* (il adressa à Buchan un nouveau hochement de tête reconnaissant) puisse m'accompagner à Inverness.

Il baissa les yeux vers une feuille avant de poursuivre :

— Et ce, le 10 octobre de cette année. Alors que ce soir-là je me trouvais à un dîner de bienfaisance en compagnie de trente autres personnes. Nous levions des fonds en vue de la construction de logements destinés aux personnes en difficulté d'apprentissage, afin de promouvoir leur autonomie.

Baissant de nouveau les yeux, il changea d'humeur : de la tristesse à la colère.

— Cela ne peut plus continuer. J'ai toujours été un homme de terrain, avant d'être un animal politique. Comme certains d'entre vous le savent peut-être, mon frère James a été tué par un chauffard en état d'ivresse, c'est cela qui m'a poussé à m'engager. Et ce que je vois ici, c'est une campagne incessante de désinformation, qui fragilise le processus démocratique. Quelqu'un doit se dresser contre ces multinationales aux immenses ressources financières. J'y suis prêt. Maintenant, comme dans d'autres conflits auparavant, parce que je ne mens pas, je vais reconnaître dès à présent que mes chances de l'emporter sont très maigres. Mais je ne peux tout bonnement pas tolérer une injustice si manifeste.

Il leva les yeux, les traits tendus, presque suppliants.

— Je vais commencer par porter plainte pour diffamation contre le *Globe* et Globe Media.

Vive réaction partout dans l'assistance. Il sut qu'il avait fait mouche.

— Je renonce à ma candidature à cette élection afin de mener ce combat, et si je ne finis pas sur la paille ou en prison (il sourit, tous éclatèrent de rire), alors j'espère me présenter de nouveau à la suivante. Mais je tiens à m'excuser auprès de mes administrés. J'espère qu'ils comprendront que je ne peux pas les représenter convenablement tout en livrant cette bataille, parce que j'ai de jeunes enfants.

Il déglutit et se crispa, laissant la peur lui traverser brièvement le visage, car il savait que le moment serait saisi par les objectifs présents dans la salle.

— Y a-t-il des questions ?

Trois mains se levèrent. Le nez de la caméra pivota lentement vers la présentatrice coquette, prête pour l'antenne.

— Jennifer, lança Pete en la désignant, pour prendre les choses en main.

— Votre femme, Annie, vous soutient-elle dans cette action ?

Kenny sourit chaleureusement.

— Oui, Jennifer, ma femme et mes trois merveilleux enfants me soutiennent, déclara-t-il, en se souvenant de répéter les mots qu'elle avait employés afin qu'ils ne disparaissent pas au montage en même temps que la question.

Jennifer lui rendit son sourire. La caméra pivota de nouveau, à peine, pour cadrer les autres têtes au premier rang. Le sourire de Jennifer s'évanouit.

— Paddy Meehan ?

— Jill Bowman vous accompagnait le 8 octobre à Inverness. Qui a payé pour ses dépenses ce jour-là ?

— D'accord (Kenny hocha la tête, comme s'il s'agissait d'une question encore jamais abordée), Jill Bowman fait partie de la section jeunesse. D'après ce que j'ai compris, elle est issue d'une famille ordinaire et convenable, mais en aucun cas fortunée. La question de la prise en charge de ses frais n'aurait même pas été soulevée si elle venait d'un milieu huppé. Avec comme implication, l'exclusion de fait des gens de la classe ouvrière du processus politique.

Il s'exprimait d'une voix inflexible, avec un mécontentement sincère.

— Aviez-vous avec elle une relation d'ordre sexuel ? continua Meehan.

Il buta sur la réponse, parut désorienté.

— Non. Je ne sais pas pourquoi on irait s'imaginer que… elle… elle est très jeune. Je ne veux pas que tout cela devienne une chasse aux sorcières qui la prendrait pour cible, ce serait affreux. Ce que je veux dire, c'est qu'elle est…

Il haussa les épaules, adopta l'expression pleine de regrets du père déçu par ses enfants.

— Elle est jeune, conclut-il.

287

— Vous voulez dire qu'elle aurait aimé avoir une liaison avec vous, mais que ça n'a pas été le cas?

— Bon, Meehan, intervint Pete, je crois qu'il va falloir laisser la parole à quelqu'un d'autre.

Mais Meehan se montrait tenace.

— Sans vouloir vous vexer, Kenny, il faudrait qu'il fasse sacrément sombre dans une pièce pour qu'elle vous prenne pour Justin Bieber!

Tout le monde éclata de rire. La cadreuse éclata de rire. Kenny rit avec eux et attendit qu'ils se soient tous calmés pour reprendre la parole.

— Vous savez, Paddy, pour autant que je sache, Jill n'a jamais rien mentionné de tel. Les jeunes hésitent à se lancer en politique précisément à cause de ce genre de ragots ridicules, il serait donc particulièrement regrettable que Jill devienne la victime d'une industrie déjà bien connue pour ses pratiques déloyales et ses comportements illégaux.

Pete tripotait son iPhone allumé, distrayant l'attention de Kenny.

— Pour ce que j'en comprends, McFall et le *Globe* sont responsables de ces allégations, et il est honteux qu'ils aient dû mêler à tout ça une jeune femme tout à fait sympathique.

— Pourquoi ne pas porter plainte contre McFall dans ce cas?

— Ce sont eux qui ont publié.

— Aimeriez-vous voir Jill Bowman nous parler?

— Ce n'est pas à moi de le dire, Paddy.

Pete aurait dû faire taire Meehan, mais il tapait quelque chose sur son iPhone.

— Enfin, comme je l'ai dit, je ne sais pas d'où McFall tient son information, si elle lui vient de Jill Bowman ou de quelqu'un d'autre...

— Ce n'est pas seulement McFall...

Les yeux de Meehan se posèrent un court instant sur Pete, comme si elle aussi s'attendait à ce qu'il l'interrompe.

— D'autres membres de la section locale ont également avancé que vous aviez eu une liaison avec elle. Qu'avez-vous à leur répondre?

Gallagher transpirait à présent, il contrôlait sa respiration pour éviter d'élever la voix.

— Eh bien, les gens racontent ce qu'ils veulent. Je crois juste qu'il ne faut rien alléguer sur de simples spéculations.

Il lâcha par-dessus le micro un postillon qui accrocha la lumière.

— Et nous ne pouvons pas leur ôter le droit de le faire. Ça ne serait pas mieux.

Pete leva les yeux vers lui, un peu hébété. Il parcourut la salle du regard.

— Oui. Buchan? fit-il, reprenant le contrôle des choses.

— Pour que tout soit clair, Kenny – Gordon Buchan, sale petit enfoiré plein de suffisance –, êtes-vous en train de nous dire que vous n'avez «jamais eu de relations sexuelles avec cette femme»?

Meehan et la femme au cahier se regardèrent en souriant, les deux seuls à part Gallagher qui avaient compris l'allusion.

Kenny eut un petit rire triste et leva les bras au ciel.

— Je n'ai jamais eu de relation avec Jill Bowman. Mais, vous savez, ce n'est pas moi qui ai communiqué son nom à la presse. Vous allez devoir demander à McFall pourquoi il a jugé bon de faire ça. Et, ah! Jill est une jeune personne sympathique qui va se trouver maintenant soumise à une énorme pression, je vous demanderai donc de faire preuve de considération à son égard, si vous veniez à l'interviewer.

La femme au cahier leva la main. Pete ne connaissait pas son nom.

— Oui?

— Qu'aimeriez-vous avoir pour Noël?

— La paix, dit-il, déclenchant un éclat de rire général.

Peter conclut l'échange en les remerciant tous et en leur souhaitant un joyeux Noël. Puis, anormalement brusque, il bondit sur ses pieds et disparut par la porte du fond. Une attitude grossière. Les journalistes le suivirent des yeux, surpris et, pire, curieux.

Faisant comme si de rien n'était, Kenny se leva à son tour et descendit de l'estrade. Il leur serra la main à tous, les regardant dans les yeux en les remerciant pour leur présence. Il se souvint de demander à Gordon Buchan des nouvelles de son frère aîné – Pete l'avait briefé – avant de disparaître à son tour d'un pas nonchalant par la porte du fond. Il la referma avec soin.

— Pete, fit-il en levant la main, c'était quoi, ça, putain?

Pete brandit l'écran allumé du téléphone sous son nez :

— Derek Geller ? Non mais, sans blague !

Pete s'était de toute évidence adressé à quelqu'un qui connaissait Derek ou savait quelque chose à son sujet. Car il semblait soudain au courant.

— Derek Geller ? répéta-t-il. Espèce de connard de mes deux.

— De quoi tu parles ?

— T'as une idée des états de service de ce connard ?

Un texto. Il avait reçu un texto pendant la conférence, et, quoi qu'il ait appris, ça ne sentait pas bon. Mais c'étaient les affaires de Kenny, pas les siennes.

— Pas besoin de te montrer grossier…

— *Grossier*, fit Pete en se laissa glisser contre le mur. *Grossier* ?

Il avait l'air d'en savoir plus long qu'il n'y paraissait.

— Bon, tu sais, je te l'ai dit, je ne le connais pas et…

— Menteur. Vous êtes amis depuis quinze ans. C'est Brendan Lyons qui vous a présentés.

Kenny leva les bras en signe de capitulation.

— Pete, j'ai rencontré un paquet de gens par le biais de…

Mais Pete attrapait déjà son manteau en secouant la tête.

— Ce n'est pas pour moi, mec. Je…

— Tu les crois ? l'interrompit Kenny.

Un instant, Pete se figea.

— Tu préfères faire confiance à Globe Media qu'à moi, Pete ?

Un peu mal à l'aise, Pete lissa son manteau sur son avant-bras.

— Je ne suis pas Annie.

— Qu'est-ce que ça veut dire ?

— Je ne suis pas une putain de bonne poire.

Il ouvrit la porte qui menait au couloir et se dépêcha de sortir avant les journalistes.

— Je démissionne, dit-il en la claquant derrière lui.

Il en était sûr, maintenant : Pete avait décroché un autre poste.

Kenny demeura dans la pénombre, les yeux sur le miroir sans tain, essayant de mesurer l'atmosphère de la pièce tandis que les journalistes et l'équipe de télévision rassemblaient leurs affaires et remettaient leurs manteaux.

Tous se souriaient, s'adressaient des hochements de tête en désignant du pouce la place qu'occupait le journaliste du *Globe*, en échangeant des remarques désobligeantes sur son compte.

Kenny avait réussi son coup.

24

Il fallut longtemps à Martin Pavel pour venir répondre. Lorsqu'il ouvrit la porte, Morrow et Harris surent aussitôt pourquoi : la maison était si vaste qu'il se trouvait peut-être à cinq cents mètres quand ils avaient sonné. La majestueuse porte d'entrée ouvrait sur un vestibule aux proportions dignes d'un manoir. Des colonnes de granite rouge de la couleur d'un steak moucheté de graisse se dressaient sous un plafond haut de près de cinq mètres. Les portes auxquelles il menait étaient monumentales comme des portes de temples gréco-romains. Martin Pavel sortait de la douche ; les cheveux mouillés, tatoué comme un puzzle humain, il ne portait rien d'autre qu'un pantalon de jogging gris.

— Bonjour, monsieur Pavel, vous vous souvenez de nous ? Nous nous sommes rencontrés à l'hôpital.

Il cligna des paupières.

— Bien sûr.

— Pouvons-nous entrer ? Nous aimerions vous parler.

Martin jeta un regard par-dessus leurs épaules.

— Je vous en prie, fit-il en s'effaçant pour les laisser passer. Allez-y, il fait froid, je vais fermer la porte.

Morrow comme Harris hésitèrent. Le contraste entre son apparence et le décor piquait leur intérêt mais les rendait méfiants. Ils voulaient régler des détails, s'assurer pour que tout était en ordre, que la FUV n'était pas un club d'amateurs d'armes à feu que l'avocat de MacLish pourrait sortir de sa manche au procès. Ils couvraient leurs arrières.

293

— Je vous en prie, entrez.

Pavel ouvrit plus grand la porte pour les encourager.

Morrow pénétra la première dans la chaleur du vestibule, ses talons claquant sur le carrelage victorien. La splendeur inattendue de la maison les poussait à se comporter curieusement, ils se déplaçaient avec raideur, jetant partout alentour des regards furtifs.

— Monsieur Pavel, nous avons eu un peu de mal à vous trouver. Vous ne figurez pas dans les registres des étudiants de l'université de Glasgow.

— Je suis arrivé trop tard pour pouvoir m'inscrire.

Il fronça les sourcils et fit un geste vers le couloir.

— Allons dans la cuisine, voulez-vous ?

— Merci.

Pavel attrapa un T-shirt délavé sur une chaise et l'enfila tandis qu'ils le suivaient, passant devant un escalier qui menait aux étages supérieurs. Les rampes élégantes avaient été poncées, le bois repeint à la chaux, comme toutes les portes. Mêmes les meubles donnaient le sentiment que le propriétaire avait des goûts plus modestes que le lieu en matière de décoration : une petite commode artisanale, une causeuse claire et des bibelots en porcelaine représentant des bergers et des femmes aux robes de bal virevoltantes.

En franchissant l'une des majestueuses portes, Morrow remarqua un léger tourbillon de poussière s'élever devant eux.

— Vous vivez seul ici ? demanda-t-elle tandis qu'ils s'engageaient dans un passage situé au fond du grand vestibule.

— Ouais. Il n'y a que moi.

Martin les conduisit le long d'un couloir de service bas de plafond qui menait à une cuisine qui aurait pu avoir été prélevée telle quelle dans une maison moderne et posée d'un bloc dans la pièce. La fenêtre était un long rectangle, le plafond bas, percé de spots halogène, les façades des meubles, couleur crème, la cuisinière, une Aga immaculée.

Il désigna de la main une petite table ronde en pin entourée de quatre chaises.

— Je vous en prie.

Un manteau de cheminée en pin, gravé de pommes et de feuilles, un bouquet de fleurs artificielles dans l'âtre. Un cupidon en plâtre trônait sur la tablette, les chevilles coquettement croisées, un petit oiseau dans sa paume. Morrow s'installa à la table, intimidée et dédaigneuse à la fois.

— Je vous sers un jus d'orange, quelque chose?

— Rien, merci, répondit Morrow.

Par la fenêtre, on apercevait une cour blanchie à la chaux, quelques bancs et au centre une fontaine sans eau. Dans un coin, se dressait la statue en béton d'une étrange femme en robe longue souriant vaguement à un oiseau qui semblait picorer à ses pieds.

Pavel s'installa face à eux, les mains sur la table.

— Alors, euh, que puis-je faire pour vous?

Morrow se surprit à lire les inscriptions sur ses bras et son cou. Il était mince, musculeux.

— Très bien. Monsieur Pavel (elle sortit son carnet et un stylo), comment faites-vous pour vivre ici?

Pavel savait exactement ce qu'elle voulait dire mais jouait la montre.

— Dans cette maison?

Elle durcit soudain le ton.

— Oui, dans cette maison.

— Je la loue.

— Vous louez l'intégralité de cette maison?

— *Uh hu.*

Uh hu. Une expression écossaise. On y revenait.

— Très bien, reprit-elle. Qui êtes-vous et d'où venez-vous?

— De partout.

Une expression américaine, prononcée d'une voix nasillarde.

Ils se scrutèrent. Morrow mâchouillait l'intérieur de sa joue et tapotait la table d'un doigt.

— Martin, qui loue cette maison?

— Moi.

— Appartient-elle à quelqu'un que vous connaissez?

— Non. Je la loue à un couple de personnes âgées. La femme souffre d'un cancer, et ils sont partis à Houston la faire soigner. Il me dit que c'est sans espoir, mais ils veulent «essayer avec classe». Plutôt triste. Surtout quand on connaît Houston.

295

— Le loyer mensuel se monte à combien ?

La mention de l'argent parut l'embarrasser.

— Hum… je ne suis pas très sûr.

Il lui adressa une grimace.

— Pourquoi n'êtes-vous pas sûr ?

Il baissa les yeux.

— C'est mon avocat qui s'en charge. Il l'a choisie.

Elle parlait enfin au vrai Martin Pavel.

— Votre avocat ?

— Ouais. Je, hum… hésita-t-il.

Il avait l'air d'avoir peur.

— J'ai hérité de beaucoup d'argent.

— D'accord.

Il semblait avoir si honte qu'elle voulut changer de sujet.

— À votre avis, pourquoi le grand-père est-il sorti de la file pour aider le tireur ?

Martin haussa les épaules.

— Ben, c'était clair qu'il essayait de détourner son attention du petit… non ?

Il scruta leurs visages, à la recherche d'une autre explication possible.

— Ce n'est pas ça ? s'enquit-il.

— Qu'est-ce qui vous le laisse croire ?

Martin se remémora la scène en silence.

— Il a dit «vous». Ils se connaissaient. Alors soit… euh… Brendan, c'est bien son nom ?

— Oui.

— Soit le type le tuait tout de suite, soit Brendan le dénoncerait. Et il m'a confié Joseph pour que je m'en occupe.

Posant les yeux sur son cou, Morrow lut le mot « Bêtes ».

— Sans vouloir être impolie…

Il rougit et couvrit le tatouage de sa main.

— Non, je sais.

— Je ne vous engagerais pas comme baby-sitter.

— Je sais.

Comme pour prendre ses distances avec le mot, il recula sa main et pointa un doigt vers son cou.

— Ça veut dire quelque chose de complètement différent dans d'autres cultures. Vous pouvez me croire, je ne suis pas, vous savez…

Il hocha la tête. Je n'en suis absolument pas un.

— À votre avis, pourquoi vous a-t-il choisi, vous ?

— Je ne crois pas qu'il m'ait vu. J'étais derrière lui.

— D'accord.

Morrow nota quelque chose, se ménageant une pause pour changer de sujet.

— La politique vous intéresse ?

— Non.

— Mais vous êtes adhérent de plusieurs organisations politiques.

Il les dévisagea tous les deux tour à tour.

— Ah bon ?

— L'APFC et la FUV, par exemple.

— Oh ! Ça n'a rien de politique. La Fondation pour l'unité de la vie est ma propre fondation.

— Qu'est-ce qu'une fondation ?

— C'est une manière de mettre de l'argent de côté pour le redistribuer ensuite. Une fois qu'il est là, on ne peut plus y toucher.

— Vous distribuez de l'argent ?

Il acquiesça, l'air sérieux.

— Aussi vite que je peux !

— Avez-vous déjà été pauvre ?

— Non.

— Moi si. Plutôt pourri comme situation, Martin.

— Eh bien, dans mon cas, ce n'est pas encore pour demain.

— Donc, rien de réellement politique ? Pourtant, vous semblez en connaître un rayon sur les armes à feu.

— Qu'est-ce que ça a à voir avec tout ça ?

— Pourquoi en savez-vous autant ?

Il haussa les épaules.

— Je m'y connais, c'est tout. Je pratique un peu le tir. Pour le sport, l'autodéfense.

— Avec de vraies armes ?

— Bien sûr.

Il se renversa contre le dossier de sa chaise.

— C'est ce que font les gens. Pas ici, mais c'est ce qu'ils font.

— Vous avez des armes ici ?

— En réalité, je n'aime pas les flingues. Je suis venu m'installer ici en partie parce qu'il n'y a pas de culture des armes à feu. Pas de culture de kidnapping. Si j'étais au Mexique, je ne pourrais pas sortir, je ne pourrais pas aller traîner dans les magasins. Même chose à Moscou, ou à Kiev, ou dans certains coins des États-Unis. Ici, je suis bien.

— Ah oui ?

Elle ferma son carnet.

— Très bien Martin, j'aimerais jeter un coup d'œil à la maison.

Il se pencha lentement au-dessus de la table, le regard perdu vers l'extérieur.

— Pourquoi vous me posez toutes ces questions ? demanda-t-il calmement. Je suis juste un témoin…

Morrow hocha le menton.

— J'aimerais jeter un coup d'œil à la maison.

Il se tourna vers elle, soudain maître de lui, presque arrogant, et quand il prit la parole, ce fut d'une voix traînante d'aristo de la côte est : « *Touriste.* »

Puis il se leva sans les regarder et désigna la porte.

La visite touristique les occupa presque vingt minutes tant la maison était vaste. Il y avait huit chambres, toutes immaculées, prêtes à accueillir des invités et chacune équipée d'une salle de bains. Cinq salons de réception servaient par ailleurs à différents usages. À la maison étaient accolés les écuries et les logements de service. Partout, des fleurs artificielles, partout, d'étranges poupées, des cupidons, des dessins de femmes en robes longues déambulant dans des jardins, dans des salles de bal, toutes réalisées au pastel à coups de pinceau grossiers. Que des choses chères, Morrow le devinait, mais presque rien qui soit à son goût.

Pavel fut surpris de découvrir certaines des pièces. Il ne vivait apparemment que dans trois : la cuisine, sa chambre et la salle de bains attenante. Il ne s'était pas vraiment installé : elle voulut savoir ce que contenait le sac de marin au pied de son lit, et il lui répondit que c'étaient tous ses vêtements. L'idée lui traversa l'esprit qu'il songeait peut-être à prendre la fuite.

— Vous êtes sur le départ? demanda Harris.

— Non, répondit Pavel avant de tourner les talons pour regagner tranquillement le vestibule du premier étage.

Morrow lui emboîta le pas.

— C'est gigantesque pour quelqu'un qui ne vit que dans trois pièces.

— Pas tant que ça, répondit-il en posant la main sur la rampe d'escalier.

Morrow s'engagea derrière lui, les yeux sur son cou, sur la peau parfaite couleur d'amande et sur l'encre noire des tatouages parsemée çà et là de duvet blond.

— Rosie Lyons nous a dit vous avoir vu.

— Rosie?

Morrow vit se hérisser les cheveux minuscules dans son cou.

— Elle a dit que vous étiez passé la voir.

Il se retourna au beau milieu des marches, l'air inquiet.

— Non, c'est faux.

— Elle vous a croisé. Quand vous couriez.

— Oh! (Il prit une profonde inspiration.) Oh! oui, c'est vrai. On s'est croisés par hasard. Juste cette fois-là.

Cette dernière phrase lui mit la puce à l'oreille.

Elle regarda le duvet blond qui se dressait sur sa nuque, vit la main de Martin serrer plus fort la rampe et eut l'étrange impression que quelque chose le troublait. Et de ce quelque chose, Rosie Lyons détenait la clé.

— On est en retard, madame, remarqua Harris en se rangeant le long de Lallans Road devant chez les Lyons. On n'aura peut-être pas le temps de passer voir Gallagher.

Il était visiblement un peu déçu.

Morrow jeta un regard sur sa montre. Plus que cinquante minutes, en effet, avant de devoir retourner au poste.

— Bah, on va y arriver. On se renseigne sur Pavel en vitesse et on file là-bas.

Elle ouvrit sa portière et descendit de voiture en même temps que Harris. Ils gagnèrent la porte d'un bon pas et sonnèrent sous un ciel qui devenait menaçant, annonçant la pluie et assombrissant la journée. Le vestibule était éteint. Personne ne vint ouvrir. Morrow recula d'un pas et vit que toutes les fenêtres de l'étage étaient plongées dans le noir.

Elle posa la main sur la vitre de la porte. Le verre était tiède. Le chauffage était allumé. Elle coula un regard par la fenêtre de la façade, constata que le sapin était éteint.

— Peut-être partis à un spectacle de Noël avec le petit ou faire les magasins, suggéra Harris.

— La grand-mère ne sort pas beaucoup, si ?

Cela lui semblait étrange qu'ils soient sortis, un peu troublant, puis soudain :

— Le spectacle de Noël du jardin d'enfants ! s'exclama-t-elle.

Harris claqua des doigts et pointa l'index sur elle.

— Mais oui, évidemment !

Ça n'était qu'à moins de trois cents mètres, mais ils prirent la voiture, de peur qu'il ne se mette à pleuvoir. Le portail du jardin d'enfants était cadenassé mais toutes les lumières à l'intérieur étaient allumées. Appuyant sur le bouton de l'interphone, Morrow demanda si le spectacle ou l'arbre de Noël avait lieu aujourd'hui. La dame de service répondit que non.

— Joseph Lyons est là aujourd'hui ?

— Il est venu une demi-heure ce matin, puis sa mère est revenue le chercher.

— Il était malade ?

— Elle a parlé d'une urgence familiale.

La conversation terminée, Harris suggéra que la grand-mère avait peut-être été hospitalisée.

— Ça doit être ça, fit Morrow, moins convaincue qu'elle n'en avait l'air. De toute façon, on perd notre temps. Allons voir Gallagher, on passera quelques coups de fil en chemin.

25

Morrow et Harris se rendaient au QG de la circonscription de Hillhead par l'autoroute qui suivait les méandres du fleuve. Elle avait appelé tous les services d'urgences des hôpitaux aux environs du domicile des Lyons sans trouver personne qui porte ce nom. Puis, se souvenant que la grand-mère n'était pas la mère de Brendan mais celle de sa femme, elle téléphona au bureau et demanda à Leonard de trouver le nom de jeune fille de Rita avant de rappeler les hôpitaux. La grand-mère n'avait pas été admise sous ce nom-là non plus.

— Ce n'est pas très grave, lui rappela Harris en quittant l'autoroute. Il y a encore la possibilité du spectacle de Noël.

— *Aye*, répondit-elle sans trop y croire.

À l'approche de l'étroite ruelle bordée d'entrepôts dans laquelle se trouvait le bureau de la circonscription, ils commencèrent à longer des affiches à l'effigie de Kenny Gallagher. Beau gosse pour un politicien, mais pas pour une star, Gallagher passait pour un type bien. Qualité rare chez ceux qui faisaient carrière en politique, il savait rire de lui-même, plaisantait sur ses origines huppées et semblait réellement se soucier des gens qu'il représentait. Il faisait ses courses dans un supermarché quelconque proche de la gare et on pouvait l'aborder pour lui faire part de ses inquiétudes, il écoutait.

Les affiches mettaient en valeur la grosse cicatrice sur sa joue. Une blessure, se souvint Morrow avec aigreur, infligée par un jeune agent qui n'en était qu'à sa deuxième intervention en manifestation. Voyant la foule se ruer vers lui, il avait paniqué et frappé. Sans la

301

presse, il aurait au pire écopé d'un blâme. Mais le bleu, après avoir passé deux ans sur liste d'attente et subi dix mois d'entraînement, fut viré. Chaque année maintenant, Gallagher courait la Great North Run afin de lever des fonds pour COPS, une association à but non lucratif qui soutenait les familles d'officiers morts en service.

— Là, c'est là! s'exclama Harris, un brin surexcité, tout comme Morrow.

Leur visite était un peu superflue. Ils tenaient MacLish mais n'avaient aucune piste sérieuse, et, dans une heure, le service des plaintes débarquerait. L'angoisse de Harris était presque tangible, elle voyait son visage se crisper par moments à l'idée de ce qui les attendait au poste. Tout au plus, ils pouvaient espérer obtenir de cet entretien avec Gallagher quelques informations sur le passé de Brendan Lyons – n'importe quel flic de base aurait pu s'en charger, mais Harris avait besoin d'un petit quelque chose pour lui remonter le moral, et ils voulaient tous les deux rencontrer le bonhomme.

Harris se gara et jeta un regard au bâtiment de plain-pied avec sa grande enseigne au nom du parti au-dessus de la porte.

— Ah! le Reset!

— Bon Dieu, c'est vraiment le Reset?

— Absolument. C'est un haut lieu du folklore de Glasgow que vous avez sous les yeux!

Le QG du parti de Gallagher se trouvait installé dans ce qui avait été jadis un célèbre bar de gangsters, à l'époque où Glasgow était en plein boum économique. Dans ce quartier d'entrepôts, le surnom du bar (le délit de revendre des objets volés) ne devait rien au hasard. En réalité, l'endroit s'appelait Cain's et, en son temps, était ouvert toute la nuit pour accueillir les manutentionnaires qui travaillaient à des horaires incongrus. Longtemps, il fut le repaire des durs à cuire et des vendeurs de marchandise volée. Ils passaient la nuit à boire et attendaient que les cambrioleurs et les manutentionnaires chapardeurs viennent leur chuchoter à l'oreille de nouveaux connaissements : un quart de tonne de sucre non raffiné, ça te dit? Huit tonnes de lingots de plomb ou cent balles de coton? La rumeur courait que le cirque du coin avait acheté son éléphant au Reset, mais il s'agissait peut-être d'une rumeur lancée par Cain, la proprio.

— Allez, on y va.

Elle ouvrit sa portière avec un petit sourire satisfait qu'elle ne se connaissait pas. Harris sortit à son tour et lui sourit par-dessus le toit de la voiture.

— Faudra pas s'attarder, fit-elle.

— En fait, je suis plus curieux de voir le vieux bar, dit Harris en gloussant sans raison. À cause de toute l'histoire qu'il porte, vous savez ?

Mensonges. Il était aussi excité qu'elle à l'idée de rencontrer quelqu'un qui passait à la télé.

Ils franchirent les vieilles portes de saloon et pénétrèrent dans une réception décorée d'affiches de campagne et d'appels au soutien aux couleurs criardes. Le plâtre sur les murs était toujours gris et maculé de traces de mains des ivrognes chancelants.

— Qui êtes-vous ?

Une femme se leva derrière un comptoir. Elle portait un pantalon de jogging aux poches si pleines qu'elles lui donnaient la forme d'un diamant. Son T-shirt exigeait que quelqu'un «Tire un trait sur la pauvreté».

— Police du Strathclyde. (Morrow montra son insigne.) Nous cherchons Kenny Gallagher.

À la mention du nom de Gallagher, la réceptionniste poussa une exclamation désapprobatrice.

— Il est là-bas, ce salaud. Il vide son bureau.

Surpris par sa véhémence, Harris laissa échapper un petit rire idiot et suivit son doigt jusqu'à une porte cachée dans un renfoncement du mur.

Morrow frappa. Un bref silence, puis une voix d'homme demanda qui ils étaient. Ils le lui dirent. Des bruits de pas traînants et la porte s'ouvrit. Gallagher en personne coula un regard dehors.

Harris et Morrow en restèrent bouche bée, ni l'un ni l'autre n'était prêt à se trouver face à un visage si familier, mais Gallagher leur sourit.

— Qu'est-ce que je peux faire pour vous ?

Morrow fut la première à reprendre ses esprits.

— On peut vous parler?

Il parut inquiet.

— Hum, je suis un peu occupé…

— C'est au sujet de Brendan Lyons.

— Bren? Pourquoi?

— Nous sommes de la police. Brendan Lyons a été assassiné mardi.

Morrow s'entendit marmonner ces mots, lui communiquer sans détours une information épouvantable.

— Nous devons… nous avons besoin de vous poser quelques questions à son sujet.

La porte s'ouvrit en grand et Kenny Gallagher était là, devant eux.

— Bren est mort?

— Tué lors du braquage d'un bureau de poste, j'en ai bien peur. Il se trouvait là-bas avec son petit-fils. Nous pensons qu'il a peut-être reconnu le braqueur.

C'était bizarre de se trouver face à un visage si familier, au sujet duquel on connaissait tant de choses. Elle avait du mal à intégrer le fait qu'il était un individu de chair et de sang.

— Pouvons-nous vous poser quelques questions à son sujet?

Il jeta un coup d'œil méfiant derrière eux, croisant le regard de la femme en jogging au comptoir de réception.

— Ça va, Margaret?

— Ça va, grogna la femme. Je ne dis pas merci.

Gallagher eut un sourire gêné.

— Eh bien, désolé. Madame, monsieur, puis-je voir vos insignes?

Morrow et Harris les lui tendirent. Il les examina attentivement, laissant les deux agents sur le seuil.

— Je suis vraiment navré d'en passer par là, mais auriez-vous un numéro de téléphone que je pourrais appeler pour vérifier vos identités?

Ils n'étaient pas vraiment censés être là, mais Morrow se dit que McKechnie risquait de prendre son pied à recevoir un coup de fil de Kenny Gallagher. Elle griffonna le numéro de sa ligne directe sur un bout de papier pêché dans sa poche et le donna à Gallagher.

— Qui est-ce?

— L'inspecteur principal McKechnie, notre supérieur.

Gallagher jeta un nouveau coup d'œil en direction de Margaret, parcourut le hall du regard et leur ferma la porte au nez.

Morrow et Harris se dévisagèrent avec un sourire bête.

— Ce salaud de lèche-bottes nous laisse tous tomber, commenta Margaret, mais la phrase semblait venir de quelqu'un d'autre.

— Ah bon? fit Morrow.

— Il pense que vous êtes des journalistes, que vous vous faites passer pour des gens de… la police pour avoir accès à son bureau.

Harris et Morrow se tournèrent de nouveau vers la porte juste au moment où Gallagher la rouvrait en grand.

— D'accord, entrez.

Ils pénétrèrent dans un bureau plein de cartons et de tas de documents.

— On plie boutique? demanda Morrow.

— Je n'ai pas encore commencé.

D'un coup de pied, Gallagher envoya un carton vide valser sous la table pour lui dégager le passage jusqu'à une chaise en bois datant peut-être de l'époque du Reset.

— Jolie pièce, commenta Harris.

Morrow s'assit et regarda Gallagher apporter une autre chaise du même modèle pour que Harris s'installe à côté d'elle.

— Ce bar était célèbre, dit-elle, vous savez, ce bâtiment.

— Oui, on est au courant pour le Cain's.

Gallagher s'installa derrière le bureau, perpendiculairement à eux, tel un présentateur de talk show face à ses invités.

— Un bar célèbre. La police de Partick Marine y faisait tout le temps des descentes.

Elle attendit que Harris réponde quelque chose, mais celui-ci, comme en admiration devant une idole, n'écoutait que d'une oreille.

— C'est vrai? fit-elle.

— C'était un peu un repaire de voleurs, je crois, murmura-t-il d'une voix de conspirateur en balayant l'air de son doigt. Cerné par les entrepôts, vous savez comment c'était jadis.

— Nous ne sommes pas vraiment venus discuter de tout ça, cela dit.

Il acquiesça sèchement.

— Bren Lyons.

— Oui, monsieur, Bren Lyons. Vous le connaissiez, si j'ai bien compris ?

— Il y a longtemps.

La porte s'ouvrit brusquement derrière eux, et, en se retournant, ils découvrirent un homme vêtu d'une chemise en jean, des cheveux long ramenés en queue de cheval qui lui descendait sur la nuque. En apercevant Morrow et Harris, celui-ci s'arrêta net.

— Qui êtes-vous ?

Morrow jeta un regard vers Gallagher.

— Pardon, sourit Gallagher, voici mon attaché de presse, Peter McIlroy...

Quand Peter entra, le sourire se figea.

Il y avait derrière lui une petite femme, presque une enfant. Elle avait le visage gonflé, comme si elle avait pleuré. Elle ne leva pas la tête. Elle portait une haute queue de cheval qui la rajeunissait encore et était habillée comme un jour sans école : bomber argenté et jean sur une paire de bottes à talons, argentées elles aussi.

— Qui est-ce ? demanda McIlroy avec un hochement de tête dans leur direction.

— Inspectrice Alex Morrow et agent Harris, police du Strathclyde.

— Pete, tu ferais mieux de partir.

L'expression de Gallagher n'avait plus rien de cordial. Mais Pete n'avait pas peur de lui et continua de s'adresser à Morrow.

— Pourquoi êtes-vous là ?

— Nous souhaitons nous entretenir avec M. Gallagher. Seuls à seul.

McIlroy jeta un regard interrogateur à Gallagher. Gallagher soupira.

— Brendan Lyons a été tué mardi.

— Bren ?

— Ils me disent que quelqu'un l'a descendu dans un bureau de poste.

— Vous connaissiez Brendan Lyons?

— *Aye.*

McIlroy était plus choqué par la nouvelle que Gallagher ne l'avait été. Le regard vide, brouillé de larmes, il essayait de digérer l'information.

— Oh! mon Dieu… Bren…? Comment va Rita? Rita était avec lui?

— Non. Mme Lyons n'était pas présente.

— Mon Dieu, Bren! Assassiné? Je n'arrive pas à y croire.

— Assieds-toi, Pete.

Pete se laissa choir sur une chaise, les yeux au sol. Dans l'encadrement de la porte, la fille au regard triste ne savait trop quelle attitude adopter.

Gallagher posa les yeux sur elle.

— Allez, entre, fit-il, et ferme la porte derrière toi.

Mal à l'aise, elle pénétra dans le bureau et referma. Serrant son blouson contre sa poitrine, elle salua Morrow et Harris d'un signe de tête.

— C'est, euh, Jill.

— Bonjour, dit Harris, le seul à se montrer poli.

La fille renifla un bonjour et demeura près de la porte, appuyée contre le mur, les mains derrière le dos.

— Nous voulions en savoir un peu plus sur Brendan Lyons, quel genre d'homme c'était, dans quel genre de choses il aurait éventuellement pu se trouver impliqué.

Gallagher se tourna vers McIlroy et pouffa.

— Vous ne pensez pas sérieusement que Brendan était impliqué dans quoi que ce soit d'illégal? C'était la personne la plus honnête qu'il m'ait été donné de rencontrer.

— Non, en effet, mais nous avons des raisons de croire qu'il connaissait le tireur et nous cherchons à savoir d'où.

— Et vous avez des pistes sérieuses pour le retrouver?

Sur la défensive, Morrow cilla et mentit.

— Assez sérieuses, oui, dit-elle, songeant à George MacLish en train de grogner face au mur de la cellule où il croupissait.

Gallagher hocha la tête.

— Est-ce qu'il y a quelque chose dans votre travail qui vous gêne ?

— Que voulez-vous dire ?

— Est-ce que je peux faire quelque chose pour vous aider ?

Tout en parlant, il leur adressait de petits signes du menton, laissant aller son regard de l'un à l'autre. Il était très beau maintenant, les épaules détendues, tout entier dédié à leur problème. On aurait dit de l'hypnose, comprit-elle soudain, son charisme pareil à un rayon tracteur. Morrow le remercia d'un signe de tête, en se demandant si c'était un talent qu'il avait acquis ou s'il était né avec. Elle fronça les sourcils et regarda ses mains ; elle se souvenait d'une histoire que lui avait racontée un médecin légiste, une histoire idiote, au sujet d'un psychiatre : chaque fois qu'il quittait un prisonnier et retournait à sa voiture en se disant, « quel type charmant » ou « il se pourrait qu'il soit innocent », c'était pour lui le signe qu'il devait y retourner et le soumettre à un test de diagnostic des psychopathies.

— Nous cherchons à savoir qui était Lyons et avec quel genre de gens il serait en contact actuellement, pourquoi il a abandonné le militantisme. Vous arrivait-il de le voir ou de lui parler ?

Baissant les yeux vers le sol, Gallagher cilla.

— Non, je n'ai pas vu Bren depuis plusieurs années, il s'est un peu brouillé avec le parti, en fait. La dernière fois que j'ai eu de ses nouvelles, il projetait de partir s'installer à Majorque. Non ?

— Non.

— Eh bien, je ne l'ai pas vu depuis des années. Je peux vous demander comment vous avez eu mon nom ?

— Donald McGlyn.

— Donald ?

— Il vous a mentionné en nous expliquant que Brendan avait laissé sa marque. Quand j'ai laissé entendre qu'il ne représentait plus rien, il a cité votre nom.

— Oh ! ouais, je vois tout à fait Donald détester ce genre de remarque. Il est très loyal. Une belle qualité.

Gallagher se renversa contre le dossier de sa chaise, les yeux légèrement voilés.

— Bren était délégué syndical chez McTashan, l'ancienne usine de papier, précisa-t-il.

— Oui.

— Ils voulaient mettre tout le monde à temps partiel pour préparer la fermeture ; ils les passaient à temps partiel pour réduire les coûts du plan social. Le syndicat laissait faire. Il a donc démissionné pour créer son propre syndicat. On était minuscules mais on a fait grève, on a manifesté et on a gagné.

Il sourit à Pete, les yeux embués, comme s'il se remémorait leur lune de miel.

— Il n'était là que depuis trois mois, encore en période d'essai. Ils n'ont pas renouvelé son contrat, il n'y a rien eu pour lui, vous savez. C'était un homme extrêmement honnête.

— Et vous, que faisiez-vous dans une usine de papier, sans vouloir vous vexer ?

Il sourit.

— Pas de problème. Je sortais de l'université. Je ne savais pas ce que je voulais faire. Je me cherchais.

— Pete, vous aussi vous connaissiez Brendan Lyons ?

— *Aye.* Annie, la femme de Kenny, ses parents étaient au parti communiste avec Bren. Tout comme mon grand-père. Je l'ai connu comme ça.

— Il était sympa ?

Changeant la position de ses pieds, il réfléchit un instant.

— Sympa, ce n'est pas le mot. Il était sincère. Pas carriériste comme moi ou comme lui (il désigna Gallagher). Bren était un type bien. Mais il avait un sale caractère. Il a été exclu du parti, je parie que Rita ne vous a rien dit là-dessus, si ?

Il souriait, peut-être en pensant à elle, peut-être à Kenny, Morrow ne distinguait pas vraiment ses yeux à travers ses lunettes.

— Pour quelle raison ?

— Quelqu'un l'avait traité de menteur, prétendait qu'il n'avait pas assez mis la pression sur les gens pour qu'ils règlent leurs cotisations. Bren a pété un câble et l'a frappé.

Pete prit une profonde inspiration qui siffla entre ses dents.

— Et pas qu'une fois, si je me souviens bien.

— Il était enclin à la violence ?

— Non. Dans ses jeunes années simplement, des trucs d'homme à homme, l'honneur de cow-boy, ce genre de choses.

— Dites-moi (Gallagher dévisageait Morrow), vous avez exactement la même tête que quelqu'un que je connais…

Il la scrutait, les yeux plissés.

— Je vous connais ! s'exclama-t-il en reculant dans sa chaise d'un geste théâtral. Oh ! vous ne seriez pas liée à…

— Danny.

— À Danny ?

— Oui. C'est mon demi-frère. Même père. Deux mères différentes.

Elle se pinça les lèvres et hocha la tête, curieuse de savoir comment le plus célèbre représentant du parti travailliste de Glasgow pouvait connaître son frère.

— Des mères très différentes, j'imagine.

À cette remarque, elle se sentit étrangement fière d'elle.

— Je suis surprise que vous connaissiez Danny. Est-il l'un de vos administrés ?

— Je ne peux pas dire que je le connais. Il m'arrive de temps en temps de le croiser. C'est Bren qui me l'a présenté, étiez-vous au courant de ça ?

— Mon Danny ?

— Bren m'a envoyé voir Danny une fois, au sujet d'un garçon. Danny avait pris le petit sous son aile.

— Oh !

Jamais personne jusqu'ici ne lui avait raconté quelque chose de sympathique au sujet de son frère, c'était agréable. Peut-être était-ce pour ça que Dany avait sous-entendu que Brendan avait eu affaire à des voyous. Peut-être parlait-il en fait de lui.

— Malheureusement, ce garçon est mort d'une overdose six mois plus tard.

— Oh !

L'histoire n'était finalement pas si sympathique. Maintenant qu'elle se terminait mal, elle paraissait plus réaliste.

— Bon, merci beaucoup. Nous devrions peut-être y aller, dit-elle.

Gallagher se leva.

— J'espère vous avoir été utile. Pour les histoires de politique, vous devriez vous adresser à l'aéroport.

— L'aéroport? dit-elle en le dévisageant.

— Les taxis, expliqua-t-il, voyant qu'elle n'avait pas compris. La coopérative des artisans taxis.

Elle secoua la tête.

McIlroy intervint.

— Bren était à la tête de la coopérative des taxis jusqu'à sa revente. Vous ne le saviez pas?

— Sa femme nous a dit qu'il était chauffeur de bus.

— Ouais, confirma McIlroy, quand il s'est fait virer des taxis.

Morrow s'aperçut qu'elle avait du mal à trouver de l'air.

— Il était à la tête de la coopérative?

Pete McIlroy soutint son regard d'une manière qu'elle trouva un brin déstabilisante, comme s'il connaissait le poids de l'information qu'il était en train de lui confier.

— Tous les chauffeurs de taxi versaient cinquante livres par an pour avoir accès à la station de taxis de l'aéroport. Puis la station a été rachetée par une grosse société. Ils ont lancé un appel d'offres et une compagnie d'autobus a offert douze fois ce qu'offrait la coopérative. L'aéroport a empoché le pactole, et Bren a été viré.

Elle regarda Harris. Ils auraient dû avoir été informés qu'il était chauffeur de taxi. À un stade si avancé de l'enquête, savoir comment le type gagnait sa vie semblait la moindre des choses. Rita avait menti. Donald McGlyn avait menti, mais ça aurait dû sortir quelque part malgré tout. Harris n'en revenait pas, il eut un petit haussement d'épaules.

Elle s'éclaircit la gorge.

— Puis Bren a pris sa retraite?

McIlroy haussa les épaules.

Elle rassembla ses notes en vitesse et rangea son stylo pour prendre congé.

Kenny les raccompagna jusqu'à la porte.

— Merci de votre visite, dit-il d'une voix distraite et mal à propos, comme s'il était déjà passé à autre chose.

311

Morrow se retourna pour saluer la fille toujours contre le mur d'un signe de tête.

— Au revoir.

La fille ne leva pas les yeux. Elle paraissait terriblement jeune et très triste. L'idée de la laisser là mettait Morrow mal à l'aise.

Gallagher regarda la porte se fermer sur les officiers de police. Il craignait de lever la tête, mais il le fit, d'abord vers Jill, toujours debout contre le mur comme un condamné face au peloton d'exécution. Elle ne lui rendit pas son regard mais sentit qu'il l'observait. Son menton trembla, et elle se mit à pleurer.

— Oh ! Jill, la prévint-il d'une voix lasse.

Elle se couvrit le visage de ses mains.

— Je ne veux pas que ce soit moi..., sanglota-t-elle, la voix étouffée. Je ne veux pas être... cette... moi.

Kenny la dévisageait en évaluant les risques qu'elle ne se suicide. Il tourna les yeux vers Pete. Pete n'aurait pas dû l'amener ici, pas en présence de tiers, et aujourd'hui par-dessus le marché. Ce n'était pas juste, ni envers lui ni envers elle.

— J'ai fait venir Jill, dit Pete, parce que je crois qu'il est temps de regarder les choses en face.

Il s'approcha d'elle, la prit par le coude et la guida à l'aveugle jusqu'à un fauteuil. Jill sanglotait en silence derrière ses mains.

— Jill, fit Pete le regard braqué sur Kenny. Jill, qu'est-ce que tu vas dire au juge ?

Elle soupira et s'adossa au fauteuil, agrippant les accoudoirs comme si elle se trouvait à la barre.

— Ben..., je vais pas mentir.

— Je ne veux pas que tu mentes, répondit Kenny.

— Mais tu prétends qu'il y a eu diffamation, Kenny ! s'exclama Pete d'une voix si sonore que Kenny eut peur qu'on les entende. Si les gens te croient, ça fait d'elle une menteuse. Et elle est jeune, Kenny, c'est ce qu'elle restera pour toujours aux yeux de la plupart des gens : une menteuse.

Jill sanglota de nouveau. Une mèche de cheveux blonds glissa sur sa main. Elle avait de beaux cheveux, épais, solides, pas encore teints non plus, un blond naturel, les cheveux comme la chatte. Quand la lumière était à son avantage, avec l'expression adéquate, c'était un peu comme sauter Marilyn Monroe.

Pete lui tapota le dos.

— Tu peux y aller maintenant, si tu veux, ma chérie.

Elle leva vers Pete un regard désemparé, et il lui confia ses clés de contact.

— Va m'attendre dans la voiture, j'arrive dans une minute. Je te déposerai chez toi.

Elle se saisit des clés d'un geste lent et se leva, se retournant vers Kenny en reniflant, sur le point de dire quelque chose, mais elle se ravisa. Traînant les pieds jusqu'à la porte, elle s'arrêta de nouveau, une main sur la poignée.

— Jill, je suis vraiment désolé de tout ce qui arrive. Ça n'a jamais été mon intention de…

Elle attendit, espérant peut-être qu'il ajouterait quelque chose, quelque chose d'utile. Kenny ne savait pas quoi dire. Elle baissa la tête, ouvrit la porte et s'éloigna.

Kenny regarda la porte se refermer derrière elle. Elle irait peut-être pleurer sur les marches du bureau, peut-être qu'elle se reprendrait. D'ordinaire, Pete se démenait pour son bien, et il lui paraissait inenvisageable que cela n'ait pas été le cas cette fois. Pourtant, Pete essayait délibérément de le foutre dans la merde.

— Pourquoi tu l'as amenée ici ?

— Voilà ce que tu fais, Kenny ! rugit Pete. Tu fous en l'air la vie de cette fille. Et toutes ces foutaises sur l'exclusion du processus démocratique ! À cause de toi, les filles comme elle ne pourront jamais s'investir sans danger, parce que des salopards dans ton genre leur mettent le grappin dessus et les baisent. Qui d'autre tu as entraîné là-dedans ? Tu crois qu'ils ne vont pas tous les retrouver ? Ils sont déjà au courant pour Derek Geller. D'ailleurs, d'où sort cette idée débile, putain ?

— C'est la mienne.

Mais ce n'était pas vrai. Quelque chose avait fait tilt dans l'esprit de Kenny : il savait que l'idée venait d'Annie, mais le dire aurait été idiot, imprudent et mesquin, alors il répéta :

— C'est de moi. C'était mon idée. Les journaux ne peuvent pas dire…

— Putain, les journaux n'ont absolument RIEN À VOIR LÀ-DE-DANS, Kenny. Réveille-toi. Les gens tweetent là-dessus depuis trois jours. C'est vrai maintenant.

Brusquement, Kenny prit conscience que Pete avait raison. Il se sentit bête. Il était complètement à côté de la plaque.

— Gère ça comme un homme, bordel de merde, conclut Pete en s'approchant de la porte pour l'ouvrir. Demande pardon à ta femme et à tes enfants, et essaie de te tenir à carreau à l'avenir.

Il claqua la porte derrière lui.

— Je peux pas, dit doucement Kenny, mais Pete avait disparu.

26

Morrow, de marbre, écoutait McKechnie lui passer un savon au téléphone. Il voulait les voir revenir sur-le-champ. Le service des plaintes l'attendait, elle était l'officier de référence, et ils avaient besoin qu'elle leur communique les détails de l'affaire.

Mais Morrow lui avait déjà annoncé qu'elle n'avait pas l'intention de se présenter, et tous deux savaient qu'elle n'allait pas changer d'avis.

— Il faut que j'aille poser des questions aux Lyons concernant le boulot de Brendan, monsieur, c'est essentiel pour l'enquête.

— Je vous ai déjà donné un délai de grâce de trois heures.

McKechnie chuchotait dans le combiné, les agents des Plaintes étaient sans doute dans son bureau, ou pas loin en tout cas, et il craignait d'être entendu.

— Vous avez utilisé tous vos bons points pour Mullen en voulant garder Leonard. Vous comprenez?

— Oui, monsieur, je comprends.

— Il n'y en a plus. Vous risquez la sanction disciplinaire, vous comprenez?

Il ne la sanctionnerait pas. Ils le savaient l'un comme l'autre. Ils s'appréciaient mutuellement, et elle ne faisait rien de mal ou de déraisonnable. La seule chose qui risquait d'arriver à présent, c'était qu'ils campent tous les deux sur leurs positions. Alors elle lui raccrocha au nez.

Devant eux, un nuage noir chargé de pluie tournoyait au-dessus des arbres bordant la Great Western Road, charriant le long de la route une pénombre glaciale.

Harris s'arrêta au feu et mit son clignotant à droite. Le téléphone de Morrow sonna : McKechnie, de nouveau. Posant le pouce sur le haut-parleur, elle décrocha et frotta le micro avant de raccrocher aussitôt. Puis elle attendit dix secondes et décrocha de nouveau pour que McKechnie tombe sur la messagerie et croie qu'elle était en train d'essayer de le rappeler.

— Harris, qu'est-ce que vous savez sur les taxis de l'aéroport ?

Il haussa les épaules.

— Ils ont été repris par les McGregor, de Greenock, alors tout ça est tout à fait logique.

— Les taxis leur servent à blanchir de l'argent, Brendan était à la tête de la coopérative, ils ont peut-être envoyé MacLish rudoyer quelqu'un, et Brendan a assisté à la scène. En se voyant au bureau de poste, ils se sont reconnus… Cela dit, Brendan a dû prendre sacrément peur pour lui filer un coup de main pendant le braquage.

Quand Harris se gara dans la rue, la maison des Lyons était toujours plongée dans l'obscurité.

— Pas encore rentrés, dit-il.

La pluie commença à s'abattre sur le pare-brise, dense et aveuglante. Ça la gênait de lui demander de sortir.

— Bon, dit-elle néanmoins, allez voir derrière la maison s'il y a quelque chose.

Par solidarité, elle sortit elle aussi dans le froid et l'humidité.

Relevant son col, la tête rentrée dans les épaules, Harris se dirigea vers le portillon avant de disparaître derrière la haie. Le téléphone d'Alex sonna de nouveau.

— Désolée pour tout à l'heure, monsieur, j'ai essayé de rappeler mais ça sonnait occupé.

— Non, c'est votre ligne qui était occupée, Morrow.

— Écoutez, monsieur, avant de clore l'enquête, il faut qu'on sache non seulement pourquoi Lyons a filé un coup de main à MacLish mais aussi pourquoi on n'a jamais su qu'il était chauffeur de taxi.

— Parce que les témoins mentent, Morrow, mystère résolu.

La pluie redoubla soudain, les gouttes rebondissaient sur le bitume, lui aspergeant les jambes et les chevilles, noyant la voix de McKechnie. Morrow baissa d'un ton.

— D'une manière ou d'une autre, on aurait dû apprendre qu'il était chauffeur de taxi. MacLish bosse avec les McGregor, à Greenock, c'est sans doute comme ça qu'ils se sont rencontrés, mais un témoin ou un autre aurait dû nous dire qu'il était taxi. On nous a dissimulé l'information, monsieur. Si on a quelqu'un au sein du service qui s'amuse à manipuler les preuves sur cette affaire, il ou elle a tout aussi bien pu faire pareil dans d'autres affaires auparavant. On peut trouver qui c'est. Le service des plaintes nous adorera.

Il hésita.

— Où êtes-vous ?

— Chez les Lyons. Ils ont disparu.

— Lesquels ?

— Tous.

— Je vous veux ici dans une demi-heure.

— Bien, monsieur.

Elle raccrocha, songea un instant à retourner s'asseoir dans la voiture, à l'abri de la pluie, mais se dit que ça manquerait d'égards pour Harris. Elle soupesait la question, commençait à envisager de retourner au bureau passer des vêtements secs, quand une voiture apparut en haut de Lallans Road.

Un véhicule se rangea à faible allure le long du trottoir d'en face, ses phares balayant au passage les iris de Morrow. Le visage du chauffeur apparut à la lueur des réverbères. Il sourit à Morrow comme s'il la connaissait. Une guirlande rouge ornait son tableau de bord et un petit Père Noël pendait à son rétroviseur. Morrow lui rendit son sourire.

Il se gara devant une maison aux illuminations pleines de gaieté. À la fenêtre, un petit arbre de Noël croulait sous des guirlandes assorties à celle du tableau de bord. Derrière, dans la douce chaleur du salon, une lueur grise vacillait au plafond, celle des films pleins de bons sentiments programmés en journée l'avant-veille de Noël. Morrow se blottit dans son manteau mouillé et sourit à l'homme qui descendait de voiture.

— Bonjour ! lança-t-il en ouvrant la portière arrière pour en sortir un lourd paquet cadeau emballé dans du papier orné de pingouins coiffés de bonnets rouges à pompon.

317

Elle s'attendit presque à ce qu'il le lui offre, un père Noël de banlieue en avance sur son horaire.

— Tout va bien ? demanda-t-il.

— *Aye* – elle devait parler fort pour couvrir le crépitement de la pluie. Et vous ?

— Génial ! fit-il en brandissant le paquet d'un air triomphant. La frénésie des achats !

Morrow fit un large sourire. L'homme tourna la tête vers la maison des Lyons.

— Vous cherchez Rita ?

Jetant un regard par-dessus son épaule, Morrow vit réapparaître Harris au coin du bâtiment.

— Il n'y a personne. Je suis un peu inquiète.

— Oh ! ils sont absents. Ils sont partis pour Majorque ce matin. En tout cas, je crois bien que c'est à Majorque, corrigea-t-il avec un haussement d'épaules.

— Ils avaient des valises ?

— Oh ! réfléchit-il, je ne sais pas. Ils nous ont crié de loin un truc du genre «joyeux Noël et bonne année». Comme s'ils n'allaient pas me voir d'ici là, ça c'est sûr.

— Ils étaient accompagnés ?

— Juste de ce chauffeur de taxi. Ils prennent toujours ce taxi-là.

— Un taxi rouge ?

— *Aye*. Vous revoilà ! Bonjour !

Il s'adressait à Harris par-dessus l'épaule de Morrow.

— Alors ? Vous avez fini par trouver qui a mis le feu au taxi de Bren ? demanda-t-il.

En se retournant, Morrow découvrit son coéquipier trempé, grelottant de froid, la mâchoire pendante, immobile sous la pluie battante à l'endroit où la voiture avait flambé.

Le voisin comprit aussitôt que ses paroles venaient de déclencher un cataclysme. Comme pour en atténuer la portée, il ajouta :

— Vous vous souvenez ? L'autre jour, quand vous êtes venu seul ?

Harris avait les yeux rivés au sol. La pluie ruisselait sur son visage, dégouttait de son nez, de ses lèvres, de son menton. Il restait les bras ballants, sans essayer de l'essuyer.

Dans le dos de Morrow, l'homme marmonna un vague «joyeux Noël» et fila sans demander son reste. Quelque part dans la rue, ils l'entendirent ouvrir une porte et la claquer derrière lui, les laissant seuls.

Pendant qu'elle interrogeait MacLish en compagnie de Leonard, Harris était revenu mener une petite enquête de voisinage; il avait appris la profession de Brendan Lyons et l'incendie de sa voiture. Il était venu seul, chose qu'aucun agent de police honnête n'aurait faite, parce qu'il savait déjà ce qu'on allait lui apprendre : Brendan était chauffeur de taxi.

La pluie dégoulinait sur son visage, gouttait le long de ses cils, et Harris ne bougeait toujours pas. Faisant trois pas pour le rejoindre, Morrow lui envoya de toutes ses forces un coup de poing en plein visage.

Il ferma les yeux et sa tête bascula vers la gauche. Morrow sentit le cartilage craquer sous ses doigts, vit le sang qui affluait vers ses yeux et son nez lui boursoufler instantanément le visage.

Les réverbères et la pluie miroitèrent dans le flot sombre qui jaillit soudain de ses narines, coulant vers son épaule gauche tel un ruisselet dans un caniveau. Ses mains demeurèrent pourtant mollement le long de son corps.

Il redressa la tête, ouvrit la bouche pour reprendre sa respiration et souleva tant bien que mal ses paupières déjà gonflées.

Alex Morrow ne supportait pas de le regarder. Levant le poing, elle cogna de nouveau.

Quand ils arrivèrent au poste, le service des affaires internes et des plaintes attendait déjà Harris de pied ferme. Non seulement ils voulaient savoir comment il avait pu aller se fourrer dans un tel pétrin, mais aussi comment il expliquait les dizaines de milliers de livres sans lien avec son salaire versées sur son compte en banque.

Morrow assista à l'interrogatoire depuis les écrans de la salle d'observation. Harris tenait un sac de glaçons sur son visage, il avait refusé les soins médicaux et l'assistance d'un avocat.

Harris ne voulait pas dire d'où provenait l'argent, pourquoi il l'avait touché, ni comment il avait atterri sur son compte. Il ne leur expliqua pas non plus comment il s'était procuré sa voiture, ni si sa femme était au courant. Il ne leur dit pas davantage quand les versements avaient commencé. Et refusa de leur expliquer comment il avait pu en arriver là.

Morrow le regardait sur l'écran, le poing contusionné et douloureux. Au souvenir frémissant du cartilage qui craque, de la sensation d'écrasement dans son coude, elle sentit monter un accès de nausée.

McCarthy entra et resta debout derrière elle, le visage triste. Il ne prononça pas un mot. C'était inutile, sa peine était palpable.

Morrow ne tenait pas à voir Harris disséqué en public.

Elle sortit, descendit dans la pénombre de son bureau et décrocha son téléphone pour appeler Abbi Cabs.

— Abbi Cabs, votre destination s'il vous plaît?

— Donny, c'est vous?

— *Aye*, qui est à l'appareil?

— Inspectrice Alex Morrow.

— Je me doutais que vous appelleriez.

— Où sont-ils partis?

— À Majorque. 137, Carrer de Alliande, près de Puerto Andratx.

— Ils ne vous en voudront pas de nous l'avoir dit?

— Ce n'est pas vous qu'ils cherchent à fuir.

Elle entendit dans la voix de Donny un accent de reproche.

— Vous ne m'avez jamais mentionné que Brendan était chauffeur de taxi, dit-elle.

— Si.

Elle serra les paupières, redoutant sa question.

— Quand? fit-elle, mais d'une voix trop tendue pour qu'il l'entende.

— Pardon?

Elle se racla la gorge.

— Vous nous l'avez dit quand?

— Je l'ai dit à votre collègue, le type qui est venu la première fois.

— L'agent Harris?

— *Aye*. La première fois.

— Il était seul?

— *Aye*. Il a dit que vous étiez occupée.

Debout dans la pénombre, elle avait du mal à déglutir. Quand elle eut enfin retrouvé sa voix, elle le remercia pour son aide et raccrocha.

S'animant soudain, elle s'empara de son portable et appela Danny, qui décrocha dès la première sonnerie.

— Ça va ?

— *Aye*, fit-elle, écoutant sa propre voix pour s'assurer qu'elle ne laissait rien paraître. Et toi ?

— *Aye*. Qu'est-ce qui se passe ?

Elle hésita. Elle savait pourquoi elle l'avait appelé, mais lui en faire part d'emblée serait bizarre.

— Ben, je pensais juste à toi. J'ai fait la connaissance de Kenny Gallagher aujourd'hui. Il a fait le lien entre toi et moi.

— Qu'est-ce que tu veux dire ?

— Il m'a dévisagée et m'a dit que j'étais ta sœur. Il m'a raconté une histoire sympa sur un petit gars que t'avais aidé.

Elle entendait Danny sourire.

— C'est vrai ?

— *Aye*, c'est vrai.

— Je l'ai vu à une soirée de bienfaisance l'autre soir. Un bon gars, ce Kenny.

— Tu trouves ?

Danny gloussa.

— T'es pas d'accord ?

— Je sais pas. Il m'a paru un peu faux cul.

— Mais il a mentionné qu'il me connaissait, non ?

Elle avait envie de dire quelque chose de gentil à quelqu'un.

— *Aye*, il m'a dit le plus grand bien de toi.

— Ah ! dans ce cas, il ne peut pas être si mauvais.

Elle sourit.

— *Aye*. Bon, Danny, sinon, je voulais te dire l'autre jour, à propos du baptême après Noël : Brian et moi on se demandait si tu accepterais d'être le parrain.

Il y eut un blanc. Elle ne sut pas trop comment l'interpréter jusqu'à ce que la voix de Danny s'élève dans le combiné :

— D'accord, Alex, répondit Danny d'une voix voilée, ses lèvres frôlant le micro, d'accord, je veux bien.

Assise dans le silence du bureau, Morrow écouta les bruits du dehors, les chuchotis et les exclamations qui lui parvenaient à mesure que la nouvelle concernant Harris se répandait dans le service.

27

Jill Bowman demanda à Pete McIlroy de la déposer en ville. Il avait tenu à lui servir de chauffeur, à l'aller comme au retour, mais elle n'était pas certaine de vouloir qu'il sache où elle habitait exactement. Jill n'aimait pas Pete. Il lui avait tendu un piège le matin pour la faire venir au bureau : il avait prétendu que Kenny avait besoin de son aide, besoin qu'elle lui parle. Mais il ne l'avait même pas laissée placer un mot, il s'était contenté d'aboyer sur Kenny, de lui reprocher ce qu'elle endurait. Ce n'était pas à lui de le faire, ce n'était pas à lui de la défendre. Elle pouvait s'en charger toute seule.

Elle préféra qu'il la dépose à un carrefour pour abréger les au revoir. Elle ne voulait pas voir Pete traîner aux alentours de chez elle. Elle passa les deux heures suivantes à flâner dans les boutiques de Noël. Elle avait déjà dépensé tout l'argent que son père lui avait donné, mais elle aurait encore droit aux étrennes de ses tantes ; elle alla donc se perdre chez Zara, essaya des tenues en prévision des soldes, bottes, minirobes à sequins qu'elle pourrait porter par-dessus un pantalon. Quand ses jambes fatiguèrent et qu'elle en eut assez de la foule, elle prit le bus pour rentrer et s'assit près d'une vitre à l'étage, les yeux sur les pauvres gens qui avançaient pliés en deux sous la pluie battante. Elle avait de la chance, le bus s'arrêtait juste devant chez elle. Elle n'avait même pas à traverser.

La pluie tombait si dru et il faisait si froid qu'elle parcourut néanmoins en courant les cinquante mètres qui la séparaient de la porte. Les doigts gourds, elle glissa la clé dans la serrure.

En ouvrant, une forte odeur de cigarette lui assaillit les narines. Son père était là.

— Papa ?

— Par ici !

Il se trouvait dans son « bureau », un petit espace emménagé sous l'escalier, surfant sur le Web à l'affut de la *véritable* histoire derrière les grands événements qui avaient secoué le monde. Rien de récent : l'assassinat de l'archiduc François-Ferdinand, le 11 septembre, l'épidémie de sida, les travailleurs du pétrole au Niger, tout ce qui n'avait aucun rapport avec son quotidien retenait son intérêt jusqu'à l'obsession. Il ne faisait confiance à rien, sinon à Internet.

Elle s'avança vers lui.

— Qu'est-ce que tu lis ?

— Juste des trucs sur les émeutes. Je vais sortir acheter des cigarettes, tu as besoin de quelque chose ?

Jill parcourut en pensée les rayons de la boutique de la station-service.

— Non.

Tout ce qu'elle voulait, c'était une tasse de thé, son pyjama et regarder une daube à la télé.

— D'accord, fit-il en se levant, les yeux toujours sur l'écran. Ne touche à rien, ça me mène à un lien que je veux conserver.

Il la dévisagea.

— Tu étais où aujourd'hui ?

— J'ai traîné en ville, c'est tout.

— Avec Shelly ?

— *Aye*, avec Shelly.

— D'accord, répondit-il simplement en mettant son manteau et un lourd bonnet de laine. Je n'en ai pas pour longtemps.

Il claqua la porte derrière lui.

Jill ôta son blouson et le suspendit à un cintre afin qu'il sèche sans se déformer. Assise sur la dernière marche de l'escalier, elle enleva ses bottes à talons argentées. Elle les avait mises parce qu'elle savait qu'elle allait voir Kenny, mais il ne l'avait même pas regardée, pas vraiment. Elle se souvenait de l'époque où il la regardait vraiment. De cette époque où il ne pouvait pas s'empêcher de la regarder, de la toucher. Du frisson de cette première fois, où il était venu la trouver dans sa chambre à Inverness en lui disant qu'il n'avait jamais rencontré quelqu'un comme elle, en lui demandant si elle aussi ressentait la même chose, et elle s'était sentie défaillir à l'idée que lui, Kenny Gallagher, l'avait remarquée.

Quand ils étaient au lit, quand il la dévorait, l'embrassait, l'aimait sans même ôter complètement son pantalon tant il était pressé de la prendre, elle se sentait tellement spéciale, tellement extraordinaire, parce qu'elle avait vu des photos de sa femme, parce qu'elle savait qu'elle était splendide, et pourtant c'était avec elle, Jill, qu'il était. Elle valait même mieux que sa femme.

Elle pensait à Annie Gallagher quand la sonnette retentit, lui arrachant un sursaut. Son père avait ses clés. Il ne sonnerait pas, à moins de la savoir encore à côté de la porte. Jill se figea, les yeux sur l'entrée, aux aguets. La sonnette retentit de nouveau, aussitôt suivie par un coup pressant contre la porte. Ce n'était pas son père. Un journaliste ? Ils avaient trouvé son adresse. Ou pire, Pete.

Elle s'avança sur la pointe des pieds et entendit une voix chantante, masculine :

— Je sais que tu es là !

Il le lança d'un ton badin, comme un ami, mais elle ne reconnaissait pas la voix. Ce n'était pas Pete.

Elle jeta un regard par l'œilleton. Un jeune homme, plutôt beau gosse, elle ne le connaissait pas. Il portait un jean et une veste verte, plutôt cool. Il avait un sac, aussi, en bandoulière, avec une boucle en laiton sur la lanière. Il pleuvait, mais il n'avait pas l'air si mouillé. Il était venu en voiture. Scrutant l'œilleton, il sourit doucement.

— Tu vas ouvrir la porte ? Il tombe des cordes dehors.

— Vous êtes journaliste ?

— Non.

Jill reposa les talons par terre.

— Vous êtes qui alors ?

— Bon Dieu, très honnêtement, je ne peux pas être moins journaliste que ça.

Il était beau, il avait à peu près son âge et il n'était pas journaliste.

Jill dégagea les cheveux qui lui tombaient sur le visage, rajusta son chemisier et son jean avant d'entrouvrir, à peine, pour couler un œil dehors.

— Vous êtes qui, alors?

Il la détailla des pieds à la tête et sembla aimer ce qu'il voyait car il lui décocha un sourire chaleureux. Il était si beau que Jill ne remarqua pas tout de suite l'autre homme qui arriva par la droite. Il s'était tenu sur le côté, le long du mur extérieur, et c'était un homme tout à fait différent : débraillé, le visage hâve, rageur. Il coinça le pied dans l'entrebâillement comme s'il cherchait à écraser une araignée.

Quand elle jeta de nouveau un coup d'œil sur le beau gosse, elle vit qu'il avait ramené son genou à hauteur de sa poitrine, comme s'il dansait.

Le pied partit brusquement vers l'avant, la semelle heurta le plat de la porte, l'ouvrant en grand et envoyant Jill valser dans le vestibule, déchirant au passage son chemisier à hauteur de l'épaule. Du sang sur l'épaule, qui coulait en filet le long de son bras, elle leur hurla :

— Bordel de merde, vous m'avez écorché le bras, putain!

Comme sourds, les hommes pénétrèrent tranquillement dans la maison avant de refermer derrière eux. Et Jill, la main sur son bras, se rendit compte que l'ordre des choses avait changé. Ils se fichaient bien de lui avoir fait mal ou d'avoir déchiré son chemisier.

Ils fouillaient les lieux du regard; le type débraillé se penchait en arrière pour vérifier dans chaque pièce qu'il n'y avait personne.

— Sortez, dit-elle faiblement. Vous ne pouvez pas…

Le type débraillé, celui avec la sale gueule, la dévisagea avant de se pourlécher la commissure des lèvres. Il y eut un bruit de clé dans la serrure.

— Papa, hurla Jill, aide-moi!

Faisant prestement volte-face, le beau gosse tourna le bouton de la porte et rouvrit d'un geste sec, révélant son père, sur le seuil, sa petite clé entre ses doigts comme un revolver minuscule.

— Qui…

— Ils sont entrés de force, cria Jill. Papa!

Son père se tourna vers les hommes à la recherche d'une explication, mais, levant le bras, le débraillé envoya voler son bonnet et l'agrippa par les cheveux pour le traîner dedans, plié en deux, tandis que le beau gosse claquait la porte derrière eux.

Le débraillé tournait sur lui-même, entraînant avec lui le père de Jill qui trébuchait, il tirait, tirait, de plus en plus vite, en souriant, et lâcha même à un moment donné un petit cri perçant. Puis le visage du débraillé redevint sérieux, comme s'il ne trouvait plus d'intérêt à son petit jeu ; il envoya son père valser tête la première contre la cloison du salon. Et son père glissa le long du mur.

Se penchant au-dessus de lui, le débraillé cria :

— Tu vas la fermer, ouais ? Il veut parler à sa chérie.

Des postillons vinrent moucheter le visage de son père. Elle le vit se recroqueviller sur lui-même, serrant fort les paupières, genoux serrés contre la poitrine pendant que le débraillé continuait :

— Parce que c'est pas tes affaires, putain !

— Papa ! cria Jill qui sanglotait à présent. C'est pas mon petit copain.

Mais elle ne savait pas si son père pouvait l'entendre parce qu'il n'ouvrit pas les yeux.

— Ben, fit le débraillé en baissant d'un ton. P'têt' ben que si dans pas longtemps…

Sans ouvrir les yeux, la tête toujours dans ses mains, son père tenta de se hisser le long du mur. Ils le regardèrent faire un instant : ses longues jambes qui cherchaient désespérément une prise sur la moquette, comme un poulain essayant de se lever pour la première fois. Puis, brandissant lentement le bras, le débraillé lui abattit de nouveau le poing sur le haut du crâne. Le père de Jill retomba lourdement sur le flanc. Il ne bougea plus.

— Papa !

Attrapant Jill par l'épaule, le beau gosse la poussa vers l'escalier et la força à monter, la frappant dans le dos dès qu'elle trébuchait.

Arrivée sur le demi-palier, Jill se retourna et vit les pieds de son père qui tressautaient. Il toussa. Une toux grasse, pareille à un bruit de ferraille.

D'un coup de poing, le beau gosse l'envoya devant la porte de sa chambre. Tremblante, elle resta là, devant la pancarte rose « Chambre de Jill » brouillée par ses larmes. Il ne fallait pas qu'elle entre, elle le savait, mais un nouveau coup de poing dans son dos la projeta violemment vers l'avant. À l'instant où elle s'écroulait contre le battant, il ouvrit la porte, et Jill s'effondra par terre dans l'obscurité.

Jill Bowman était quelqu'un de désordonné. À cause du vis-à-vis, elle maintenait ses rideaux fermés. La pièce était toujours plongée dans la pénombre.

Il donna un coup de pied dans les semelles de Jill pour dégager le chemin, comme on pousse un sac gênant dans une allée, et referma la porte derrière eux.

Il alluma.

— Assise, lui ordonna-t-il en regardant le lit défait.

Jill se redressa en titubant. Elle posa les yeux sur ses livres, sur son bureau où l'attendaient ses cahiers d'étudiantes ouverts, sur son sac posé sur la chaise. Elle regarda les photos d'elle accrochées au mur, en voyage scolaire à Madrid, en robe de soirée, à Inverness... Les bras ballants, elle se mit à pleurer. Elle ne savait absolument pas quoi faire.

— Putain de..., grogna-t-il.

Exaspéré, il la frappa sur le côté de la tête, un coup violent qui l'envoya tête la première sur le lit, son lit d'enfant. Son visage, la bouche ouverte et noyé de larmes, rebondit sur le matelas.

Tournant la tête de côté pour libérer sa bouche, elle leva les yeux vers lui. Il était différent vu d'en bas. Il avait l'air furieux, écœuré et montrait les dents.

— *Pourquoi tu me forces à te faire ça ?*

Il attendit une réponse. Jill ne savait pas de quoi il parlait et elle ne trouvait rien à dire qui n'aurait pas aggravé les choses. Elle pleurait, hoquetait, et il avait l'air terrifiant. Alors elle ferma les yeux, sentit le sommier rebondir sous elle quand il posa lourdement un genou à hauteur de sa hanche. Elle perçut dans son haleine une odeur de chips, des chips à l'oignon et au fromage. Il se pencha et gémit faiblement :

— Quand tu sauras ce que je vais faire, t'obéiras ?

Elle était contente de ne pas le voir. Il lui envoya son poing dans le dos, au niveau des reins, et par réflexe elle se cambra mais n'eut pas vraiment mal. Quand il la frappa de nouveau en faisant saillir la jointure de son majeur, comme pour corriger son erreur, une douleur irradiante lui arqua violemment la colonne. Puis il s'en prit à son ventre. Pas un coup de poing, bien pire : l'agrippant par la ceinture, il descendit du lit et essaya de lui ôter son jean, tandis que de l'autre main il tirait sur sa culotte. Mais Jill se maintint sur le flanc, battit des jambes jusqu'à ce qu'elle sente le lit délesté du poids du corps de l'homme. Il était au-dessus d'elle maintenant et, tenant son jean par-devant et par-derrière, il tira et tira jusqu'à ce que le vêtement pende sur ses chevilles.

Puis elle sentit sa bouche à hauteur de son oreille, une odeur aigre de fromage, il frappa sa cuisse du plat de la main, la cogna pour la contraindre à écarter les jambes et la pénétra brutalement de ses doigts.

— Tu vois, c'est ce qui arrive aux garces qui savent pas fermer leur gueule.

Il enfonça violemment la main en elle.

— Kenny Gallagher ne t'a jamais touchée, d'accord ? Ou je reviendrai t'arracher la chatte.

Elle avait rouvert les yeux à présent. Elle les avait ouverts en grand et elle fixait le mur, absorbant tout ce qui se trouvait dans sa vision périphérique. Il la libéra, se remit debout, s'essuya les doigts sur une jambe du pantalon de Jill et ajusta la bandoulière de sa sacoche de coursier.

— Tu vois, ma belle ? C'est ce qui arrive quand on joue avec les grands garçons. Les grands garçons jouent à des jeux de grands garçons. Pas agréable, hein ?

Jill garda le regard rivé au mur, au mur rose. Et la porte s'ouvrit. Une silhouette verte sortit de la pièce.

Elle entendit les lointains grognements de son père. La porte d'entrée s'ouvrir. Puis se fermer. Et ils n'étaient plus là.

28

Avec la pluie chaude, le vent humide qui soufflait de la Méditerranée et l'ascension épuisante des collines environnant Puerto Andratx, plus abruptes qu'elles n'en avaient l'air, Alex Morrow transpirait sous son manteau. La station balnéaire semblait déserte entre Noël et le nouvel an, ou bien les gens du coin se gardaient peut-être de mettre le nez dehors à l'heure du déjeuner. McCarthy, à côté d'elle, semblait trouver l'expérience vivifiante ; hors d'haleine et souriant, il avançait sur la route raide en égrenant les numéros inscrits sur les murs de soutènement des petites maisons perchées sur les hauteurs en surplomb des flots.

Ils dépassèrent la villa des Lyons sans la voir et rebroussèrent chemin. Après un nouveau coup d'œil sur leurs notes, ils trouvèrent une petite ouverture qui donnait sur un passage long et étroit contournant l'une des bâtisses les plus grandes. Un chemin s'était creusé entre les broussailles, où la terre calcaire, humide et grise, était à nu.

Morrow, hésitante, garda ses pensées pour elle, fouillant du regard le haut de l'allée à la recherche d'indications, consciente de la présence de McCarthy dans son dos.

En haut, l'espace s'ouvrait pour révéler une construction modeste, qui tenait davantage de la cabane que de la véritable maison. Un bâtiment trapu aux volets clos, habillé d'un crépi rose fané, une cheminée quelconque plantée dans le toit pentu en bardeaux. Sur le côté de la cour, contre un mur, un grand panneau bleu : « *Se Vende* ».

En sueur et en colère, obsédée par l'image de Harris, Morrow traversa à grandes enjambées la cour de dalles disjointes jusqu'à la porte. Sa peinture verte s'était écaillée. Elle frappa fort.

De l'intérieur, leur provenaient le son d'une radio allumée, de la musique pop dont l'écho se répercutait dans les pièces aux murs de pierre et au plafond bas, et une voix féminine aiguë et dissonante, de celles qu'adoptent les mères pour se faire entendre par-dessus les bruits de circulation.

Rita ouvrit la porte.

— Oh! vous n'êtes pas venus à pied, au moins?

— Le chauffeur de taxi nous a laissés en bas de la côte, il ne trouvait pas l'adresse.

Mais Rita n'écoutait pas, elle scrutait le visage de Morrow à la recherche d'une explication.

— Entrez, je vous en prie.

Rita, Morrow et McCarthy s'installèrent sur un banc de pierre, sous les citronniers du petit jardin frémissant dans la brise légère qui répandait par intermittence leur odeur douce et âcre. Rosie, heureuse et épanouie, apporta sur un plateau une grande bouteille de 7 Up, trois gobelets en plastique et un paquet de chips.

Morrow et McCarthy portaient tous les deux des vêtements lourds, épais et sombres, complètement inadaptés au climat. Rita était en sandales et portait une robe ample à imprimé vert.

Elle s'excusa d'avoir quitté l'Écosse sans en informer la police. Ils devaient partir, expliqua-t-elle, pour leur sécurité.

— Qu'est-ce qui vous permet d'être certaine que vous êtes plus à l'abri ici? s'enquit Morrow avec une pointe de méchanceté dans la voix qui l'étonna elle-même.

Rita balaya l'air de la main avec dédain.

— Ces gens n'ont pas de contacts à l'étranger, dit-elle. Ils ne nous veulent pas en travers de leur chemin, alors nous partons. Ils pourraient nous retrouver, mais à quoi bon? Si nous sommes juste au coin de la rue, en revanche, c'est une autre histoire.

Morrow embraya sur ce qu'elle voulait vraiment savoir.

332

— Comment vous êtes-vous procuré l'argent pour acheter cette maison?

— Martin Pavel nous l'a donné.

— Il vous l'a *donné*?

— Il nous a fait venir avant lui en jet privé. Rosie lui a dit qu'il fallait qu'on parte, et deux heures après nous étions dans les airs.

— Avant lui? Que voulez-vous dire?

— Il s'est installé là-bas, fit-elle en pointant vaguement le doigt vers le haut de la colline.

— Martin Pavel est ici lui aussi?

— Oui, répondit Rita en clignant des paupières d'un air désapprobateur. Il n'est pas du tout ma tasse de thé, mais…

— Oh! Est-ce que Rosie et lui…?

— Non, la coupa Rita avec un regard dur et un haussement d'épaules affligé. Même pas. Aucune idée. Il s'occupe de notre jardin. (Elle croqua dans une chips avec indignation.) Il crée un potager.

— Ils sont justes copains, alors?

Elle haussa les épaules en mâchouillant.

— Aucune idée. Je hais les jeunes. Je ne les comprends pas.

Morrow leva les yeux vers le haut de la colline. Les villas s'y disputaient le privilège d'une vue sur la mer. Aucune n'avait l'air très chic.

— Rita, vous m'avez menti à propos du métier de Brendan.

— C'est vrai, répondit Rita en attrapant la bouteille de 7 Up pour remplir les trois verres. Nous ne faisons pas confiance à la police. Nous étions déjà allés nous adresser à elle au sujet de tout ça, et il ne s'est rien passé.

— Je comprends, glissa Morrow.

Tout en remplissant les verres, Rita leva le regard vers elle.

— Vous allez m'expliquer comment ça s'est produit?

Morrow regarda les bulles éclater à la surface. Elle ne savait que dire. Des gens à qui elle faisait confiance mentaient comme des arracheurs de dents.

— Ça fait partie d'une enquête en cours.

— Une enquête sur quoi?

Elle voulait l'entendre de la bouche de Morrow : «corruption dans la police».

— L'activité de divers gangs de Glasgow et ses environs…

— Des pots-de-vin, rétorqua Rita, moqueuse.

Devant l'expression suffisante de Rita, Morrow se souvint du craquement dans son coude qui lui avait donné la nausée.

— Bon, Rita, nous sommes venus jusqu'ici, deux jours avant le nouvel an, pour essayer de comprendre ce qui est vraiment arrivé à votre mari.

— À Majorque aux frais de la princesse? Comme je vous plains!

— Vous pouvez. J'ai accouché de jumeaux il y a quatre mois et j'aimerais autant être chez moi. Mais je n'y suis pas. Je me suis levée à 3 h 30 ce matin pour venir ici parce que je ne veux pas qu'il arrive la même chose à quelqu'un d'autre. Allez-vous m'aider?

Rita soutint le regard de Morrow tout en portant le soda à sa bouche, la langue tendue à la rencontre du gobelet pour le guider entre ses lèvres. Elle but et le reposa sur le plateau.

— Eh bien, fit-elle, savourant le plaisir que lui procurait le déséquilibre des pouvoirs en sa faveur, vous allez devoir me dire ce que vous ne savez pas…

— Greenock.

Rita sortit son fume-cigarettes de sa poche, le démonta pour changer le filtre en plastique, puis sortit une cigarette qu'elle enchâssa à l'extrémité avant de l'allumer.

— Brendan a été emmené à Greenock.

— Le tireur était de Greenock.

Rita opina.

— J'ai entendu dire, oui.

— Dites-moi ce qui s'est passé à Greenock.

Rita tira une grande bouffée de sa cigarette.

— Bren partait travailler. (Elle se perdit un instant dans le souvenir avant de revenir à elle.) Il partait travailler, il était arrivé à la station de taxis et s'était rangé au bout de la file d'attente. Deux types sont entrés. Bren leur a dit : «Désolé, il faut aller en tête de file», mais quand il s'est retourné, il a vu le pistolet. Ils lui ont dit qu'ils étaient du gang des McGregor et lui ont demandé de les conduire à Greenock. Les McGregor, vous connaissez? Ils font toujours parler d'eux dans les journaux.

— Oui, ça me dit quelque chose. Où à Greenock lui ont-ils demandé de les conduire ?

— Un club, qu'il ne connaissait pas, il a fallu qu'ils le guident. Un bouge, apparemment. Un vieux bar à la devanture noire. Ils l'ont traîné jusqu'à la cave, derrière de lourdes portes en métal. Pas de fenêtre, juste deux chaises, comme des vieilles chaises de bureau. Ils l'ont assis de force sur l'une des deux. Sur l'autre, il y avait un homme au visage tellement tuméfié que Bren n'arrivait pas à distinguer s'il était jeune ou vieux. Il était ligoté à la chaise, affaissé, il grognait pendant qu'ils parlaient à Bren. Il y avait du sang par terre autour de lui.

— Qu'ont-ils dit à Bren ?

— « Sois raisonnable », dit-elle, les larmes aux yeux. Ça semblait ridicule mais c'est ce qu'ils ont dit : « Sois raisonnable. »

— Ils ont fait tout ça pour s'adjuger le contrôle des taxis ? C'est beaucoup de complications pour une filière de blanchiment d'argent. Ils ne pouvaient pas juste ouvrir des ongleries ?

— Non, non, c'est bien plus que ça. Bren disait toujours que les taxis sont comme les veines de la ville. Ils s'en servent pour blanchir de l'argent, bien sûr, mais aussi pour le transport de colis, pour les déplacements de gens, pour les kidnappings, ils peuvent localiser tout le monde et connaître leur destination. Bren soutenait celui qui possède les taxis possède la ville.

— Qui était l'autre type dans la cave ?

Elle haussa les épaules.

— Ils n'ont jamais dit son nom. Bren m'a dit que c'était comme s'il n'était pas là. Il servait juste à effrayer Bren, à lui montrer ce dont ils étaient capables. Puis ils lui ont dit de se tenir à carreau parce qu'ils connaissaient Rosie, Joe, maman et moi, le jardin d'enfants. Et ils l'ont relâché.

— Qu'est-ce qui s'est passé ensuite ?

— Il est rentré. Il avait eu si peur qu'il a pleuré tout le long du chemin. Il a dû se ranger sur le bord de l'autoroute. Pleurer, ce n'était pas son genre.

— C'est à ce moment-là qu'il a laissé tomber la politique ?

— Non. Le lendemain, il s'est levé, il est retourné travailler et a continué à essayer de convaincre ses collègues de lancer une offre supérieure, de les pousser à s'organiser. Puis le taxi a été incendié devant chez nous, et ça a été la goutte d'eau qui a fait déborder le vase. Il est allé trouver votre petite clique, il leur a tout raconté et n'a jamais plus eu de nouvelles. Il téléphonait sans arrêt mais sans jamais obtenir la moindre information.

— Vous savez à qui il a parlé ?

— Non. Il ne tenait pas à ce que je sache. Il disait que c'était plus sûr comme ça.

Morrow songea à Leonard, à quel point elle avait raison, qu'ils demanderaient à un flic d'égarer un dossier, à un autre d'oublier un chef d'accusation, une foule d'infractions minuscules qui mises bout à bout menaient à quelque chose d'aussi énorme que ça : un type bien comme Brendan Lyons contraint de quitter le pays pour sa sécurité.

— Il a laissé tomber à ce moment-là ?

Rita eut un instant d'hésitation.

— Vous savez, du début des années 1970 à la fin des années 1980, rien ne pouvait l'arrêter. J'ai fini par lui dire, Bren, tu as essayé, partons pour Majorque. Ce n'est plus ton combat maintenant.

— C'était ça, votre projet ?

— *Aye.*

— Et Rosie et Joe dans tout ça ?

— Ils allaient rester là-bas, pour l'école. C'est pour ça qu'on gardait la maison. On se disait qu'elle pourrait l'occuper, qu'on pourrait lui rendre visite de temps en temps, et ce serait bien.

Elle baissa les yeux avant de poursuivre :

— Sans doute que maintenant ils ne peuvent plus y retourner. Pour la maternelle de Joe, en tout cas, il est clair que non. Quelqu'un les guettait sur le trottoir le lendemain de la mort de Bren.

— Brendan a-t-il mentionné des noms ? Ceux des types de Greenock ?

Rita la prit visiblement pour une demeurée.

— Comment puis-je être sûre que vous valez mieux qu'eux ?

Ils reprirent l'avion pour Glasgow le soir même, assis à quatre rangées de sièges l'un de l'autre, pour le plus grand bonheur de Morrow.

336

Aidée du plan de vol indiqué dans le magazine distribué en cabine, Alex laissa son regard errer derrière le hublot. L'Espagne, qui surgissait çà et là sous le ciel couvert, les sommets enneigés des Pyrénées avec leur coiffe de nuages. Elle songeait à Harris et à Francesca Costello, à MacLish et à l'honorable Brendan Lyons avec sa mise soignée, qui, traumatisé par la scène qu'il avait vue à Greenock, se garait au bord de la route pour pleurer.

Elle s'imagina à sa place, en train de faire la queue au bureau de poste, perdue dans ses rêveries de Noël, ses jumeaux devant elle dans leur poussette double. Et puis l'arrivée de MacLish, l'arrivée de quelqu'un, brandissant une arme. Levant les yeux sur lui, elle le reconnaissait et il la reconnaissait aussi. Elle sentit leurs regards qui se croisaient et la poignée moite de la poussette sous ses doigts crispés. Il ne pourrait pas se permettre de la laisser l'identifier dans une rangée de suspects : ses patrons le tueraient lorsqu'ils apprendraient qu'il avait agi seul. Dès l'instant où leurs regards s'étaient rencontrés, MacLish savait qu'il allait devoir abattre Brendan Lyons.

Dans le brouhaha de la cabine, les yeux posés sur les sommets des Pyrénées qui se détachaient dans la pénombre, Morrow voyait le sol crasseux, sentait dans son être ce que cela faisait de s'éloigner de la double poussette, d'encourager un inconnu qui se trouvait là à s'approcher, à faire comme si les garçons étaient les siens. Elle se vit avancer vers le tireur pour lui prêter main-forte. Elle sentit la douleur cinglante de la gifle qu'elle infligeait à une femme innocente et le courant d'air froid venu de la porte sur ses chevilles au moment où, debout devant elle, il ajustait son arme pour viser son ventre. Levant les yeux vers le soleil qui se couchait sur une immense prairie de nuages cotonneux, elle sut qu'elle aurait presque été heureuse de voir à cet instant le canon se baisser dans sa direction, car elle l'aurait contraint à avancer vers la porte, loin des garçons.

Dans les kiosques à journaux de l'aéroport, en une de toute la presse nationale et régionale s'étalait la même histoire : Jill Bowman niait avoir eu une liaison avec Kenny Gallagher. Tout cela n'était qu'une campagne de dénigrement acharnée à l'encontre d'un brave homme.

— Gallagher va toucher le gros lot, commenta McCarthy.

Comme ils n'avaient pas de bagages, ils furent les premiers à la station de taxis.

Un homme emmitouflé pour un hiver arctique leur demanda leur destination.

— Glasgow, répondit McCarthy qui se tenait la tête haute sous la pluie, dupé par les quelques heures de temps chaud auxquelles il avait eu droit.

D'un geste, l'homme leur indiqua le taxi de tête.

Ils se glissèrent dedans, rabattirent la portière coulissante derrière eux et le taxi démarra.

— C'est le vol de Londres qui vient d'atterrir? s'enquit le chauffeur en jetant un regard vers eux dans le rétroviseur.

— Non, répondit Morrow d'une voix absente.

Après deux ronds-points, il bifurqua vers la bretelle d'accès à l'autoroute. Il leur jetait sans cesse des regards dans le rétroviseur, comme s'il essayait de deviner qui ils étaient, où ils étaient allés.

— Nous sommes officiers de police, finit-elle par lui dire. Nous enquêtons sur le meurtre de Brendan Lyons.

— Brendan? fit-il en se redressant sur son siège. C'est vrai? J'ai eu vent de ce qui s'est passé.

— Vous le connaissiez?

— Non, je suis arrivé après, je n'ai ma licence que depuis huit mois. Mais j'ai entendu parler de lui.

— Et les McGregor, ça vous dit quelque chose?

— Oh! *aye.*

— Travailler ici ne vous fait pas peur?

— Je n'ai pas vraiment le choix, si? Je ne vais pas aller bosser en ville, en tout cas, ça c'est sûr, c'est encore pire là-bas. Mon cousin conduisait un taxi en ville, seulement le week-end. Et le week-end, la nuit on est dans un univers parallèle, que du trafic de drogue, mais je ne vous apprends rien.

McCarthy opina aimablement. Pas Morrow.

— Mon cousin, vous voyez, il savait rien de tout ça quand il s'est lancé, il ne l'a fait que pendant deux ans et ça gagnait bien, mais il

338

savait pas à quel point c'était un problème à Glasgow, il avait pas la moindre idée. On voit rien à moins d'avoir mis le doigt dans l'engrenage, vous savez…

Morrow marmonna son approbation.

— Les histoires qu'il nous racontait, sans déconner…

— Par exemple?

— Oh! les gars bourrés, les strip-teaseuses, ceux qui s'étaient pris des coups de couteau et qu'il fallait conduire à l'hosto. Le chaos. En ville, c'est le chaos.

Sans prendre conscience qu'à leurs oreilles ces histoires sonnaient comme une critique du travail qu'ils accomplissaient, le chauffeur continuait, entraîné par son histoire.

— Il y avait un type, connu comme le loup blanc, qui passait la nuit à se faire déposer ici et là par un taxi pendant que le chauffeur attendait. Toute la nuit le même manège. Et généreux sur les pourboires en plus. Un soir, mon cousin a touché trois cents livres. Il détestait. Il avait l'impression d'être un dealer.

Morrow n'y tenait plus.

— Qu'est-ce que vous voulez qu'on fasse, nous, si des gens comme vous acceptent leur fric? s'énerva-t-elle.

Il entendit la colère dans sa voix et répondit calmement.

— À sa décharge, il ne l'a jamais plus accepté comme client, il a laissé les autres se battre pour prendre l'appel.

Ils approchaient du Kingston Bridge à la circulation souvent engorgée, mais avec les fêtes les routes étaient presque désertes, si bien qu'ils franchirent le fleuve en un rien de temps.

— «Prendre l'appel»? Que voulez-vous dire? Comment votre cousin pouvait-il savoir que c'était lui qui le contactait? demanda Morrow. Il venait toujours de la même adresse?

— Non, non, par son numéro de téléphone. Vous appelez une fois, et votre numéro est conservé dans le système. Où vous allez, d'où vous venez. Tout ça.

Ils avaient les numéros de Leonard et de Gobby. Ils avaient les numéros de tout le monde. L'adresse du bureau de poste aussi. Ils savaient où tout le monde se rendait, d'où les gens venaient, qui partait pour l'aéroport avec des valises. Et tout ça était stocké dans les ordinateurs d'une société de taxis, propriété des McGregor.

— C'est vrai pour toutes les sociétés de taxis?

— Oh! *aye*, dit-il, toutes celles qui sont équipées d'un central téléphonique.

29

Attablé à la terrasse du restaurant, Kenny Gallagher goûtait la chaleur du soleil du nouvel an sur son visage, la compagnie de sa séduisante femme et le luxe de porter des lunettes de soleil en hiver. Annie aussi avait ses lunettes. Elles lui allaient bien. Son lourd manteau était ouvert pour profiter du soleil hivernal, découvrant une robe moulante blanche. Il l'aimait. Tout était rentré dans l'ordre, il était content. Pour ne pas la perdre, il avait risqué sa carrière et il avait gagné.

C'était un bon restaurant, installé dans un quartier piétonnier plein de jolies boutiques, bordé de haies en plastique et à la terrasse chauffée. Un repaire pour les fumeurs, certes, mais un endroit agréable où manger par un jour froid et ensoleillé comme celui-ci.

Devant lui gisaient les restes d'un repas délicieux : sole citronnée sur un lit d'épinards à la vapeur, accompagnée de pain chaud. Il était rassasié, juste comme il fallait. Au chaud, juste comme il fallait. Et maintenant, contre toute attente, riche, juste comme il fallait. Globe Media avait transigé sans attendre le procès, avant que l'encre de l'interview de Jill Bowman ait eu le temps de sécher.

Pour la première fois depuis longtemps, Kenny se sentait comblé. Ils étaient passés à la banque ce matin-là, afin d'encaisser le chèque, et il avait proposé qu'ils aillent déjeuner. Quand ils quitteraient le restaurant, quand Kenny la raccompagnerait à la maison, il entrerait quelques instants sous prétexte de voir les gosses et resterait peut-être à dîner, qui sait ? Il attendrait que les enfants soient couchés, puis, le moment venu, il évoquerait la possibilité de revenir s'installer. Annie n'avait pas abordé le sujet, mais elle était là avec lui, en train de déjeuner, et c'était agréable.

Des passants sur Buchanan Street les dévisagèrent, le regard attiré par Kenny Gallagher, Gallagher le Vaillant, et sa splendide épouse.

Le serveur vint débarrasser leur table et balayer les miettes sur la nappe en lin à l'aide d'une petite brosse.

— Vous désirez autre chose, monsieur ?

Il posa les yeux sur Kenny, son visage traversé d'un petit mouvement convulsif quand il le reconnut.

— Un café et un cognac s'il vous plaît. Vous avez du Delamain ?

— Extra de Grande Champagne, monsieur ?

— À combien sont les verres ?

— Vingt-trois livres, je crois.

Kenny interrogea Annie d'un haussement de sourcil.

— Non, dit-elle, c'est hors de prix…

— Allez, c'est le premier de l'an.

Il leva deux doigts en direction du serveur.

— Deux cafés et cognacs, monsieur ?

— Oui, s'il vous plaît.

Alors que le garçon s'éloignait, Annie lui adressa un regard de reproche.

— On n'a pas obtenu tant que ça, Kenny. N'oublie pas que tu ne vas pas travailler cette année.

Il lui prit la main et serra ses doigts.

— Juste cette fois.

Annie se dégagea de son étreinte.

— Au fait, Kenny, puisque tu ne vas pas te représenter, on est venu, comment dire, me solliciter.

Il sourit.

— Te solliciter ? Ah oui ? Et qui donc ?

— Alison Collins, répondit-elle doucement.

La Tueuse. Il n'en revenait pas.

— Bon Dieu. Je croyais qu'elle me détestait. Je n'aurais jamais imaginé qu'elle me voudrait de nouveau à ses côtés.

— Non.

342

Annie tendit la main vers celle de Kenny, mais arrivée au milieu de la table, elle la retira, comme si elle ne pouvait pas se résoudre à le toucher.

— Non, Kenny. Alison m'a sollicitée pour savoir si j'accepterais de me présenter, moi.

— Toi ?

Le café arriva. Le serveur dressa la table avec beaucoup de cérémonie : cafetière, lait, sucre, mignardises et deux énormes ballons en cristal pleins d'un cognac d'une éclatante couleur caramel.

D'une voix sonore, il leur servit un petit discours sur le breuvage et son histoire. Annie remplit sa tasse de café sans s'occuper de celle de Kenny et y ajouta du lait, laissant à Kenny le soin d'écouter.

Leur souhaitant une bonne dégustation d'une voix qui ne tolérait pas la réplique, le serveur se retira.

Kenny se pencha vers sa femme.

— Toi ? Te présenter ?

— Pourquoi pas ?

— Eh bien (il laissa échapper un petit rire). D'abord, tu n'as aucune expérience.

— Comme toi la première fois. Et je suis au parti depuis aussi longtemps que toi.

C'était du grand n'importe quoi. La Tueuse remuait la merde, rien d'autre. Du grand n'importe quoi. Qui s'occuperait des enfants toute la journée ? Elle n'y avait pas mûrement réfléchi. Kenny sourit et leva son verre vers elle.

— Eh bien, fit-il d'un ton qu'il voulait badin. Voilà une nouvelle inattendue !

Mais Annie ne l'entendait pas de cette oreille.

— Pas pour moi, Kenny, répondit-elle sèchement. Tu sais que j'ai toujours eu des ambitions.

Kenny croyait que c'était du passé. Elle n'en avait pas fait mention depuis des lustres. Mais il ne voulait pas d'une dispute, pas aujourd'hui, pas s'il voulait conserver une chance de rentrer chez lui. Il eut un sourire évasif et fit danser le cognac dans son verre, en inspira le doux arôme boisé, porta le somptueux alcool à ses lèvres et but une gorgée. Le cognac, chaud et profond, glissa en lui, répandant une chaleur bienveillante de son ventre jusqu'au bout de ses doigts. Un sacré coup bas de la part de la Tueuse. Une vraie teigne.

Annie leva son verre.

— Mon Dieu, vingt-trois livres…

Chacun croqua dans une mignardise. Les saveurs mêlées du café, du cognac et des chocolats étaient un délice, d'une richesse qui l'apaisa, qui l'emplit du sentiment que tout irait bien. Il resterait pour le dîner. Ils en parleraient à ce moment-là. En repensant au jour où elle s'était ruée sur lui, furieuse, il porta la main à sa tempe, à l'endroit du petit renflement laissé par la croûte qu'elle lui avait faite.

La porte du restaurant s'ouvrit derrière eux. Une femme ivre enveloppée dans un manteau de fourrure hors de prix titubait dans l'allée étroite qui menait à la rue, affalée contre le bras secourable d'un homme de mauvaise humeur, peut-être son mari.

Au moment où le mari, rouge d'embarras, la traînait loin du corral, au-delà des haies, elle se retourna pour lancer : «Bonne année, tout le monde!»

Et chacun leva son verre pour lui répondre d'une seule voix : «Bonne année!» Même son mari en sourit.

— À vous aussi, lança-t-il.

Avant d'atteindre le bout de la rue, le couple s'étreignait déjà en riant.

— Salut, vous deux!

C'était Danny McGrath qui leur souriait de l'autre côté de la haie. Sans manteau, en simple pull-over noir délavé, il semblait avoir sauté de voiture.

— Danny, lui lança Annie d'une voix enjouée, tu ne portes jamais de manteau ou quoi?

La remarque le fit sourire.

— Si, ça m'arrive.

— Ça ne serait pas une bonne idée de le sortir aujourd'hui? Il fait un froid de canard.

— Danny, fit Kenny, viens donc te joindre à nous. Buvons un coup à la nouvelle année!

Danny ne buvait pas, tout le monde le savait. Il était toujours maître de lui.

— Ils servent de l'Irn-Bru ici ?

— Ils servent de tout ici, s'avança Kenny, sans en être sûr.

De toute évidence, Dany ne tenait pas à s'asseoir en leur compagnie. Il hésita un instant mais se ravisa.

— Oh ! après tout, pourquoi pas ?

Il contourna la haie pour les rejoindre et se chercha une chaise. Il en trouva une à une table voisine qu'il tira jusqu'à eux, le raclement des pieds contre le béton venant troubler l'atmosphère paisible des lieux.

— Où est le serveur ? s'enquit Annie en redressant le dos et en balayant la terrasse du regard.

— Je crois qu'il est à l'intérieur, répondit Kenny en regardant Danny poser sa chaise plus près d'elle que de lui.

— Je vais le chercher.

Annie ramassa la serviette sur ses genoux, la posa sur la table et se leva, chancelant un instant sur une cheville avant de retrouver son équilibre.

— Houla ! s'exclama-t-elle. Je ne bois jamais pendant la journée et voilà le résultat.

Elle disparut dans le restaurant.

— Alors, dit Danny, tu as gagné, mon gars.

Kenny leva son cognac à vingt-trois livres le verre.

— J'ai gagné.

— Félicitations.

— Merci, merci. J'ai bien aimé ce que tu as dit l'autre soir, Danny, sur le gros poisson dans la petite mare.

Danny soupira.

— *Aye*, siffla-t-il. Ils vont pas te lâcher.

— Inventer des trucs, remarqua Kenny.

— Tout à fait, acquiesça Danny. Tout ce qui peut vraiment te faire du tort, ils l'inventeront.

— Pour te ramener à leur niveau.

— Exact, mon gars.

Ils opinèrent de concert tels deux métronomes marquant fraternellement la mesure.

— Tu fais quoi pour le réveillon ? s'enquit Danny.

— Je serai sans doute à la maison, en famille.

Danny parut surpris.

— Ah bon? sourit-il en prenant un chocolat qu'il fourra tout entier dans sa bouche, au lieu de le croquer proprement en deux ou trois bouchées.

Kenny, qui l'observait tout en songeant à Annie et à la Tueuse, fut soudain assailli par le sentiment que tout cela prenait soudain un tour vaguement sinistre.

Danny, souriant, exhibait ses dents maculées de chocolat.

— J'aimerais bien, moi aussi. Mais il y a un truc auquel je dois assister. Plein de petits poissons. Des gros et des petits.

Se penchant vers Kenny, il lui murmura.

— Les taxis, c'est ma partie.

— Tout le monde s'y rend en taxi? demanda Kenny qui avait compris que Danny s'occupait d'acheminer tous les invités à quelque gala de bienfaisance pour une association de handicapés ou quelque chose dans le genre.

— Non, les taxis, c'est *ma* partie.

Kenny sourit. On aurait dit un slogan ou un code, mais Danny ne lui rendit pas son sourire. Kenny eut la sensation qu'il devait dire quelque chose.

— Ah ouais?

— Ouais, confirma Danny. Du légal, rien que du légal. Tu ne savais pas ça de moi, n'est-ce pas? Que les taxis étaient à moi?

— Non.

— Personne n'est au jus. Je peux pas obtenir de licence, je dois faire ça avec un prête-nom.

La conversation prenait un tour étrange. Kenny aurait aimé voir Annie revenir.

— C'est dommage, tu sais? continua Danny. Parce qu'on peut pas s'en attribuer le mérite.

— Bien sûr.

— Les gens ne savent pas vraiment qui tu es… (Danny le dévisageait avec insistance.) Et les business légaux, c'est une plaie, tu sais? Il faut garder des traces de tout. Dans les taxis, par exemple, t'es obligé de conserver une trace de toutes les courses, où les véhicules sont allés, quand, pour que le fisc sache que tu les gruges pas. Une vraie galère.

— Le monde moderne, commenta Kenny en se demandant si Annie était allée aux toilettes et, si jamais c'était le cas, si elle avait opté pour les toilettes de l'étage ou les autres, en bas, qui étaient plus éloignées.

Danny n'avait pas l'intention de s'arrêter.

— Ils te demandent de tout conserver pour le fisc. Alors on garde la trace de tout, de l'endroit où on vient te chercher à celui où on te dépose. (Il regarda Kenny.) *Pendant des années.*

Kenny prit soudain conscience que Danny faisait plus que bavarder, que profiter du soleil en tapant un brin de causette. Ce que Danny lui disait était en réalité d'une grande portée.

— Elle a changé de version, hein ? glissa Danny. La petite Bowman.

Kenny haussa les épaules. Il n'aimait pas ça.

— Je peux ?

La grosse main de Danny planait au-dessus de l'assiette de mignardises, une fine pièce de vaisselle en porcelaine dans laquelle six chocolats exquis étaient encore alignés.

— Je t'en prie, lui dit Kenny.

Il choisit la truffe au chocolat noir et la jeta dans sa bouche comme un cachet. Kenny entendit le nappage de chocolat craquer sous ses dents.

— J'ai envoyé des gars à moi rendre une petite visite à cette gamine, lui toucher deux ou trois mots.

Kenny hésita.

— Des gars ?

Une femme frôla le dos de Kenny en se glissant entre deux chaises, le plongeant un instant dans son ombre glaçante. Même après son passage, Kenny ne put se débarrasser du froid qui l'avait envahi.

— J'ai des traces de tes visites chez elle, mon gars. L'aller et le retour. Quinze fois en un mois. Quand tu la raccompagnais après de longues nuits au bureau. Des taxis à la sortie des trains et des hôtels. Elle et toi. Les dates, l'heure, tout.

Kenny découvrait Danny dans toute sa splendeur maintenant : un voyou en pull-over bas de gamme, froid, effrayant, qui pendant

347

des années avait rongé son frein, en attendant que se présente la boulette qu'il pourrait exploiter.

— Je veux une licence de taxi à mon nom, tu vois, dit Danny calmement. Je veux monter d'un cran.

— Danny, c'est pas dans mes moyens. C'est le boulot du conseil municipal, et moi, je suis membre du Parlement. Et plus pour très longtemps, de surcroît.

Penché vers lui, Danny susurrait presque ses propos.

— Tu trouveras. Ou je te coulerai.

Annie apparut à la porte du restaurant, ses lunettes de soleil toujours sur le nez, et s'avança vers eux d'un pas nonchalant. Passant une main fine sur sa fesse droite, elle lissa sa jupe derrière ses genoux et s'assit.

— Le serveur arrive. Vous parliez de quoi?

Kenny laissa à Danny le soin de répondre :

— De nos bonnes résolutions.

Annie parut sceptique. Danny lui adressa un sourire langoureux.

— Non, d'accord, j'ai menti. On parlait affaires.

— Pas aujourd'hui. On laisse tomber ça dix minutes. C'est barbant, fit-elle.

— Pas barbant pour nous, hein, Kenny?

Kenny porta son ballon à ses lèvres et le vida, gardant si longtemps le cognac dans sa bouche qu'il lui brûla la langue. Il reposa le verre sur la coquette nappe blanche. Vingt-trois livres. Il ne sentait plus le bien que ça lui faisait à présent, juste la brûlure. Et dans le soleil éclatant de la nouvelle année, il remarqua alors, à l'intérieur du verre, une trace huileuse d'ambre irisé.

Remerciements

Il y a trop de gens à remercier et pas assez d'heures dans la journée, mais il me vient immédiatement à l'esprit les personnes suivantes : Pete Robinson, Jon Wood et Jemima Forrester, Susan Lamb et Graeme Williams, d'Utrecht, que Dieu le garde. De l'administration sortante : Jade, Sophie et Helen, un grand merci accompagné d'un petit coup de poing sympa dans le bras.

Margery Laird aux yeux d'aigle, que j'ai rencontrée chez Barnes and Noble dans l'Upper East Side, qui a su se taire quand il le fallait.

Richard Halligan, pour m'avoir offert l'autobiographie de Kenny McLachlan, *One Great Vision*...

Le professeur Graeme Pearson pour son temps, ses conseils et pour m'avoir servi un plan sur un plateau.

M. Willie Mottram, qui nous a emmenés prendre l'avion à Édimbourg quand nous étions par erreur allés à Glasgow.

Ma famille et mes amis au complet, pour le soutien, l'amitié et la compréhension dont ils ont fait preuve.

Composition Datamatics

Impression réalisée par
CPI Bussière
en septembre 2014

N° d'édition : 01 – N° d'impression : 2012172
Dépôt légal : octobre 2014
Imprimé en France